COLLECTION FEMME

FRAN HOSKEN

LES MUTILATIONS SEXUELLES FÉMININES

Préface de Benoîte Groult

TRADUIT DE L'AMÉRICAIN
PAR DANIÈLE NEUMANN

DENOËL / GONTHIER

Collection « Femme »
dirigée par Danièle Rosadoni

Titre original :

THE HOSKEN REPORT :
GENITAL AND SEXUAL MUTILATION OF FEMALES
(Women's International Network News-USA)

ISBN 0-942096-05-3

ISBN 2-282-20308-9

Préface

Il existe de par le monde un petit nombre d'illuminés que l'injustice et le malheur atteignent si profondément qu'ils n'en guérissent jamais quand ils les ont rencontrés et consacrent leurs forces et leur vie à tenter d'y porter remède. Fransiska Hosken est de cette race-là.

Ces gens-là ne se contentent pas de discours émouvants et de protestations humanitaires. Ils ne font partie d'aucune de ces pompeuses Organisations internationales, ne bénéficient d'aucun appui ou crédit officiels. Ils passent pour des fous, des obsédés, des utopistes, des « emmerdeurs publics » ; ce qu'ils sont. Mais comment ne le deviendraient-ils pas face à l'indifférence des gouvernements, à l'hypocrisie des responsables, aux mensonges des intéressés et à l'ignorance soigneusement entretenue des victimes ? Face en l'occurrence à ce phénomène collectif de résignation chez les femmes et de complicité tacite entre les hommes qui a permis que se perpétue depuis 2 000 ans, à l'abri d'un implacable silence, une des formes les plus cruelles de l'oppression des femmes ?

Dans le chapitre « Un point de vue personnel », Fran Hosken raconte comment elle découvrit au cours d'un voyage professionnel en Afrique « le secret le mieux gardé du monde ». Et à quel point cette découverte bouleversa sa vie, la contraignant bientôt à renoncer à sa carrière d'architecte pour dénoncer ce qu'elle considérait comme un crime contre les petites filles, scandaleusement couvert par le silence : la mutilation irréversible de leurs organes sexuels au profit d'une caricature de société patriarcale, aux yeux de laquelle les femmes ne sont « qu'un champ génital donné à l'homme), (cf. *Le Coran*), un bétail humain en somme, qu'on peut vendre et acheter, priver d'instruction, voiler, sequestrer, répudier, exploiter, mettre à mort et dont on peut même rectifier les organes à sa guise.

En Europe, c'est un autre illuminé, le fondateur de Terre des Hommes, Edmond Kaiser, qui, le premier, a fait prendre conscience à de nombreux journalistes occidentaux, lors d'une conférence de presse tenue à Lausanne en 1976, du fait que les fameuses « cérémonies d'initiation » dont ils aimaient à souligner l'aspect pittoresque, voire formateur pour la jeune fille, ne se réduisaient pas à une bénigne circoncision plus ou moins accompagnée de danses rituelles, mais constituaient sous leurs formes extrêmes une monstruosité physiologique et une véritable torture, désastreuse pour la santé et la fécondité des victimes.

Grâce à eux, nous savons aujourd'hui que 70 millions de petites filles et d'adolescentes l'ont subie en Afrique et au Proche-Orient et que leur nombre, loin de s'amenuiser, va croissant. Nous savons que cette mutilation peut aller de la simple ablation du clitoris, « utile pour assagir le tempérament de nos négresses », comme disait avec un cynisme candide Jomo Kenyatta, jusqu'à l'exérèse des petites lèvres suivie de la suture quasi complète des grandes lèvres, afin que le sexe féminin soit « purifié » et débarrassé de tous ces replis, inutiles puisqu'ils n'apportent rien au plaisir de l'homme. L'idéal étant que les organes féminins soient réduits à leur plus simple et utile expression : un trou. La petite fille infibulée est alors bonne à marier : elle n'a désormais pas plus de sexe qu'un poupon de celluloïd : il ne lui reste qu'un orifice minuscule qui servira à la fois et tant mal que bien au passage des urines et du sang menstruel, entouré de cicatrices fibreuses qu'il faudra rouvrir au rasoir lors des premiers rapports sexuels et de chacun des accouchements.

A leur suite, des journalistes de divers pays, parfois au nom de principes humanitaires, souvent pour des motifs sensationnalistes, ont publié quelques reportages, articles ou livres sur cette question, que la mort récente de petites filles immigrées, excisées clandestinement en France même, venait de mettre à l'ordre du jour. Comme s'il avait fallu que des petites filles meurent dans un hôpital parisien pour qu'on s'émeuve ici des 500 000 petites filles mutilées chaque année en Afrique.

Aujourd'hui enfin, plus personne ne peut fermer les yeux sur cette réalité. Mais comme l'a précisé très justement

Edmond Kaiser : « Avant de s'indigner, il faut se donner la peine de savoir. Et pour agir, il faut être capable d'avoir mal aux autres. »

Fran Hosken a eu mal aux autres, aux autres femmes, bien avant que le problème n'ait intéressé le moindre ethnologue, le moindre reporter, n'ait fait réfléchir le moindre philosophe ou sociologue. Depuis 10 ans elle est allée s'informer sur place, a retrouvé les rares revues médicales consacrées aux séquelles de ces opérations, a travaillé avec une volonté si obsessionnelle qu'elle a réussi à soulever enfin un pan du voile de silence sur cette pratique restée jusque-là taboue. Elle a voyagé dans toute l'Afrique, rencontrant les femmes et les matrones dans les villages aussi bien que les dirigeants politiques et le personnel médical. Elle a assiégé les organismes à buts humanitaires et les gouvernements, se heurtant pendant des années aux mensonges, à la lâcheté, à l'indifférence surtout. Qui en Afrique ou en Occident avait envie de s'intéresser aux problèmes génitaux de femmes mutilées, Noires de surcroît ?

Les Africains l'accusèrent de néo-colonialisme. Les Blancs lui reprochèrent de ne pas « respecter les traditions de ces peuples », un prétexte qui a longtemps servi d'alibi aux Organismes d'assistance au Tiers Monde pour refuser toute action. Un scrupule bien commode mais qui n'a jamais étouffé l'Occident quand il s'agissait d'exporter des techniques ou d'exploiter des matières premières à son seul profit !

Refusant d'admettre que les critères du juste et de l'injuste, du criminel et du tolérable, s'arrêtent à certaines frontières, convaincue que la dignité de l'être humain doit être la même sous toutes les latitudes, Fran Hosken a poursuivi son œuvre en toute bonne conscience, sachant qu'elle ne se battait pas en tant que Blanche, ou représentante de la tradition judéo-chrétienne ou d'une civilisation présumée supérieure, mais tout simplement pour le droit élémentaire de l'individu à la santé et à l'intégrité de son corps. Mais tout simplement par solidarité viscérale avec ses sœurs. Car tout ce qui opprime, mutile ou rabaisse des groupes de femmes en tant que telles, même à des milliers de kilomètres de chez nous et quelle que soit la couleur de leur peau ou leur religion, nous opprime et nous rabaisse nous aussi.

Nous savons qu'à toutes les époques, dans tous les pays, à travers toutes les religions et tous les codes civils, le système patriarcal a exprimé sous les formes les plus diverses et les plus délirantes parfois son mépris pour le deuxième sexe. Un mépris qui avec le temps a acquis une sorte de légitimité et nous paraît si « naturel » que nous ne le reconnaissons pas toujours, même quand il s'agit des mutilations sexuelles par exemple. Mais un mépris si universel qu'il n'a encore été effacé ni par les révolutions, ni par les progrès scientifiques, ni par les conquêtes du féminisme : on continue à brûler les jeunes femmes en Inde, non plus parce que leur mari est mort, mais parce qu'elles n'ont pu lui apporter une dot suffisante. Les parents continuent à tuer les petites filles en Chine, non plus parce qu'ils ont trop d'enfants à nourrir mais parce qu'ils ne peuvent plus en faire assez ! Sur les 2 qu'autorise l'Etat chinois, si l'on a eu le malheur d'avoir 2 filles, en mettre une à mort est le seul moyen de pouvoir tenter un « essai » supplémentaire.

Dans cette perspective, on voit que les mutilations ne sont pas un phénomène aberrant mais seulement une manière, plus radicale et plus cruelle que les autres, de maintenir les femmes dans un état de subordination. On comprend mieux alors le silence, le refus de prendre parti, les lenteurs de l'action.

Alors, pas raisonnable, Fran ? Sans doute. Passionnée, pleine d'illusions sur la possibilité d'une évolution rapide et en même temps indignée par la passivité et la mauvaise foi des responsables ? Sûrement. Coléreuse, infatigable, obstinée, convaincue qu'il est indigne de l'humanité de laisser tant de millions de femmes souffrir tant de douleurs inutiles, du seul fait qu'elles sont nées de sexe féminin ? Oui, elle est tout cela. Par bonheur pour ces femmes, elle a été assez folle et généreuse pour s'attaquer de front et seule à ce monstre d'hypocrisie et de résistance passive qu'est une société, fermée sur ses traditions et son orgueil, comme la plupart d'entre elles.

Son livre reflète toutes ces difficultés, ces contradictions. C'est une somme sur la question. La seule qui existe de nos jours, un extraordinaire témoignage sur l'humanité. Au-delà des inestimables connaissances qu'il apporte et des moyens d'action qu'il propose et a déjà mis en œuvre dans plusieurs pays, c'est aussi l'histoire émouvante d'une vie au service d'une idée, c'est une histoire d'amour.

Benoîte Groult

Introduction

Le Rapport Hosken est l'ouvrage le plus exhaustif sur les mutilations sexuelles dans le monde. Il traite de tous les aspects de ces opérations ; leur histoire, leurs origines, leur répartition, leurs justifications, leurs conséquences médicales, etc.

C'est pourquoi je suis convaincue que tous ceux qui sont concernés par ce problème doivent lire ce livre. Le Rapport Hosken constitue une étude d'ensemble. Pour ma part je n'ai traité que de mon pays, le Soudan. J'ai interrogé 3 210 femmes et 1 545 hommes, dans tout le pays. J'ai aussi étudié les problèmes médicaux et sexuels provoqués par ces opérations en visitant les hôpitaux, en rencontrant des chirurgiens et des infirmières. Les données que j'ai recueillies montrent que les hommes sont pleinement responsables de la poursuite de ces pratiques. Dans mon livre, je déclare : « En tant que pères et chefs de famille, les hommes se veulent totalement responsables des décisions concernant le bien-être de la famille et cela sur tous les plans. Ils exigent une obéissance totale au sein de la famille, et effectivement ils l'obtiennent. »

Et pourtant, quand il s'agit de la circoncision de leurs filles, ils déclinent toute responsabilité et disent : « C'est une affaire de femmes. »

Le Soudan est sans doute le pays où les conséquences médicales de ces opérations ont été le mieux étudiées, ainsi que l'attitude de la population. Mais des opérations de même type sont pratiquées dans la plupart des pays africains, et comme le montre Fran Hosken, elles ont une influence décisive sur le développement de ces pays.

J'espère que le livre de Fran Hosken convaincra les responsables de tous les pays de la nécessité d'agir et que ma propre contribution permettra de définir les modalités de cette action.

Dr Asma El Dareer

Les mutilations sexuelles : comment, pourquoi ?

La pratique des mutilations sexuelles féminines est vieille de plus de deux mille ans. Ce livre présente pour la première fois des faits cachés pendant des siècles.

Loin d'être en régression, le nombre de petites filles mutilées en Afrique et au Moyen-Orient augmente chaque année du fait de la poussée démographique que connaissent ces régions. Le secret qui entoure les opérations n'a pas pour seul effet de les protéger et de les perpétuer : il dissimule aussi leurs conséquences catastrophiques sur le plan médical et psychologique. C'est ainsi que les victimes elles-mêmes sont maintenues dans l'ignorance, ce qui les empêche d'établir une relation entre l'opération qu'elles ont subie et les séquelles dont elles souffrent.

L'aspect de « cérémonie d'initiation » tant souligné par les ethnologues et qui servait de prétexte pour ne pas intervenir, est en voie de complète disparition du fait, entre autres, de l'exode rural. Dans les zones urbaines, les rituels traditionnels ont fait place à de simples opérations de castration imposées à des fillettes de plus en plus jeunes. Dans les hôpitaux, des professionnels ou même le personnel soignant, à la recherche de profits supplémentaires, mutilent les petites filles des classes aisées, en prétendant que les conditions sanitaires dans lesquelles ils opèrent permettent de sauver des vies. Les opérations sont ainsi « modernisées » grâce aux acquis de la médecine occidentale, grâce aux équipements, aux médicaments et à la formation fournis par les programmes internationaux d'assistance médicale. Ces programmes sont conçus et financés par des organismes dépendant des Nations unies, et par les pays occidentaux. Mais personne ne proteste contre leur détournement à des fins révoltantes pour l'éthique médicale et l'idéal humaniste.

Aux Etats-Unis, les responsables de l'A.I.D. (Association internationale de développement ; Agency for International Development) ont refusé d'appliquer ou même de prendre en compte les Recommandations du séminaire de Khartoum, organisé par l'O.M.S., exigeant des mesures d'éducation préventive pour lutter contre les mutilations. J'ai maintes fois dénoncé leur comportement en témoignant devant les comités du Congrès des Etats-Unis qui décident du financement des programmes internationaux d'assistance. Malgré cela, ces programmes ne comprennent toujours pas de mesures préventives contre les mutilations.

Les faits présentés dans ce livre font douter de toutes les conquêtes réalisées à ce jour dans le domaine des droits de l'homme. Ces droits sont indivisibles et universels pour toute société, toute culture, tout continent, sans différence entre Blancs et Noirs, riches et pauvres, hommes et femmes. Les mutilations sexuelles représentent une atteinte intolérable aux droits de l'homme : atteinte au droit à la santé des victimes d'abord, mais aussi à l'essence, à l'esprit même de la féminité. Car ces mutilations ravagent et tronquent sans rémission le potentiel naturel de la femme afin de l'asservir aux besoins des hommes et de la conditionner à une meilleure exploration. Une opération équivalente pratiquée sur des hommes — pénisectomie — serait aussitôt dénoncée dans le monde entier. Mais aucune organisation internationale de défense des droits de l'homme ne s'est, à ce jour, prononcée publiquement sur le problème des mutilations dont sont victimes les femmes.

Nous sommes tous responsables de ce que nous faisons ou de ce que nous évitons de faire. Notre monde est devenu trop petit, il n'est plus possible de se voiler la face. Ce dossier vise à l'abolition de toute forme de mutilation génitale ou sexuelle dont sont victimes les femmes, quels que soient les prétextes au nom desquels ces mutilations sont pratiquées.

Pour atteindre cet objectif, il nous faut étudier et comparer toutes les formes que prennent ces mutilations — élargir notre perspective, mettre en évidence les séquelles tant physiques que psychologiques subies par les femmes. Aucune société aujourd'hui n'est à l'abri de telles pratiques, quelles que soient leurs formes. La cause fondamentale de ces mutilations, le mépris pour la femme, doit être combattu, partout, à sa racine. Nous ne parviendrons jamais à changer les comportements, si nous ne nous attaquons pas à leurs causes.

Si des milliers de jeunes filles continuent à subir, impuissantes, ces cruelles opérations de castration sexuelle, c'est par suite d'une autre mutilation, une mutilation de leur esprit pratiquée au nom d'un mépris du féminin qui gît au fond de toute culture. Bien que ces opérations aient de graves conséquences sur la santé de millions de femmes, il règne autour d'elles une véritable conspiration du silence, organisée non seulement par les familles des victimes, mais aussi par les responsables de la santé dans les pays concernés, tout comme ceux des organismes internationaux, officiels ou non, y compris ceux des Nations unies.

Cette conspiration du silence, ces dérobades, ce refus de reconnaître les faits que l'on retrouve chez tous ceux que devrait concerner ce problème montrent bien qu'ils se savent complices et coupables. C'est bien la preuve d'une infirmité psychologique, d'un aveuglement coupable de la part de ceux qui ont en main les instruments du progrès. Leur comportement est une grave menace, non seulement pour les femmes, mais aussi pour le progrès de l'ensemble de l'humanité. Cette violation des droits de l'homme — du droit à la santé — dont sont victimes des millions d'êtres humains, dont la seule faute est d'être femmes, ne peut plus être tolérée. Le droit pour la femme d'être responsable de son corps et de sa fécondité est l'un des plus élémentaires. Il est vrai que les variantes les plus cruelles de ces opérations pratiquées en Afrique et au Moyen-Orient ont été sévèrement condamnées du point de vue médical. Mais toute forme de mutilation du corps de la femme, ayant pour but de diminuer sa féminité ou sa sexualité doit être catégoriquement refusée, tout comme sont automatiquement condamnées les opérations similaires pratiquées sur les hommes.

Je pense que nous sommes suffisamment évolués, en cette fin du XXe siècle, pour comprendre que cette agression barbare dont sont victimes les jeunes filles n'est qu'un des moyens pour l'homme de maintenir sa supériorité sociale et sexuelle. C'est la raison profonde de ces opérations, et c'est pour cela qu'elles se poursuivent. Cette peur viscérale inavouée de la liberté féminine et notamment de la liberté sexuelle constitue un courant souterrain, sombre et redoutable qui, sous couvert de « moralité », traverse toutes les sociétés.

Il ne fait aucun doute que ces opérations pourraient être abolies, balayées de la surface du globe en l'espace d'une génération. Tous les êtres peuvent apprendre à mieux s'assumer, à mieux assumer leur vie et leur sexualité, même ceux qui aujourd'hui s'accrochent encore à leurs superstitions et à leurs pratiques néfastes. Nous avons les moyens de leur ouvrir les yeux, de leur montrer qu'on peut vivre autrement. Les organismes nationaux et internationaux qui refusent de leur dispenser cette éducation, de leur enseigner les faits biologiques fondamentaux essentiels à leur survie, se moquent de ceux qu'ils ont pour mission de servir.

Dans la préface de leur célèbre ouvrage, Masters et Johnson posent ainsi la question : « Comment les biologistes, les spécialistes du comportement, les théologiens, les éducateurs peuvent-ils exiger, en toute bonne conscience, que se perpétue cet état généralisé d'ignorance sexuelle ? Pourquoi les responsables de l'orientation de notre culture sont-ils si mal à l'aise dès qu'il s'agit de la physiologie sexuelle de l'être humain ? Tous les hommes et toutes les femmes doivent, un jour où l'autre, faire face aux problèmes posés par les pulsions sexuelles ? Celles-ci nous influencent plus profondément que toute autre réaction physiologique. Cette dimension fondamentale de notre existence ne mérite-t-elle pas une analyse scientifique et objective ? »

Les progrès des techniques de communication ne permettent plus de tolérer cet état d'ignorance qui engendre la confusion, le découragement et le refus d'agir. Mais il est désolant de constater que dans tous les pays, les autorités morales, religieuses et politiques — mâles évidemment — ont toujours lutté contre la liberté d'information dans le domaine de la reproduction et de la sexualité humaines. Aujourd'hui, les faits concernant la sexualité humaine sont établis, grâce à Kinsey, à Masters et Johnson, au rapport Hite. Pourquoi ne les enseigne-t-on pas dans toutes les écoles de tous les pays ? Pourquoi les responsables de la santé et de l'éducation ne font-ils rien pour sauvegarder la santé des enfants et des jeunes filles, les futures mères de chaque nation ? Pourquoi, dans les pays en voie de développement et surtout en Afrique, où la fécondité est si prisée, les professionnels de la santé n'enseignent-ils pas les faits biologiques fondamentaux, sur la conception et la naissance, sur la sexualité masculine et féminine, que chacun devrait impérativement connaître ?

Pour la première fois dans l'histoire, nous disposons de moyens pour libérer l'humanité de l'ignorance. Nous pouvons affranchir toutes les sociétés de ces mutilations brutales et absurdes. Les peurs et les mythes qui entourent la sexualité féminine, la ségrégation des sexes, la castration des femmes, sont autant d'éléments qui détruisent la vie familiale, qui doit être fondée sur le respect mutuel. Comment les enfants pourraient-ils devenir des adultes épanouis quand leurs propres mères sont traitées comme des êtres inférieurs, quand elles sont méprisées à cause de leur féminité elle-même ?

De tous les mythes se rapportant à la sexualité humaine, celui qui fait le plus de ravages en Afrique et au Moyen-Orient est celui qui prétend que les femmes sont incapables de dominer leurs pulsions sexuelles, qu'elles sont littéralement « possédées » par le sexe. C'est ainsi qu'on justifie les excisions et les infibulations : elles permettent en outre de sauvegarder la virginité de la femme, et l'honneur du chef de famille.

Voici ce qu'en dit l'anthropologue Ashley Montagu dans son ouvrage *The Natural Superiority of Women :* « Jamais vérité ne fut aussi follement travestie. Ce sont les hommes qui sont " possédés " par le sexe, alors que les femmes le possèdent. Les centaines de magazines qui se consacrent exclusivement aux besoins de l'excitation sexuelle des hommes fournissent les preuves accablantes de cette obsession. Nulle part on ne trouve de publications équivalentes, destinées aux femmes. »

Dans tous les pays africains, les kiosques à journaux affichent *Playboy, Penthouse,* ainsi que leurs répliques anglaises ou françaises. Mais dans ces mêmes pays, il est impossible de trouver une documentation factuelle sur la reproduction et la sexualité. L'enseignement de ces notions peut même être interdit en milieu scolaire, et les travaux de Masters et Johnson ainsi que le rapport Hite restent totalement ignorés. Montagu poursuit : « En réalité, les hommes sont dans un état permanent d'excitation sexuelle, qui les prédispose à des rapports sexuels avec pratiquement n'importe quelle femme, dès que l'occasion se présente. Ce n'est pas le cas des femmes... »

La ségrégation des sexes, la séquestration des femmes en âge d'avoir des enfants qui continue à être pratiquée dans les pays musulmans et dans de nombreuses villes d'Afrique, représentent une autre conséquence de travestissement de la réalité. De même, on continue à prétendre que toute femme qui n'est pas séquestrée ou infibulée, est une prostituée. Pourtant, il a été largement démontré que les racines de la prostitution sont économiques. Souvent les femmes n'ont pas d'autre moyen pour gagner leur vie, car les sociétés patriarcales leur refusent l'éducation et la formation qui leur permettraient de travailler. De plus, la plupart des emplois sont réservés aux hommes. D'où la prostitution endémique qui sévit dans toutes les villes d'Afrique et du Moyen-Orient.

On prétend souvent aussi que l'infibulation est indispensable pour protéger les femmes du viol. Cette même « protection » est invoquée pour justifier la séquestration des femmes pubères dans la maison de leur père ou de leur mari. La femme séquestrée est totalement isolée alors que l'infibulation, barrant l'entrée de son vagin, se contente de protéger ses organes sexuels. Les hommes des classes aisées peuvent enfermer leurs femmes dans leurs maisons mais les femmes des pauvres doivent sortir pour travailler. L'infibulation est donc la solution de rechange inventée par le propriétaire mâle pour garder le contrôle des organes sexuels de sa femme.

Autre « argument » que l'on retrouve souvent en Afrique et dans le Moyen-Orient musulman : en sortant dans la rue, les femmes excitent les hommes, qui ne peuvent plus se contrôler. On apprend aux femmes non seulement que c'est leur faute si elles se font violer, mais aussi qu'elles sont incapables de résister. Elles n'ont donc d'autre choix que d'accepter la mutilation sexuelle, ou de se déshonorer et de déshonorer leur famille. On n'évoque jamais la possibilité que l'homme lui aussi pourrait se contrôler.

Susan Brownmiller, dans son important ouvrage sur le viol, parvient à cette conclusion : « Une fois que nous avons compris que le viol n'est pas la conséquence d'un désir irrationnel, impulsif et incontrôlable, mais qu'il s'agit d'un acte de violence délibéré, qui vise à dégrader la femme, à l'intimider et à la terroriser, il faut rechercher les éléments qui encouragent ces comportements. »

Cela vaut pour toutes les sociétés — Afrique et Moyen-Orient inclus — comme le montrent les rapports hospitaliers concernant les viols de femmes et de jeunes filles. Le viol ne connaît pas de frontière. Le constat de Brownmiller explique ainsi pourquoi la mutilation sexuelle et la ségrégation se poursuivent de nos jours. Ces pratiques n'ont nullement pour but de protéger les femmes : c'est une politique délibérée visant à les rendre irresponsables et impuissantes, afin que les hommes puissent continuer à les dominer et à exploiter pour leur propre compte leur force de travail et leur capacité de reproduction. Le viol, ou la menace de viol, n'est qu'un des moyens pour parvenir à cette fin. Le viol est également le crime le moins réprimé, comme le montrent les études effectuées par les Centres de lutte contre le viol, récemment créés par les femmes des pays industrialisés.

L'analyse de Susan Brownmiller réduit à néant le mythe selon lequel les femmes provoquent le viol, l'homme n'étant que la victime d'un besoin irrépressible de rapports sexuels : « En réalité, le viol joue un rôle de premier plan : ce n'est qu'un processus délibéré d'intimidation, qui permet aux hommes de terroriser les femmes. »

Pour les femmes musulmanes, cette peur se double d'un énorme fardeau psychologique : elles sont responsables de « l'honneur » de toute la famille, incarné par leur virginité et leur chasteté. C'est ainsi que l'on transforme la victime en coupable. Et comme si cela ne suffisait pas, on lui explique que ses faibles forces ne lui permettent pas de résister. C'est poussées par cette peur que même des femmes instruites, évoluées, finissent par imposer à leurs petites filles l'horrible martyre des mutilations.

Les hommes occidentaux prétendent souvent que les opérations sont souhaitées par les femmes elles-mêmes. Ils oublient de préciser que c'est à cause de la pression sociale, de cette peur, de ce sentiment de culpabilité, que les femmes acceptent les mutilations. Il suffirait que les hommes renoncent à faire des mutilations la condition *sine qua non* du mariage (et le mariage est la seule « carrière » ouverte aux femmes de ces pays) pour que la coutume disparaisse d'elle-même. Il faut le répéter clairement et avec force : les femmes ne sont mutilées que parce que les hommes l'exigent. Et dans les pays industrialisés personne ne s'insurge contre cette exigence.

Le monde entier condamne l'apartheid et la discrimination raciale. Les pratiques racistes sont dénoncées sans relâche aux Nations unies. L'Afrique du Sud est mise au ban de la communauté internationale. Aux Etats-Unis le Mouvement des droits civiques a brisé les barrières inhumaines de la ségrégation raciale. Mais la ségrégation sexuelle n'est toujours pas considérée comme un crime, et encore moins combattu comme elle devrait l'être.

Les études entreprises aux Etats-Unis dans les années 60 ont montré que le racisme engendrait la peur, la méfiance, la haine, et toutes sortes de comportements irrationnels. Il en va de même de la discrimination sexuelle. Mais les adversaires acharnés du racisme ne veulent pas voir les effets catastrophiques du sexisme. Ils pratiquent la discrimination sexuelle contre leurs femmes et leurs petites filles, parfois sous la forme la plus perverse : celle des mutilations sexuelles. N'est-il pas étonnant de voir les hommes africains, les adversaires les plus résolus du racisme, pratiquer le sexisme sous sa forme la plus extrême ? N'est-il pas étonnant que l'Africain, quand il s'agit de prouver l'infériorité de la femme, ait recours aux mêmes arguments fallacieux qu'il dénonce avec tant de conviction quand ils sont utilisés dans un sens raciste. Et cela sans même se rendre compte de cette contradiction.

Le colonialisme est condamné, mais les femmes continuent à être colonisées dans toutes les sociétés, surtout en Afrique et au Moyen-Orient. Des pratiques, dénoncées comme esclavagistes, se transforment magiquement en « traditions africaines » quand il s'agit de les appliquer aux mères, aux épouses, aux filles. L'homme africain ne veut plus être colonisé, mais considère que c'est son droit traditionnel de coloniser les femmes dans le cadre de la famille et de la société africaine.

La violence et la torture politique sont l'objet d'une réprobation mondiale et c'est tant mieux. Mais les femmes du monde entier continuent à être victimes de violences et de tortures sexuelles sans que personne s'y arrête ou songe à protester. Il n'y a jamais de débat international à ce sujet. Cette violence est pourtant universelle et multiforme : viols, mauvais traitements, pornographie, persécutions sexuelles, prostitution forcée, inceste, mutilations génitales. Mais les organisations internationales des droits de l'homme passent ces crimes sous silence.

La Déclaration universelle des droits de l'homme fut adoptée par l'Assemblée générale des Nations-Unies il y a presque trente-cinq ans. Parmi tous les droits, le plus fondamental est le droit à la santé. En 1977 *la Convention des droits économiques, sociaux et culturels* fut signée par la plupart des pays du monde. Son article concernant le droit à la santé proclame : « Les Etats signataires de la présente

Convention reconnaissent à tout individu le droit aux meilleures conditions possible de santé physique et mentale. »

Pourtant le droit à la santé des femmes est bafoué dans le monde entier, aussi bien dans les pays développés que dans les pays en voie de développement. Et il y a plus grave : partout on refuse aux jeunes, et surtout aux jeunes femmes, l'accès aux informations vitales concernant la sexualité et la reproduction. « Aucune nation ne peut se prévaloir de sa souveraineté pour se dérober aux enquêtes internationales concernant le respect des droits de l'homme », déclara Kurt Waldheim lors de l'ouverture de la Conférence mondiale contre le racisme et la discrimination raciale, en 1978 à Genève.

Ce qui vaut pour la discrimination raciale vaut aussi pour la discrimination sexuelle. Pourtant tout le monde — y compris les Nations unies — s'obstine à fermer les yeux. Chaque fois que l'on évoque dans une réunion internationale des injustices ou des violences commises contre des femmes ou des enfants, on prétend que ce sont des questions d'ordre culturel et qu'il appartient à chaque société, à chaque famille, de les résoudre eux-mêmes, comme si les femmes ne faisaient pas partie de l'humanité, mais appartenaient d'abord à leur famille, à leur tribu.

Un exemple : pendant des générations toutes les sociétés ont passé sous silence la violence domestique, les mauvais traitements dont sont victimes les femmes et les enfants sous prétexte « qu'il s'agit d'un problème qui doit être réglé par la famille elle-même ». Le meurtre, le viol, l'inceste sont tolérés tant qu'ils sont commis à la maison, en famille, alors que des actes similaires, commis à l'extérieur de la cellule familiale, seraient aussitôt réprimés.

Comme le montre Kathleen Barry, dans *Female Sexual Slavery :* « Dans toutes les cultures, la famille est la cellule de base du pouvoir de l'individu mâle. Il règne en maître dans sa demeure : la case tribale, la ferme, l'appartement ou le palais. C'est son domaine privé et c'est là que s'épanouit l'esclavage sexuel de la femme...

« De plus au nom du relativisme culturel, on nous interdit d'établir des études comparatives des variantes de l'esclavage de la femme au sein de la cellule familiale, selon les cultures. Le relativisme culturel prétend que ces pratiques différentes sont ancrées dans les valeurs spécifiques de telle ou telle culture. Dans une telle perspective, il n'existe plus de critères universels et cette conception peut servir d'excuse à des pratiques sociales inhumaines. Quand on remet en cause les principes de ce relativisme culturel, on se voit accusé d'ethno-centrisme, c'est-à-dire de vouloir juger une autre culture en fonction de la sienne définie *a priori* comme supérieure...

« Quelles que soient les cultures considérées, il est clair qu'il n'y a rien de spécifique dans l'asservissement de la femme, sauf peut-être la diversité des stratégies employées par les hommes pour parvenir à leurs fins. »

Les arguments du relativisme culturel sont, de plus, totalement incompatibles avec la *Convention pour l'élimination de toute forme de discrimination contre les femmes,* entrée théoriquement en application en septembre 1981. De tous les documents concernant les droits humains, celui-ci est le plus important. Les femmes qui ont conçu ce document ont témoigné d'un remarquable consensus sur leurs droits, disqualifiant totalement les arguments du relativisme politique et culturel et n'hésitant pas à prendre la parole pour se défendre et à s'unir pour résister à la violence mâle, trop souvent protégée par des lois et par une justice, toutes deux également faites par les hommes. Le viol, les agressions sexuelles, la violence domestique, sont des crimes internationaux commis contre les femmes : ces crimes seront désormais dénoncés devant les Nations unies dans le cadre de la nouvelle *Convention pour l'élimination de toute forme de discrimination contre les femmes.* Les femmes africaines, de plus en plus nombreuses, prennent la parole pour dénoncer l'injustice. Parmi elles, la Sénégalaise Awa Thiam, qui parle au nom de toutes ses sœurs d'Afrique occidentale : « Quand seront vaincus le racisme, le colonialisme, le néocolonialisme, l'exploitation d'une classe par une autre, resteront encore l'exploitation et la dégradation universelle de la femme, humiliée, torturée, mutilée, violée et battue pour la seule raison qu'elle est une femme... »

Lors de l'ouverture du Ve Congrès de gynécologie et d'obstétrique du Soudan, en février 1977, la gynécologue Fatima Abdel Mahmoud, ministre soudanaise des Affaires sociales, déclara : « Nous devons explorer les voies et les moyens permettant de bâtir une nouvelle société... Cette nouvelle société s'occupera avant tout de l'enfant dont elle prendra soin dès avant sa naissance. Nous allons régler nos problèmes de développement et débarrasser notre société de ses maux : l'un de ces maux, c'est la circoncision pharaonique. Nous voulons libérer les hommes et les femmes de ces pratiques qui les asservissent, nous voulons protéger les mères et les enfants. »

En 1979, lors du séminaire de l'O.M.S. à Khartoum, la déléguée somalienne, Raqiya Haji Dualeh, s'est prononcée elle aussi en faveur des droits des femmes : « Les femmes sont victimes de coutumes archaïques. La circoncision féminine peut être considérée comme une forme d'oppression sexuelle dont la femme est victime. L'Organisation démocratique des femmes de Somalie veut en finir avec cette oppression et cette exploitation... Nous pensons que cette atteinte à l'intégrité physique d'un être humain est l'opération la plus cruelle qui soit... »

Les sages-femmes de l'hôpital municipal de Bamako, au Mali, expriment la même volonté. « C'est toute notre société qu'il faut changer... Nous sommes capables de gagner notre vie, nous n'acceptons plus d'être battues. Tant que nous n'aurons pas voix au chapitre, notre société ne fera pas de progrès. »

Le Dr Bertha Johnson, qui était à la tête de la délégation du Nigeria au séminaire de l'O.M.S. à Khartoum, a également dénoncé les violences multiformes dont les femmes de son pays sont victimes. « Mais si un homme essayait de me battre, a-t-elle ajouté, il n'aurait pas l'occasion d'essayer une seconde fois. Si toutes les femmes se défendaient comme moi, il n'y aurait plus de femmes battues en Afrique. »

Il est certes difficile de changer les coutumes mais cela peut et doit être fait. On a déjà tenté d'abolir les mutilations sexuelles, par exemple au Kenya dans les années 20 et 30 et au Soudan dans les années 40. Mais ce furent des tentatives unilatérales et limitées géographiquement. N'étant appuyées par aucun programme d'éducation, aucune campagne d'information. Ces efforts ne pouvaient qu'échouer. D'autre part, à cette époque, la radio était encore peu répandue en Afrique et les moyens pédagogiques modernes (diapositives, films, télévision) n'existaient pas du tout.

C'est par une action internationale coordonnée qu'on peut aider ceux qui travaillent sur le terrain et dans leur propre pays à œuvrer dans le sens du changement. Les hommes et les femmes qui savent ce qui doit être fait sont encore isolés, méconnus, privés de toute assistance matérielle et financière. Cette aide internationale est désormais possible dans le cadre des Recommandations du séminaire de l'Organisation mondiale de la santé qui préconisent l'abolition des mutilations sexuelles, la mise en place de commissions nationales et l'organisation d'importants programmes éducatifs. Ces initiatives permettront à ceux qui travaillent sur le terrain de le faire dans de meilleures conditions. La coordination et la communication sont les catalyseurs indispensables de ces efforts.

Au bout de dix années de recherches et après cinq longs voyages en Afrique, j'ai acquis la certitude qu'on peut abolir les mutilations dans un bref laps de temps, et à un coût bien moindre que celui qu'entraînent ces pratiques mutilantes.

Malheureusement les faits concernant les mutilations sexuelles et leurs conséquences médicales restent très mal connus dans le monde entier. Seuls les professionnels de la santé qui s'occupent des soins périnataux dans les régions concernées connaissent la situation réelle. Les ravages psychologiques que provoquent les opérations exigeraient des recherches beaucoup plus approfondies.

Peu à peu on commence pourtant à découvrir la réalité des faits. Partout où les femmes ont accès à des services sanitaires modernes, cette réalité ce traduit par une croissance considérable des coûts hospitaliers. Mais personne n'ose en parler.

Quant aux anthropologues et aux sociologues qui décrivent les mutilations dans leurs ouvrages, ils s'abstiennent de mentionner leurs conséquences médicales. On peut lire des descriptions pittoresques de rituels d'excision, sans qu'un seul mot soit dit des tortures ou des séquelles médicales catastrophiques de ces pratiques, imposées aux petites filles par la pression sociale ou la pure violence physique.

Les victimes sont la plupart du temps illettrées, ou trop jeunes pour parler en leur propre nom. Ignorant tout des fonctions biologiques de leur propre corps, et ne sachant pas qu'ailleurs dans le monde, les gens vivent autrement, elles sont totalement incapables de formuler leurs besoins. Et si elles réussissent à parler, elles se heurtent à l'ignorance, au scepticisme, ou à l'indifférence de ceux qui ont en charge le processus de modernisation et de développement, fonctionnaires ou « experts » surpayés. « Ce n'est pas notre problème, disent-ils, ce sont des pratiques culturelles, nous n'avons pas à nous en mêler. » Ces experts estiment que leur unique fonction est de bâtir des barrages et des routes ou d'entraîner les soldats aux techniques de la guerre moderne. Ils importent le Coca-Cola, le christianisme, les voitures, la technologie. Ce qui se passe dans les arrière-cours, ce qu'on fait subir aux petites filles, ce n'est pas « leur affaire »...

Il est vrai que si quelqu'un d'étranger se permet de protester contre les mutilations, il se voit promptement accusé de racisme par les Africains qui, ce faisant, font passer l'exploïtation de la femme par l'homme au-dessus du bien-être et des besoins médicaux urgents de leur propre famille.

Aujourd'hui, tous les pays d'Afrique et du Moyen-Orient, tous les programmes d'aide et de coopération des organismes internationaux, sans compter les innombrables initiatives privées, ont un seul objectif : la modernisation. Tous les politiciens de ces pays ont choisi pour eux-mêmes et leurs familles un mode de vie à l'occidentale : air climatisé, voitures, avions, vêtements, nourriture et surtout médecine occidentale. Tous les gouvernements d'Afrique ont importé dans leur pays les systèmes administratifs et législatifs occidentaux, la technologie et l'éducation occidentale. Leur politique est — à juste titre — sans doute une politique de modernisation et de changements. Pourquoi alors les femmes, et elles seules, devraient-elles rester les gardiennes de la tradition ? On insiste sur la tradition dès qu'il s'agit de maintenir les femmes « à leur place » : ce qui veut dire, sans éducation, sans formation, et surtout sans accès aux données essentielles concernant la santé, la reproduction et la sexualité, données pourtant indispensables pour mettre au monde et élever leur famille.

Les politiciens, les professeurs, les présidents, qui s'adressent aux femmes sur tel ou tel sujet d'actualité concluent souvent leurs discours par un éloge de la femme « gardienne de notre culture et de notre tradition ». La femme se voit ainsi encouragée à « défendre ces chères valeurs du passé, de la famille, du foyer ». Partout on nous tient de tels discours. Mais ce que veut dire l'homme à la tribune c'est : « Ne vous occupez pas de politique. Nous n'avons pas besoin de femmes dans ce domaine. Consacrez-vous à votre vraie vocation : le foyer, la famille, le service du mari, seules sources de bonheur. »

Ils prétextent le fait que les traditions protègent la femme, alors qu'au contraire, elles l'emprisonnent. Culture et tradition sont en fait utilisées pour maintenir les femmes dans un état d'arriération, au fond d'un passé où personne n'osait contester la suprématie de l'homme, où des lois écrites par les hommes excluaient les femmes de toute vie politique ou économique. La structure patriarcale de la famille remet toutes les décisions entre les mains de l'homme. Et les hommes du monde entier défendent cette structure, assise primordiale de leur pouvoir ; et ils la perpétuent dans tous les systèmes éducatifs pour inculquer la soumission aux petites filles et conditionner ainsi les femmes.

Polygamie, mutilations sexuelles, séquestration, répudiation, institution de la dot [1], autant de pratiques traditionnelles que l'on fait passer pour une part importante de l'héritage africain et moyen-oriental.

Mais à ce compte-là, l'esclavage aussi était une « tradition », comme le cannibalisme, la mutilation des pieds des femmes en Chine, l'immolation des veuves en Inde...

En Afrique et au Moyen-Orient, les hommes éprouvent une réelle peur du pouvoir des femmes d'autant plus que ce sont elles qui contrôlent les ressources fondamentales de ces sociétés traditionnelles : les enfants et la nourriture. L'agriculture de subsistance en Afrique est une activité féminine. Un homme, pour bien vivre, doit contrôler fermement ses femmes, et en posséder le plus grand nombre possible. C'est pourquoi ses méthodes de coercition sont implacables : excision et infibulation. Par ces opérations, il prive la femme de son centre nerveux sexuel, de sa vitalité, abolissant le désir et la volonté de la femme et assurant sa soumission à l'autorité masculine. La littérature africaine montre que les Africains ont parfaitement conscience du rôle des mutilations sexuelles.

Mais les hommes du monde entier se retrouvent solidaires dans la défense du régime phallocratique : il suffit, pour s'en convaincre, d'observer leur comportement négatif face au contrôle des naissances, à l'avortement, à l'accès à l'information concernant la reproduction et la sexualité.

Le silence qui entoure les mutilations sexuelles féminines n'est qu'un exemple de plus de cette solidarité masculine. Aux femmes de se battre contre ce silence. La difficulté de cette lutte, c'est qu'elle se heurte à une contradiction : l'incompatibilité de la tradition et de la modernisation.

La tradition, selon le Webster, c'est la transmission d'une doctrine, d'une croyance, d'une coutume du passé. Elle se

1. La dot africaine est, non pas le bien qu'une fille apporte avec elle en se mariant, mais le prix que son futur mari doit payer au père de la jeune fille pour pouvoir l'épouser. C'est très exactement le « prix d'achat/de vente » d'une femme.
C'est ainsi qu'il faudra comprendre le mot « dot » tout au long de ce livre.

heurte souvent aux objectifs de développement dont se réclament tous les gouvernements d'Afrique et du Moyen-Orient. La tradition, c'est la continuation du passé, le refus du changement, de tout ce qui est neuf.

La tradition, dans l'Afrique rurale, c'est la soumission de l'individu au groupe familial, aux ordres d'un seul à qui appartient l'autorité. Elle exige la subordination des familles à la vie collective du village, où toutes les décisions sont prises par les anciens et les chefs, des hommes à quelques exceptions près. Cette structure hiérarchique domine toute vie villageoise et interdit l'accomplissement individuel et le changement.

La modernisation, en revanche, encourage le développement de l'individu, son éducation, sa réussite. Chacun est responsable de ses actions et de sa vie. L'initiative personnelle est récompensée, le changement et l'amélioration encouragés. Par définition donc, tradition et modernisation sont apparemment incompatibles mais il n'est pas admissible que l'on se tire de ce dilemme en réservant les avantages de la modernisation et du progrès aux hommes et les inconvénients de la tradition aux femmes exclusivement. Or c'est ce qui se passe dans le domaine éducatif et sanitaire en particulier. Prétendre que rien ne peut être changé à ces pratiques culturelles est totalement faux, si l'on songe aux moyens d'éducation et de communication modernes. Il n'est nul besoin d'apprendre à lire et à écrire pour écouter la radio. La politique de l'autruche, pratiquée par les organisations internationales ainsi que par les politiciens des pays concernés, ne résiste pas aux faits. Et les faits sont désormais connus. Le but de ce livre est de les faire connaître plus largement encore, et de lancer des actions préventives.

En Afrique comme dans le reste du monde, le pouvoir politique est aux mains des hommes. L'abolition des mutilations est un problème politique qui exige la collaboration de tous les gouvernements et de toutes les organisations internationales. En premier lieu, les hommes doivent faire face à eux-mêmes, et prendre conscience de leurs obligations envers leurs enfants afin de libérer une fois pour toutes leurs sociétés de ces pratiques déshonorantes. Et ce sont les hommes qui doivent se sentir déshonorés, car ce sont eux qui continuent à les imposer.

Pourtant hommes et femmes commencent à découvrir d'autres façons de vivre ensemble, plus positives, plus créatives, plus satisfaisantes que le système patriarcal fondé sur l'autorité masculine et la soumission féminine. Un changement fondamental des attitudes est en train de s'opérer lentement transformant les rapports entre les sexes. Nous commençons à percevoir une nouvelle liberté, une nouvelle dignité dans nos relations personnelles, qui ne sont plus dominées par la peur de l'Autre, mais par un respect et une compréhension mutuels de nos désirs et de nos besoins respectifs.

Cette peur qu'ont sécrétée les institutions et les religions faites par des hommes, a travesti la relation humaine fondamentale : celle de l'homme et de la femme, qui doit reposer sur l'entraide et la confiance mutuelle, qui doit être bâtie sur le respect et la reconnaissance de l'égalité des responsabilités et des droits. Je crois que nous appréhendons aujourd'hui quelque chose de tout à fait nouveau, une liberté d'être, une acceptation de la responsabilité individuelle qui changera la vie de chacun de la façon la plus immédiate. Nous nous sommes libérés de la peur de la sexualité, le mythe de la supériorité masculine a volé en éclats, nous avons rejeté la peur du sexe lui-même, une peur qui souvent signifiait la peur de l'autre sexe. La mutilation des organes sexuels féminins reste une incarnation tragique de cette peur du sexe.

Le mythe de la supériorité masculine doit faire place à un nouvel ordre social, fondé sur l'égalité, la coopération, le partage. La peur de la sexualité féminine est devenue la peur de la femme, c'est-à-dire la peur de l'amour entre homme et femme, de la relation humaine la plus riche qui soit, qui a le pouvoir d'illuminer la vie sur cette terre. On a souvent craint que cet amour détourne les hommes de la religion, du service d'un Dieu mâle, menaçant, exigeant, implacable, censé régner sur le monde. Cette peur nous est inculquée par toutes les religions, surtout par les religions judéo-chrétiennes et musulmanes qui ont en commun le mépris de la femme et l'acharnement contre tout ce qui est féminin. Les prêtres et les hiérarchies religieuses ont ainsi proclamé l'infériorité de la femme et la supériorité congénitale de l'homme, encourageant ainsi son goût du pouvoir et l'autorisant à utiliser la force brute pour opprimer plus faible que lui.

Afin de fonder le dogme de l'infériorité féminine, les philosophes catholiques ont longtemps débattu pour savoir si la femme avait ou non une âme et l'on retrouve la même préoccupation chez les théologiens musulmans. Il devenait alors facile de faire d'elle la victime par excellence, avec la bénédiction des autorités religieuses et civiles.

Le mythe de la supériorité mâle est néfaste car il a détruit toute possibilité d'une relation humaine satisfaisante entre l'homme et la femme.

De plus, comme l'a montré Riane Eisler de l'Institut de futurologie, les valeurs masculines dominantes — violence et compétitivité — sont les causes historiques des guerres et des conflits. Aujourd'hui ces valeurs menacent notre environnement naturel, et notre survie même. Ce ne sont ni la nature ni Dieu qui ont donné à une moitié de l'humanité — les hommes — le beau rôle, l'autre moitié — les femmes — devant se contenter de faire de la figuration. Ce système doit changer, ici et maintenant. Nous ne pourrons survivre dans notre monde nucléaire que si l'on accorde leur vraie place à ces valeurs féminines que sont l'affection et l'amour.

Des pratiques telles que la polygamie, les mutilations sexuelles, l'enfermement, la dot, le bandage des pieds, l'immolation des veuves, l'exclusion des femmes de la vie politique, ont toutes eu le même but : institutionnaliser la domination de l'homme, exclure les valeurs féminines, pourtant primordiales.

Aujourd'hui que notre survie est menacée, les hommes et les femmes doivent se battre ensemble contre ces pratiques qui barrent la route vers un nouveau système de valeurs. Nous devons nous libérer et appeler les hommes à se joindre à nous pour bâtir un ordre nouveau, une nouvelle façon de vivre.

La liberté, les droits de l'homme resteront des mots vides de sens, tant qu'il y aura deux mondes, un pour les femmes, un pour les hommes, deux mondes inégaux mais également asservis, car inexorablement liés.

Comment les hommes osent-ils parler de lutte contre l'oppression, de liberté d'expression, de droits civiques, alors qu'ils emprisonnent et mutilent leurs filles, leurs sœurs, leurs mères et leurs femmes et qu'ils les privent de la plus élémentaire des libertés : celle de disposer de leur propre corps, de leur sexualité, de leur vie ? Comment les hommes osent-ils parler d'un monde libre, alors que la moitié de l'humanité est asservie ?

La mutilation d'une seule jeune fille, où que ce soit dans le monde, compromet les droits de toutes.

Pour survivre, les hommes et les femmes doivent apprendre à partager le futur autrement. Notre but c'est la liberté pour les femmes du monde entier. Or la liberté des hommes dépend de celle des femmes, car des femmes dépend la création de la vie, et personne ne peut être libre tant que nous ne le sommes pas tous.

Un point de vue personnel

On me demande souvent comment j'ai découvert le problème des mutilations sexuelles, pourquoi je m'en occupe et ce qu'il faut faire pour le régler.

Je n'avais jamais entendu parler des mutilations sexuelles ou de la « circoncision féminine » comme on dit en Afrique, avant mon premier voyage en Afrique noire en 1973. C'est au Kenya, au début de mon second voyage à travers quinze pays africains, qu'une jeune Anglaise travaillant dans un hôtel de Nairobi, m'a parlé de la circoncision féminine. Sa description, brève mais explicite, me bouleversa.

Lors de ce voyage, j'ai saisi toutes les occasions pour essayer d'en savoir plus : mais je n'obtenais que des réponses évasives. « Ces pratiques n'existent plus depuis longtemps, sauf dans des zones rurales et arriérées », me répondait-on le plus souvent. Ou bien encore : « Je ne suis pas au courant, demandez à quelqu'un d'autre. » A l'évidence mes questions gênaient : je n'obtins aucune réponse franche, aucune explication cohérente.

J'étais pourtant résolue à aller jusqu'au bout, en tant que journaliste, et aussi en tant que femme : l'un des buts de mon voyage était d'en apprendre plus sur la femme africaine. J'ai compris bien plus tard que la plupart des Africains ignorent tout simplement ces faits et les dangers que ces opérations représentent pour la santé des femmes. Les femmes africaines, comme on peut s'y attendre, ne veulent pas parler de ces opérations à des étrangers. La plupart des femmes interrogées m'ont donné des réponses contradictoires, incompatibles souvent avec les données biologiques. D'autres femmes se sont contentées de rire quand je leur ai dit que, là où je vivais, la circoncision féminine n'existait pas. Elles ne voulaient pas me croire. Parfois les mêmes pratiques étaient justifiées de façon totalement opposées par deux personnes différentes, chacune étant convaincue d'avoir raison.

Après mon retour d'Afrique en 1973, j'ai commencé une recherche systématique de toutes les sources d'informations possibles, y compris la littérature médicale. Mais il m'a fallu plus d'un an avant de recueillir quelques données tangibles.

Il m'est plus difficile de répondre à la seconde question : pourquoi je m'occupe de ce problème. Sans doute me semble-t-il que ces mutilations infligées à de jeunes enfants sans défense, pour la seule raison qu'elles sont des femmes, sont une atteinte à ma propre dignité de femme et d'être humain. C'est cela que je ne peux tolérer. Je crois qu'il est impossible, voire absurde de se battre pour la libération des femmes, pour les droits de l'homme, pour la justice et l'égalité, tout en passant sous silence ces atteintes invraisemblables à l'essence de la personnalité féminine.

Je suis convaincue qu'il n'est personne au monde, femme ou homme, fille ou garçon, à qui l'on puisse dénier le droit de contrôler son corps et sa vie. Je condamne toute interférence, toute manipulation de nos fonctions naturelles, aussi bien physiques, que mentales ou affectives. Je crois que tout être humain est à même d'être son propre maître.

Tous ceux qui ont accès à l'information et qui connaissent les données biologiques, ont le devoir de partager ce savoir, de le mettre à la disposition de ceux qui en ont désespérément besoin.

La plupart des femmes mutilées ne se rendent pas compte de ce qu'on leur a fait subir, alors qu'elles étaient encore de jeunes enfants ou des adolescentes, et n'imaginent absolument pas ce que signifie le fait d'avoir des organes sexuels normaux. Les femmes mutilées n'établissent pas de relation entre leur mutilation et leurs problèmes de santé. Les décès au cours d'accouchements ou par suite de ruptures des parois vaginales ne sont presque jamais attribués à leur véritable cause : la sclérose des cicatrices consécutives à l'opération.

L'expérience m'a enseigné que les sages-femmes des grands hôpitaux constituaient la meilleure source d'information. Elles accouchent des centaines de femmes appartenant à de nombreux groupes ethniques et sont perpétuellement confrontées aux conséquences catastrophiques des mutilations. Elles connaissent bien les coutumes des différentes populations. Pour arriver à une vue d'ensemble de ces pratiques, j'ai donc mis au point un questionnaire et je me suis livrée à des recherches systématiques sur différentes ethnies.

Peu d'Africains connaissent leur propre continent. La plupart des populations ont peu de choses en commun et ne communiquent pas entre elles. On trouve souvent au sein d'un même pays une dizaine d'ethnies qui parlent des langages différents et qui peuvent être traditionnellement ennemies.

Les langues officielles en revanche sont souvent un héritage de l'époque coloniale : anglais, français, portugais, et un peu d'italien. Dans certaines régions toutefois on utilise aussi le swahili et l'arabe. Outre les différences linguistiques, les différences de systèmes législatifs et administratifs, hérités de l'époque coloniale, contribuent à fragmenter le continent africain.

Il est caractéristique, par exemple, qu'une communication téléphonique d'Afrique de l'Est en Afrique de l'Ouest doive transiter par Londres ou Paris. Les lettres mettent beaucoup plus de temps à parcourir l'Afrique d'est en ouest que pour aller d'Afrique aux Etats-Unis. Il est donc surprenant de voir une coutume comme la mutilation sexuelle se perpétuer de nos jours, pratiquement inchangée, et se présenter partout sous des formes similaires. Le silence qui entoure ces pratiques et la démission des responsables de l'éducation face à ce problème peuvent seuls expliquer la survie de cette coutume et même son extension actuelle.

La plupart des villes africaines ont aujourd'hui un taux de croissance de dix pour cent par an, environ : ce qui veut dire qu'en moins de dix ans, leur population est multipliée par deux, conséquence notamment de l'exode rural. Cette population apporte avec elle ses coutumes, et les mutilations se poursuivent dans les bidonvilles misérables et surpeuplés, alors que les cérémonies traditionnelles d'initiation ont depuis longtemps disparu.

Pour établir les faits, j'ai également exploré la littérature : anthropologues et ethnologues font rarement la différence entre le passé et le présent. Ils décrivent les pratiques initiatiques du passé comme si elles existaient encore aujourd'hui. Quant aux articles médicaux, leurs références sont floues. Impossible d'y découvrir si des pratiques vieilles de cinquante ans, ou plus, sont encore en vigueur aujourd'hui.

Les livres d'anthropologie sont imprégnés de sexisme. Les femmes sont la plupart du temps ignorées, ou traitées comme de simples objets. Les textes, écrits par les anthropologues masculins à 90 %, sont saturés de théories personnelles, et n'apportent aucune aide à qui veut établir des faits.

Mon premier objectif fut de déterminer la nature des pratiques de nos jours et leur localisation, ainsi que le nombre de femmes et de jeunes filles victimes des opérations : c'est-à-dire d'établir les paramètres de l'épidémiologie — l'extension et la fréquence des opérations. Sans cette information, aucun progrès n'était possible.

J'ai progressivement mis en place un vaste réseau de sources d'informations de première main : surtout des sages-femmes et des médecins travaillant en Afrique et au Moyen-Orient. Je continue à étendre ce réseau.

Je me suis rendue à nouveau en Afrique en 1977, pour assister au Congrès de gynécologie et d'obstétrique qui se tenait à Khartoum. La circoncision pharaonique — nom que porte au Soudan l'infibulation (ou suture des lèvres après ablation du clitoris) — était inscrite à l'ordre du jour de la Conférence et l'expérience des gynécologues présents a permis une discussion approfondie : pratiquement toutes leurs patientes étaient infibulées. Je me suis ensuite rendue dans plusieurs hôpitaux d'Afrique de l'Est et de l'Ouest pour recueillir d'autres informations.

Malgré tout ce que j'avais déjà lu, je ne m'attendais pas à ce que j'ai découvert. Contrairement à tout ce que peuvent dire des informateurs trop bien intentionnés, les mutilations sexuelles prospèrent à très large échelle dans tous les secteurs d'une vaste région allant de l'est à l'ouest de l'Afrique, quelles que soient les différences de niveau de vie ou d'éducation. Et malgré un changement radical de mode de vie, ces pratiques se perpétuent dans toutes les villes.

Dans une déclaration diffusée notamment lors de la Conférence des Nations unies pour la seconde moitié de la décennie, qui s'est tenue à Copenhague, un groupe de femmes ouest-africaines, le Aaword/Afard (Femmes africaines pour la Recherche sur le développement) — sous la conduite de Marie-Angélique Savane — prétendit établir une relation entre les mutilations sexuelles et la pauvreté, ou, dans leur terminologie, « le sous-développement ». C'est totalement faux, comme le montre ce livre. Les filles des chefs traditionnels et des chefs religieux, les filles de hauts responsables gouvernementaux et des familles prospères sont excisées et infibulées, même quand leur père a reçu une éducation européenne ou américaine.

Me fondant sur les sources publiées j'avais estimé qu'environ 30 millions de femmes étaient mutilées aujourd'hui en Afrique.

Mais après mon voyage de 1977, je compris que ce chiffre était très inférieur à la réalité. Mes estimations pays par pays montrent que *80 millions de femmes, au moins, sont mutilées dans la seule Afrique continentale,* et cela sans compter les pays sur lesquels je n'ai pas encore d'informations directes. Et il faut malheureusement augmenter cette estimation, au fur et à mesure que les informations continuent à arriver. Il est évident qu'il s'agit d'un problème international majeur, dont la solution ne peut être locale, un problème qui exige des campagnes sanitaires d'ampleur régionale et internationale. Les besoins fondamentaux des populations, surtout dans le domaine de la santé, sont souvent négligés, malgré les progrès rapides de l'urbanisation et de la modernisation dont tous les gouvernements africains ont fait leur objectif et qui constituent l'objet d'une aide financière et technologique croissante — dans le cadre des programmes des Nations unies en particulier. L'assistance sanitaire de la femme et de l'enfant, particulièrement nécessaire surtout dans les pays les plus pauvres reste le secteur le plus négligé.

Le taux de mortalité maternelle et infantile — dont l'accouchement est la cause principale — est atterrant. Dans les régions d'Afrique où les mutilations sont pratiquées, ce taux est le plus élevé du monde. Beaucoup de ces morts pourraient être évitées. Selon l'O.M.S. dans les plus pauvres des pays africains, l'accouchement coûte plus cher en vies humaines que n'importe quelle maladie. Des mesures d'hygiène et d'éducation pourraient considérablement améliorer les conditions dans ce domaine : mais ces mesures sont absentes de la plupart des programmes d'aide sanitaire.

Les études entreprises par des organisations de planning familial montrent que les faits biologiques fondamentaux restent totalement ignorés. Cela n'a rien d'étonnant : l'éducation en Afrique est longtemps restée le monopole des missionnaires et des organisations religieuses chrétiennes — qui ont farouchement combattu l'introduction de l'éducation sexuelle dans les écoles des pays occidentaux. Les missionnaires ont imposé leurs valeurs et leurs conceptions aux sociétés traditionnelles africaines où ils ont sévi : faisant du sexe un péché, un sujet tabou.

On a toujours passé sous silence — et l'on continue de le faire — les problèmes touchant à la reproduction, à la sexualité, à la maternité. C'est la raison pour laquelle les populations africaines continuent à croire à toutes sortes de mythes aux effets désastreux.

Ma première tâche fut donc de rassembler les données du problème. L'étape suivante consista à publier ces informations, à les diffuser dans le monde entier, pour pousser les gens à agir. En 1975 durant l'été j'ai commencé à publier une chronique régulière sur la « circoncision féminine : mutilation génitale », dans le *Réseau international des nouvelles des femmes (Win News),* dans le cadre d'une rubrique consacrée aux « Femmes face à la santé ».

Pour répondre aux nombreuses lettres que je recevais, j'ai créé un Bulletin d'informations et une bibliographie annotée, régulièrement remise à jour, et diffusée depuis à des milliers d'exemplaires par *Win News.* En 1977, j'ai mis au point une carte de l'Afrique montrant la répartition des mutilations et répertoriant les groupes de population.

Pour atteindre un plus large public, j'ai également commencé à écrire des articles pour les journaux d'audience internationale. Mais j'ai rapidement compris que les rédacteurs en chef mâles qui contrôlent la plupart des media internationaux ne voulaient pas parler de ce sujet, quelle que fût la manière dont je l'abordais. Aucun ne voulait publier mes articles. La plupart des magazines répondaient en s'excusant. Quelques-uns se sont contentés de dire : « Le sujet est inacceptable. » Toutes les publications internationales — y compris celles qui sont financées par des organismes des Nations unies — ont refusé de publier quoi que ce soit sur les mutilations sexuelles. Et beaucoup d'entre elles persistent dans ce refus encore aujourd'hui.

Je dois remercier le professeur Ed. Munger, qui fit exception : c'est grâce à lui que je pus publier mon premier article important, en octobre 1976, dans les *Africana Library Notes,* la revue dont il est l'éditeur.

Toutefois, avec quelques années de retard sur *Win News,* les journaux féministes se mirent à publier mes travaux. Fin 1977, on me proposa de publier un article dans le *Tropical Doctor,* le journal médical le plus lu au monde, édité par la British Royal Medical Society à Londres, revue qui circule dans la majorité des écoles de médecine d'Afrique et du Moyen-Orient.

J'ai également envoyé des centaines de questionnaires en Afrique et au Moyen-Orient : aux ministères de la Santé, aux fonctionnaires des Nations unies, aux organisations charitables, aux missionnaires qui s'occupaient des questions de santé, de tous les pays où les mutilations sont pratiquées.

Dès le début de mes recherches, j'ai essayé d'avoir des informations par le canal des organismes des Nations unies, essentiellement l'O.M.S. et l'UNICEF. Mais, pour ces organismes, la mutilation génitale relève des « pratiques culturelles » ; ce qui signifie « bas les pattes ! ». Le sort de milliers d'enfants et de jeunes femmes qui meurent chaque année des conséquences de ces opérations ne semble guère affecter les bureaucrates surpayés des organismes internationaux. Comme je le montre dans le chapitre consacré à la « Politique », ces hommes bafouent, pour des raisons politiques, leur mandat tel que le définit la Charte des Nations unies : aider, en fonction de leurs besoins, les populations des pays en voie de développement.

Jusqu'en 1978 — année où fut décidée l'organisation du séminaire de Khartoum par l'Office régional de l'O.M.S. pour la Méditerranée orientale — l'O.M.S. continua de prétendre que les mutilations sexuelles étaient un problème « culturel » et non un problème de santé. Quant à l'UNICEF, ses responsables ont prétendu n'avoir aucune information sur « la circoncision féminine ».

Ce n'est qu'après la parution de mon article sur l'épidémiologie des mutilations sexuelles, dans *Tropical Doctor* que l'O.M.S. finit par changer de politique. Mon article était accompagné d'une carte qui démontrait que les mutilations constituaient un problème sanitaire majeur affectant une très large partie de l'Afrique. Deux mois après la parution de cet article, l'O.M.S. me proposa de faire partie du secrétariat du séminaire de Khartoum sur les « Pratiques traditionnelles affectant la santé des femmes et des enfants » et me confia la rédaction d'un document sur « La circoncision féminine dans le monde d'aujourd'hui : étude d'ensemble ».

M'appuyant sur cette invitation, que je me suis empressée d'accepter, j'ai mis au point un nouveau questionnaire qui fut envoyé aux organismes de santé et aux hôpitaux de toute l'Afrique et du Moyen-Orient. De plus, compte tenu du sujet que l'on me demandait de traiter, j'ai redoublé d'efforts pour savoir ce qui se passait en Malaisie et en Indonésie. J'avais recueilli des informations tangibles sur des opérations subies par les jeunes filles des populations musulmanes de ces pays. En Asie, ces pratiques ne sont pas indigènes comme en Afrique : elles ont fait leur apparition dans le sillage de l'islamisation et seules les communautés musulmanes s'y livrent.

Ma contribution au séminaire de l'O.M.S. était constituée pas un dossier rassemblant les résultats de mes recherches selon une méthodologie que j'avais mise au point. Je continue à actualiser ce dossier au fur et à mesure que de nouvelles informations me parviennent.

J'ai également pris contact avec les responsables de l'Agence des Etats-Unis pour le développement international (A.I.D.) à Washington. L'A.I.D. finance d'importants programmes sanitaires en Afrique et au Moyen-Orient. Mais l'A.I.D. m'opposa une fin de non-recevoir et refusa de prendre en compte mes informations, pour pouvoir continuer à prétendre que ces pratiques étaient en voie de disparition.

Toutes mes lettres aux organisations internationales de planning familial, aux Eglises, aux missionnaires, aux organisations sanitaires travaillant en Afrique, se heurtèrent au même refus. Dans un premier temps on essayait de m'ignorer, puis on finissait par me répondre qu'il s'agissait de pratiques culturelles et qu'on ne pouvait pas intervenir, argument qui paraît particulièrement étrange dans la bouche de responsables d'organisations de planning familial, dont l'action même constitue une « ingérence » dans la culture pronataliste des Africains.

Le séminaire de l'O.M.S. à Khartoum en 1979 a réfuté sans équivoque cet argument « culturel », en replaçant clairement le problème dans le domaine de la santé. Mais cette excuse de « l'ingérence culturelle » continue à être utilisée pour des raisons politiques.

Le séminaire de l'O.M.S. permit également d'internationaliser le problème en démontrant que les mutilations sexuelles sont un problème de santé majeur pour plus de vingt-six pays d'Afrique et du Moyen-Orient.

En 1979, six mois après le séminaire de l'O.M.S., je fis paraître la seconde édition du *Rapport Hosken : les mutilations génitales et sexuelles des femmes,* complété d'un chapitre sur le séminaire. Aujourd'hui, ce rapport est en vente dans les librairies du monde entier. En 1980 j'ai publié un *Guide pratique : les mutilations sexuelles des femmes : faits et propositions d'action,* comprenant un résumé du rapport et une deuxième partie consacrée aux moyens d'action sanitaire et politique, tant sur le plan international que sur le plan africain, pour obtenir l'abolition de ces pratiques. C'est la réponse à la troisième question : « Que faire ? »

Ce guide fournit les faits et les informations, les adresses et les contacts dans le monde entier. Partout en Europe, en France, en Belgique, aux Pays-Bas, en Italie, en Scandinavie, en Grande-Bretagne, des groupes et des publications féministes s'emparèrent du problème. Ces groupes ont traduit et publié une partie de mes travaux et ont écrit eux-mêmes de nombreux articles. Sans ce mouvement, nous n'aurions jamais réussi à briser le mur du silence. Du monde entier des femmes ont écrit à l'O.M.S. et à l'UNICEF pour exiger qu'on mette fin à ces mutilations. Depuis 1976 également, *Win News* adresse aux Nations unies, et spécifiquement à la commission des Droits de l'homme, une « Lettre sur les droits humains » qui déclare que les mutilations sexuelles sont une violation du droit à la santé de toutes les femmes. Cette lettre a été envoyée à Genève, signée par des milliers d'hommes et de femmes. A ce jour, la lettre n'a pas encore été présentée à la réunion annuelle de la commission des Droits de l'homme.

Le soutien massif que nous nous avons rencontré dans le monde entier nous a encouragés au cours de cette très longue campagne, malheureusement loin d'être terminée.

Aujourd'hui plus que jamais, il est temps d'agir : tout retard dans l'action préventive coûte très cher aux services sanitaires, car de plus en plus de femmes et d'enfants vont se faire soigner dans les hôpitaux. L'aide sanitaire en Afrique est subventionnée par les gouvernements du monde entier. Cette politique des « bras croisés » ne profite à personne.

Après le séminaire de 1979, où le problème fut débattu au grand jour et où des recommandations précises furent formulées, je pensais qu'on allait enfin agir. Malheureusement, une fois de plus, je me trompais comme on le verra dans les chapitres qui traitent des différents pays. Avec l'heureuse — et récente — exception du Kenya.

Selon l'O.M.S., les fonds dépensés dans le secteur de la santé sont totalement inadaptés aux besoins, surtout dans les pays pauvres. De plus, le secteur de la santé maternelle et infantile reste particulièrement négligé. La médecine occidentale donne la priorité aux traitements des maladies. Les problèmes de la naissance n'intéressent pas les médecins occidentaux responsables de la conception et de la préparation des programmes internationaux d'assistance sanitaire.

L'assistance internationale est totalement inadaptée aux besoins sanitaires des femmes en Afrique et dans tous les pays en voie de développement. De même les femmes sont oubliées par les programmes internationaux d'aide au développement. Cette situation pose un problème politique et international majeur. Les femmes de tous les pays occidentaux doivent faire entendre leur voix. D'un autre côté, la santé est la condition première de tout progrès. Si les gens ne sont pas en bonne santé, où trouveront-ils la force nécessaire à l'apprentissage de nouvelles activités, de nouvelles façons de vivre ?

Les Nations unies et les pays industrialisés fournissent aux pays en voie de développement une assistance financière et technologique, ainsi que les experts qui conçoivent et organisent les programmes de développement. Très peu de ces experts sont des femmes. Voilà pourquoi les besoins des femmes restent à ce point négligés. Les femmes des pays qui bénéficient de l'aide internationale sont elles aussi exclues du processus de planification. L'asservissement de la femme fait partie intégrante du processus de développement, surtout en Afrique, comme le montre le livre de Barbara Rogers, *The Domestication of Women — Discrimination in developping Societies.*

J'écris ces lignes en été 1982. J'arrive tout juste de Washington D.C. où j'ai une fois de plus témoigné (pour la troisième année consécutive) devant le *Subcommittee on Foreign Operations of the Appropriations Committee* du Sénat des Etats-Unis. Ce comité exerce une grande influence sur les décisions concernant l'A.I.D. M'exprimant en tant que rédactrice en chef de *Win News*, j'ai demandé qu'on accorde la priorité aux besoins sanitaires des femmes et qu'on prenne des mesures pour empêcher la modernisation des mutilations génitales dans le cadre des programmes sanitaires et de planning familial, financés par les Etats-Unis. Une étude récente des programmes sanitaires de l'A.I.D. dans les régions d'Afrique affectées par les mutilations sexuelles, montre que les problèmes de santé découlant de ces opérations ne sont jamais pris en compte.

Je l'ai dit dans mon témoignage : la formation, les équipements, les médicaments fournis par l'A.I.D., et par d'autres programmes d'assistance sanitaire, permettent maintenant de mutiler les petites filles de façon encore plus efficace et définitive. Par suite de la faillite des programmes d'assistance sanitaire, qui n'ont su lancer aucune action d'éducation préventive, de nombreux Africains croient aujourd'hui que la modernisation de ces opérations constitue un progrès, et qu'elle est encouragée par les programmes d'aide internationale.

Dès 1980, en accord avec les Recommandations de Khartoum, j'ai mis au point un matériel pédagogique pour la prévention des opérations génitales, en mettant l'accent sur la bonne santé et la maternité. Le statut de la femme en Afrique et au Moyen-Orient est centré sur sa fécondité. Le *Livre d'images universel de la naissance*, qui propose une information visuelle et graphique, des explications directes et simples sur les problèmes de la maternité, est conçu pour répondre à ce besoin. Le livre comprend un insert sur la prévention de l'excision et de l'infibulation, qui est inclus dans tous les exemplaires destinés aux pays concernés. Ce livre, ainsi que d'autres matériaux pédagogiques, fut publié par *Win News* en 1981. Nous avons besoin d'aide pour le diffuser dans le monde entier et surtout en Afrique et au Moyen-Orient.

Pour compléter cet exposé, je dois aussi remercier tous ceux qui m'ont assistée au cours de mes recherches, et tous ceux qui m'ont aidée à faire connaître ces faits. Je veux remercier tout particulièrement les media féministes et les femmes journalistes qui, par la diffusion de mes recherches et par leur propre contribution, ont permis de mieux faire connaître dans le monde entier l'atroce vérité. A cause de la nature même du sujet, et du temps employé à ces recherches je ne citerai pas de nom : mais je n'ai pu aller au bout de cette enquête, et publier ce rapport, que grâce à l'aide résolue de nombreuses personnes, femmes et hommes. Cette campagne d'information a incité de nombreuses femmes à poursuivre les recherches et à faire connaître les faits dans leur propre pays.

Bien que nos connaissances s'accroissent et que les études en ce domaine se multiplient, il nous faut réaffirmer nos véritables objectifs : *sauver les enfants de ces opérations qui menacent leur développement naturel et leur vie.* A ce jour, nous n'avons encore aucune preuve qu'une seule jeune fille ait pu échapper à la mutilation sexuelle, du fait de notre action. Nous n'aurons pas obtenu de résultats, tant que nous ne pourrons pas montrer que les jeunes filles sont réellement protégées contre les mutilations, qu'elles peuvent se développer dans leur intégrité, et qu'elles ne sont pas menacées pour avoir refusé la mutilation.

Les faits que j'ai appris, depuis ce jour de juillet 1973 à Nairobi, où ma première informatrice m'a parlé des mutilations, ont profondément bouleversé ma vie et toutes mes convictions. Dans un premier temps, comme beaucoup de femmes, je ne voulais pas croire que des « choses pareilles » pussent exister de nos jours. Rien dans ma vie en Europe ou aux Etats-Unis, ni dans mes voyages en Asie, en Afrique et en Amérique latine, ne m'avait préparée à ce que j'ai découvert. Cela m'a amenée à remettre en question tout ce que je croyais savoir. J'ai compris que le plus grand problème des femmes était de regarder la réalité sans crainte et de faire face à elles-mêmes. La société nous a à ce point déformées et endoctrinées que, quel que soit notre pays ou notre mode de vie, nous semblons incapables d'accepter notre réalité de femmes. Mais tant que nous ne le ferons pas, quoi qu'il puisse nous en coûter, nous serons incapables de changer notre vie. Les sages-femmes de l'hôpital municipal de Bamako m'ont dit : « Le changement ne se divise pas : tout doit changer : pour que les femmes puissent occuper la place qui leur revient, c'est toute notre société qu'il faut transformer. » Et cela est vrai partout dans le monde.

Dans le contexte de la révolution mondiale des femmes, pour la libre disposition de leur propre corps, de leur fécondité, de leur sexualité, et par là de leur vie, l'abolition des mutilations sexuelles est un objectif prioritaire : un symbole et une pierre de touche. Dans cette bataille pour la liberté de choisir, la question de la mutilation sexuelle féminine est un enjeu politique fondamental.

PREMIÈRE PARTIE

Données médicales et vue d'ensemble

Ce chapitre présente l'essentiel des données médicales concernant les mutilations sexuelles, dissimulées jusqu'à présent à l'opinion publique et indispensables pour la compréhension de ce rapport. Savoir c'est être responsable. Ces révélations nous font prendre conscience de la nécessité d'agir.

Ceux qui savent doivent assumer leurs responsabilités. Il faut faire connaître au monde entier, et surtout aux victimes, les données médicales et les informations concernant la reproduction et la sexualité de façon à leur permettre de choisir en connaissance de cause. Nous vivons à l'âge de la communication électronique qui permet de diffuser la moindre information aux quatre coins du monde, mais les données biologiques de base concernant la reproduction restent tenues secrètes.

La circoncision féminine est le terme couramment employé — mais médicalement incorrect — pour désigner différentes formes d'opérations de mutilation sexuelle, subies par les petites filles et les jeunes femmes d'Afrique et du Moyen-Orient.

Les jeunes filles musulmanes de Malaisie et de certaines régions d'Indonésie subissent, elles aussi, des mutilations, mais sous des formes moins dangereuses.

Il n'y a pas de comparaison possible entre ces mutilations et la circoncision masculine — bien que toutes deux soient liées aux rites de la puberté. Les opérations féminines ont des objectifs et des conséquences totalement différents des opérations masculines. L'opération masculine — l'ablation du prépuce — est une prescription religieuse chez les musulmans, les juifs, et les populations de l'Afrique tribale.

La médecine moderne elle-même l'a adoptée. Aux Etats-Unis, la plupart des garçons nouveau-nés sont circoncis, ce qui rapporte des millions de dollars à la profession médicale, malgré le fait que l'A.M.A. (American Medical Association) ne reconnaît plus les prétendus « bienfaits » de l'opération.

D'après le dictionnaire, mutiler signifie : « Retrancher un ou plusieurs membres, détériorer, détruire partiellement. »

Les formes des opérations, l'âge des victimes, les raisons avancées, varient selon les ethnies. Mais les objectifs des opérations et leurs résultats cliniques restent toujours les mêmes. Il s'agit de contrôler les capacités reproductives et sexuelles de la femme, même si cela doit lui coûter la santé ou la vie. Il s'agit également, comme on le dit souvent en Afrique — de priver la femme du plaisir sexuel et de l'asservir à l'homme.

En gardant le silence, les hommes du monde entier se font complices de ces pratiques. Si les opérations se poursuivent aujourd'hui, c'est grâce aux responsables des media qui dissimulent les faits, et à tous les politiciens qui leur apportent leur approbation tacite.

Définition des opérations

La littérature médicale décrit trois types d'opérations, toutes communément appelées « circoncision féminine ». Ces définitions sont l'œuvre de gynécologues, elles sont donc fondées sur des études précises, sur des observations faites après coup, et non pas sur l'expérience directe des « opératrices » elles-mêmes, de vieilles femmes illettrées, n'ayant aucune notion d'anatomie. Toutes les opérations traditionnelles s'effectuent sans anesthésie, l'enfant étant maintenue de force — car elle se débat — à même le sol, dans des conditions hautement septiques.

1. Circoncision (Sunna)

Ablation du capuchon et de la pointe du clitoris. En arabe, *Sunna* signifie « tradition ». Dans les pays musulmans l'opération est appelée circoncision Sunna.

2. Excision/Clitoridectomie

Ablation du clitoris et des petites lèvres en totalité ou en partie. Certaines opératrices incisent de plus le vagin pour en élargir l'ouverture. On croit que ces incisions faciliteront l'accouchement (c'est tout le contraire qui se passe).

3. Infibulation ou circoncision pharaonique. (Excision avec infibulation.)

Après ablation du clitoris, des petites lèvres, les deux bords de la vulve sont découpés ou mis à vif puis cousus ensemble, souvent à l'aide de catgut. Au Soudan et en Somalie on fixe ensemble les deux côtés de la vulve à l'aide d'épines ou d'une pâte faite de gomme arabique, de sucre et d'œufs. L'entrée du vagin est ainsi obturée sauf une petite ouverture dans la partie postérieure, qui permet l'écoulement des urines et du sang menstruel. Les jambes de la fillette sont ensuite liées ensemble et elle reste immobilisée pendant plusieurs semaines pour permettre la formation de tissus cicatriciels. L'insertion d'un petit bout de bois ou de roseau permet de préserver la minuscule ouverture. Ces opérations provoquent de nombreux décès. Mais les autorités sanitaires ne sont pas averties des accidents mortels survenus en cours d'opération, et les morts en cours d'accouchement ne sont jamais mises en relation avec les mutilations sexuelles. Le terme « circoncision féminine » recouvre toutes sortes d'opérations génitales, qui ne peuvent être précisément définies que par un examen gynécologique. L'ampleur des dégâts, la gravité de l'opération, dépendent à la fois de l'habileté de l'opératrice et de la nature de ses instruments. Traditionnellement, on se sert de pierres aux arêtes aiguës, de couteaux, d'éclats de verre, et plus récemment, de rasoirs. Plus la population est traditionaliste, plus l'opération est grave, plus on coupe de chairs.

Ce sont les vieilles femmes — parfois appelées sages-femmes bien qu'elles n'aient aucune formation médicale — qui pratiquent les opérations. Mais dans certains cas, les opérateurs peuvent être des hommes : dans les zones urbaines du nord du Nigeria et en Egypte ce sont les barbiers qui opèrent. Dans les villes, les familles évoluées ont recours aux services d'un médecin (en Egypte, en Somalie, au Soudan, et au Nigeria, etc.) ou d'une sage-femme professionnelle.

L'infibulation est appelée « circoncision pharaonique » parce qu'elle fut toujours pratiquée en Haute-Egypte et ce depuis l'Antiquité. Le terme d'infibulation nous vient des Romains : *fibula* (fibule), signifiant fermoir ou agrafe en latin.

Jusqu'au XIXe siècle, les femmes esclaves infibulées se vendaient très cher sur les marchés aux esclaves du Caire.

L'infibulation empêchait l'esclave d'avoir des enfants, ce qui l'aurait rendue inapte au travail.

L'infibulation interdit tout rapport sexuel. Selon nos informations, elle n'est plus pratiquée aujourd'hui que par les musulmans — qui attachent une très grande importance à la virginité. L'infibulation garantit l'intégrité de la fiancée : et plus son ouverture est petite, plus on peut la vendre cher à son futur mari. Avant le mariage, la fiancée est souvent inspectée par les parentes du fiancé.

L'infibulation peut aussi être spontanée quand elle résulte de l'adhérence des bords blessés des lèvres après une excision extensive. Une femme infibulée doit être incisée pour pouvoir avoir des rapports sexuels. D'autres incisions sont nécessaires pour l'accouchement. Traditionnellement, les femmes sont réinfibulées après la naissance de l'enfant. Si le mari le décide, la femme peut ainsi être réinfibulée après chaque naissance.

Au Soudan, par exemple, les femmes demandent souvent à être réinfibulées après un accouchement, pour donner plus de plaisir à leur mari. La femme doit satisfaire les désirs sexuels de son mari, si elle ne veut pas qu'il divorce, car le divorce signifie pour elle la perte de ses enfants et de ses moyens d'existence, ainsi que le déshonneur de sa famille. Selon certaines informations, des hommes font aussi réinfibuler leurs femmes quand ils doivent s'absenter pour un long voyage.

En Afrique occidentale, l'infibulation n'est pas faite par suture mais par cicatrisation : en attachant les jambes de la petite fille après l'opération, on obtient le résultat souhaité, car les cicatrices résultant d'une excision importante obturent pratiquement l'entrée du vagin. Quand les jeunes filles sont opérées en groupe, on utilise, pour toutes, un seul et même couteau. En cas d'accident mortel, ni l'opérateur ni l'opération ne sont mis en cause.

Les lieux réservés à l'opération varient : sous un arbre, dans une case, dans l'arrière-cour d'une maison. L'opération a souvent lieu à l'aube. Au Soudan, on opère dans la maison ou dans la cour en présence de nombreuses femmes. Les hommes n'ont pas le droit de participer à la cérémonie. Dans tous les cas, c'est le père de la fille qui paye l'opération. En Afrique noire, ce sont les anciens qui décident quand les opérations doivent avoir lieu.

L'âge des victimes varie : depuis les filles nouveau-nées (en Ethiopie et chez les Yorubas au Nigeria) jusqu'aux jeunes filles pubères. Les Masaïs du Kenya et de la Tanzanie opèrent la jeune fille pendant sa nuit de noces ou juste avant. Selon les sages-femmes de l'hôpital Gabriel-Touré, au Mali, les femmes de certaines ethnies ne sont excisées qu'après leur premier accouchement : c'est ainsi que leur mari — qui a plusieurs femmes — s'assure de leur fidélité.

En Afrique noire, les filles sont en général opérées entre douze et quatorze ans, ou juste avant leurs premières règles : c'est un rite de la puberté, de passage à l'âge adulte. Depuis quelque temps toutefois, on opère les filles de plus en plus jeunes, même dans les zones rurales.

L'infibulation est traditionnellement pratiquée sur des enfants de six à huit ans, parfois plus jeunes. Là aussi, l'âge a tendance à baisser : on opère des fillettes de trois ans, et même moins dans les zones urbaines.

La plupart des cérémonies entourant traditionnellement les opérations sont aujourd'hui réduites à leur plus simple expression quand elles ne sont pas entièrement abandonnées. C'est l'une des conséquences de la modernisation, sensible surtout en zone urbaine. Toutefois les mutilations se poursuivent, dépouillées de tout rituel. Si l'âge des victimes baisse, c'est parce que les parents ont peur qu'en grandissant, l'enfant, avertie de ce qui l'attend, n'accepte plus de se laisser mutiler. Les filles habitant en ville sont parfois ramenées dans leur village d'origine où leurs grands-parents les font opérer de force. Les grand-mères et les vieilles femmes de la famille tiennent tout particulièrement à ce que leurs petites-filles soient opérées. Mais en dernier ressort, la décision appartient au père.

Dans de nombreuses ethnies on estime qu'une fille non opérée est impropre au mariage. Pour le père, cela signifie qu'il ne touchera pas la dot : il fait donc opérer sa fille. D'autre part, le père du fiancé n'achètera pas une fille non excisée à son fils. Les hommes font donc de l'opération la condition *sine qua non* du mariage.

Dans de nombreuses villes africaines, par exemple au Mali, en Somalie, au Nigeria, au Soudan, en Egypte, etc., les opérations sont désormais pratiquées dans le secteur moderne : les hôpitaux, les infirmeries, ou les cabinets privés des médecins. Les familles riches font « couper » leurs filles par des chirurgiens, pour éviter d'abîmer la marchandise, ce qui leur ferait perdre la dot.

Conséquences médicales

La littérature médicale et les témoignages des sages-femmes constituent nos sources d'information principales.

L'étude clinique la plus importante fut publiée par le Dr Ahmed Abu-El Futuh Shandall dans le *Sudan Medical Journal* en 1967. 4 024 cas y sont recensés, avec les différents types d'opérations subies, et les complications médicales qui en résultent. Le Dr Shandall ne se contente pas de présenter des statistiques : il fait d'importantes suggestions pour l'abolition des opérations.

Le Dr Robert Cook, du Bureau régional de l'O.M.S. pour la Méditerranée orientale, a publié le récapitulatif le plus complet des articles médicaux consacrés aux conséquences de l'infibulation. Il y recense les articles parus de 1931 à 1976.

Dans un article sur les « Séquelles de la circoncision féminine », paru dans le numéro d'octobre 1975 de *Tropical Doctor,* le Dr J.A. Verzin énumère les complications, immédiates et à long terme, résultant de la circoncision féminine.

Voici les principaux problèmes médicaux signalés dans ces articles :

Complications immédiates : mort de l'opérée par suite d'hémorragie ou de traumatisme provoqué par la perte de sang et la douleur (l'opération se passe sans anesthésie) ; septicémie (empoisonnement du sang) ; infections de la plaie, y compris le tétanos qui peut être mortel ; rétention urinaire immédiatement après l'opération soit à cause d'une occlusion, soit à cause de la douleur ; traumatisme des zones adjacentes — le rectum, l'urètre ; généralisation des infections quand la blessure ne guérit pas.

Dans certaines régions, notamment en Afrique occidentale, on recouvre la blessure de poussière pour arrêter le saignement ; on se sert aussi de cendres ou d'excréments d'animaux pulvérisés. Ces pratiques provoquent des infections mortelles. Les traitements traditionnels des blessures ne font qu'augmenter les risques médicaux. Les articles signalent aussi des cas d'excision par cautérisation, qui engendrent de graves infections et laissent de profondes cicatrices.

Complications à long terme : infections chroniques provoquant des perturbations urinaires pouvant entraîner la stérilité ; difficultés dans l'évacuation des urines et du sang menstruel ; menstruation douloureuse ; kystes, formations chéloïdes (durcissement des cicatrices) surtout chez les femmes noires.

Les articles signalent également de nombreuses difficultés lors des rapports sexuels surtout en cas d'infibulation. La jeune mariée doit être incisée pour permettre la pénétration. Ces incisions sont à nouveau source d'infection. L'excision peut aussi provoquer une obturation du vagin, par adhérence des bords de la plaie : le cas est fréquent en Afrique occidentale et dans d'autres régions où l'infibulation n'est pas intentionnelle.

Les femmes opérées ne peuvent pas atteindre à l'orgasme. La plupart du temps elles ne tirent aucun plaisir des rapports sexuels, que les opérations rendent au contraire douloureux.

Les cicatrices de l'excision provoquent de nombreuses complications à l'accouchement : déchirures, hémorragies, infection. Le travail, surtout dans sa seconde phase, est entravé. On signale aussi des cas d'inertie utérine. Le travail, long et difficile peut conduire à la mort ou à des dommages cérébraux de l'enfant, par suite du manque d'oxygène, surtout s'il s'agit d'une première naissance.

En cas d'infibulation, l'accouchement est impossible sans une aide extérieure. Si personne n'est là pour inciser l'infibulation, souvent la mère meurt avec son enfant.

Les difficultés de l'accouchement peuvent provoquer chez la femme la formation de fistules vésico-vaginales (ou recto-vaginales) qui amènent l'incontinence : la femme perd en permanence ses urines et ses excréments, ce qui en fait une paria au sein de sa famille et de la communauté. En 1977, l'hôpital Kenyatta de Nairobi avait une liste d'attente de 300 femmes devant être opérées d'une fistule. Cette situation se retrouve partout où les mutilations génitales sont pratiquées mais peu d'hôpitaux sont équipés pour ce genre d'opérations extrêmement délicates.

Conséquences psychologiques : personne n'a jamais étudié, de façon suivie, les séquelles du traumatisme sexuel, de la douleur extrême que provoque l'opération, et des souffrances que les femmes endurent ensuite pendant toute leur vie. La seule étude consacrée à ces problèmes est celle du Dr T.A. Baasher, qui analyse les réponses de 70 femmes à un questionnaire sur la circoncision féminine. Mais exception faite de cette étude, personne ne s'est intéressé aux conséquences psychologiques de cette torture infligée à de très jeunes enfants, par ceux-là mêmes en qui ils placent leur amour et leur confiance.

Les douleurs de la menstruation, des premiers rapports sexuels, de l'accouchement, provoquent des blessures psychologiques aussi bien que physiques.

De même, personne n'a étudié les conséquences de cette castration sexuelle (car c'est de cela qu'il s'agit) sur le développement psychologique de la jeune fille. Il est cependant évident que l'opération engendre chez la jeune fille de graves tendances dépressives, dans la mesure où elle la prive à jamais de satisfaire l'instinct humain le plus puissant.

Personne, enfin, n'a étudié les conséquences des violences sexuelles et des mauvais traitements subis par les femmes, sur l'équilibre psychologique de la famille. La littérature médicale cite de nombreux cas de jeunes mariées grièvement blessées (organes génitaux déchirés) par suite des « attentions » de leur conjoint. Mais la littérature médicale ne s'intéresse pas aux conséquences psychologiques des faits qu'elle rapporte. Pourtant des jeunes femmes se suicident — en Haute-Volta par exemple — parce qu'elles ne peuvent plus supporter le martyre des rapports sexuels et les tortures de l'accouchement.

La violence sexuelle de l'homme, sous toutes ses formes, imprègne totalement la vie de la famille africaine ou moyen-orientale : on ne peut comprendre les mutilations génitales en dehors de ce contexte. Les terribles conséquences médicales, que l'on peut constater en visitant n'importe quel hôpital, ne sont que la pointe émergée de l'iceberg. L'apathie et le fatalisme souvent caractéristiques des femmes de ces régions sont en réalité leurs seuls moyens de défense contre cette perpétuelle violence sexuelle, contre cette torture et cette terreur psychologiques que leur imposent les hommes.

L'ordre médiéval de la société villageoise est caractérisé par des comportements de groupe : individuellement, l'homme n'est pas tenu pour responsable des violences exercées contre des femmes. C'est le droit du plus fort qui règne dans ces sociétés. Les femmes sont considérées comme des biens dont on dispose à volonté : l'homme peut les troquer contre du bétail ou des chameaux. Plus l'homme possède de femmes, plus grand est son prestige et son pouvoir.

De nombreuses régions rurales d'Afrique vivent encore aujourd'hui dans une situation comparable à celle de l'Europe médiévale. Mais il n'est pas bien vu de le dire, pas plus qu'il n'est convenable de parler de l'oppression et de la violence mâles, de l'exploitation éhontée des femmes par les hommes, de toutes ces pratiques dégradantes qui se perpétuent sur tout le continent, sous couvert de « traditions africaines ». Et personne ne veut reconnaître que ces pratiques sont responsables de l'échec du processus de développement dans la plupart des pays africains et du Moyen-Orient.

Les justifications

Les Africains justifient les opérations par toutes sortes de mythes pittoresques. Les ethnies qui pratiquent les mutilations continuent de croire à ces mythes, malgré leurs incohérences, et leur totale incompatibilité avec les faits biologiques.

Pour les Africains, la coutume fut décrétée par les ancêtres : il faut donc leur obéir. L'excision, en amputant la femme de ses organes les plus sensibles, la prive de jouissance sexuelle. Les hommes le savent très bien et en tirent argument en faveur des opérations : l'excision contraint la femme à avoir « de bonnes mœurs » et « à rester fidèle à son mari » — qui en général a plusieurs épouses.

Dans les pays musulmans, la femme est réputée incapable de contrôler sa sexualité — il faut donc l'infibuler ou l'exciser pour l'empêcher de déshonorer sa famille. Une femme qui n'est pas mutilée passe pour être une prostituée.

On voit également dans l'excision un moyen d'accroître la fécondité. Et toute femme désire avoir le plus d'enfants possible — des fils surtout — car son statut social en dépend. Les faits biologiques de la reproduction sont inconnus ou délibérément méconnus. Ainsi, selon une croyance répandue au Mali, en Haute-Volta et dans toute l'Afrique occidentale, le clitoris serait l'organe masculin de la femme, et le prépuce du pénis, l'organe féminin de l'homme. D'où la nécessité de la circoncision féminine et masculine, qui rend chacun à son sexe, et lui permet ainsi de devenir adulte. En Egypte, l'opération est parfois justifiée par des arguments esthétiques : les organes sexuels de la femme sont laids, il faut les exciser pour que les femmes soient belles.

En Ethiopie et dans certaines régions du Nigeria on parle d'une prétendue hypertrophie du clitoris pour en justifier l'excision. L'argument a convaincu l'Eglise catholique, puisqu'elle a approuvé les mutilations pratiquées pour cette raison.

Dans les zones urbaines les arguments traditionnels cèdent le pas à des justifications d'ordre médical. Les gens des classes moyennes, qu'ils soient du Caire ou de Bamako, invoquent des raisons d'hygiène. On retrouve le même argument au Soudan et en Somalie, mais sous une forme traditionnelle : si elle n'est pas opérée, la femme est sale et impure.

La plupart des ethnies pratiquant les mutilations vivent coupées du reste du monde, et sans communications entre elles. Et pourtant tous ces arguments se ressemblent. L'universalité de ces mythes prouve une fois de plus que tous les hommes ont la même attitude face à la sexualité féminine. Ces mythes leur servent à justifier des opérations qui leur permettent d'affirmer leur pouvoir sur les femmes.

Les victimes sont aujourd'hui de plus en plus jeunes : une fois scolarisée la jeune fille risquerait de résister. Autrefois, l'opération faisait partie des rites de la puberté. Aujourd'hui, dans les villes du moins, cette signification a disparu : on opère des petites filles âgées seulement de quelques années, parfois même de quelques jours. Même l'élite occidentalisée, fonctionnaires gouvernementaux et politiciens, pratique les mutilations, sous prétexte de respecter « la tradition ».

Un membre de la délégation somalienne aux Nations unies m'a confié que toutes ses filles étaient infibulées. Quand je lui ai demandé pourquoi, il m'a répondu : « C'est la coutume, tout le monde le fait. » Quelques instants auparavant ce même délégué prononçait un discours vibrant sur les efforts de son gouvernement en faveur de la modernisation, de l'alphabétisation, et de l'abolition des traditions néfastes.

On devrait faire une enquête pour savoir combien d'ambassadeurs, combien de délégués aux Nations unies, des pays africains et moyen-orientaux, ont fait exciser ou infibuler leurs petites filles. Ces hommes ont fait leurs études dans des universités occidentales et ils ont adopté un mode de vie totalement non traditionnel. Comment peuvent-ils continuer à mutiler leurs propres enfants au nom de la « tradition » ?

Répartition géographique

L'excision est pratiquée dans une vaste zone qui traverse l'Afrique parallèlement à l'équateur : de l'Egypte, l'Ethiopie, la Somalie, du Kenya et de la Tanzanie en Afrique orientale, jusqu'à la côte occidentale de l'Afrique, de la Sierra Leone jusqu'en Mauritanie, et dans tous les pays de cette région y compris le Nigeria, le plus peuplé des pays d'Afrique. L'excision est également pratiquée dans le sud de la péninsule arabique, et sur les bords du golfe Persique, au Yémen du Sud, dans le sultanat d'Oman et dans les émirats arabes.

Les petites filles musulmanes de Malaisie et de certaines régions d'Indonésie subissent aussi des opérations génitales, mais sous des formes moins sévères.

Les populations de 26 pays au moins du continent africain pratiquent les mutilations génitales. L'infibulation est pratiquée en Somalie, et dans les ethnies somalies vivant dans d'autres pays (Ethiopie, Kenya et Djibouti). Ses victimes sont traditionnellement plus jeunes que celles de l'excision : on opère les petites filles entre quatre et huit ans. L'opération ne s'accompagne d'aucun rituel. L'infibulation est également pratiquée dans toute la vallée du Nil, et le long de la mer Rouge, notamment à Djibouti.

Au Soudan, l'infibulation est appelée *Tahur* ce qui signifie en arabe « purification ». Tous les musulmans du Soudan la pratiquent. Seules s'en abstiennent les populations non musulmanes de la province du Sud, qui sont originaires d'une autre ethnie.

En Afrique noire l'infibulation existe chez certaines populations musulmanes du Mali, du nord du Nigeria, en Haute-Volta, le long du fleuve Sénégal et en Sierra Leone. Bien qu'aujourd'hui l'infibulation ne soit pratiquée que par des populations musulmanes, la coutume date d'avant l'islamisation. On trouve également des cas d'infibulation spontanée résultant de la cicatrisation des plaies provoquées par une excision trop importante.

Pour dissiper toute confusion, il faut préciser qu'il n'existe aucune documentation sérieuse prouvant l'existence des opérations en dehors des pays représentés sur cette carte, à l'exception de la Malaisie et de certaines régions d'Indonésie. Les opérations pratiquées en Asie semblent beaucoup moins graves que celles pratiquées en Afrique. De plus, elles n'ont fait leur apparition qu'avec l'islamisation et ne sont pratiquées que par des familles de musulmans dévots, alors

1. Ethiopie — 2. Soudan — 3. Somalie — 4. Kenya — 5. Egypte — 6. Ouganda — 7. Tanzanie — 8. Djibouti — 9. République centre-africaine — 10. Nigeria — 11. Ghana — 12. Haute-Volta — 13. Côte-d'Ivoire — 14. Mali — 15. Guinée — 16. Sierra Leone — 17. Sénégal — 18. Gambie — 19. Mauritanie — 20. Liberia — 21. Togo — 22. Bénin — 23. Cameroun — 24. Congo — 25. Gabon — 26. Zaïre — 27. Tchad — 28. Niger — 29. Libye — 30. Algérie — 31. Yémen du sud — 32. Arabie Saoudite — 33. Angola — 34. Zambie — 35. Mozambique — 36. Sahara — 37. Maroc — 38. Ruanda — 39. Burundi — 40. Malawi.

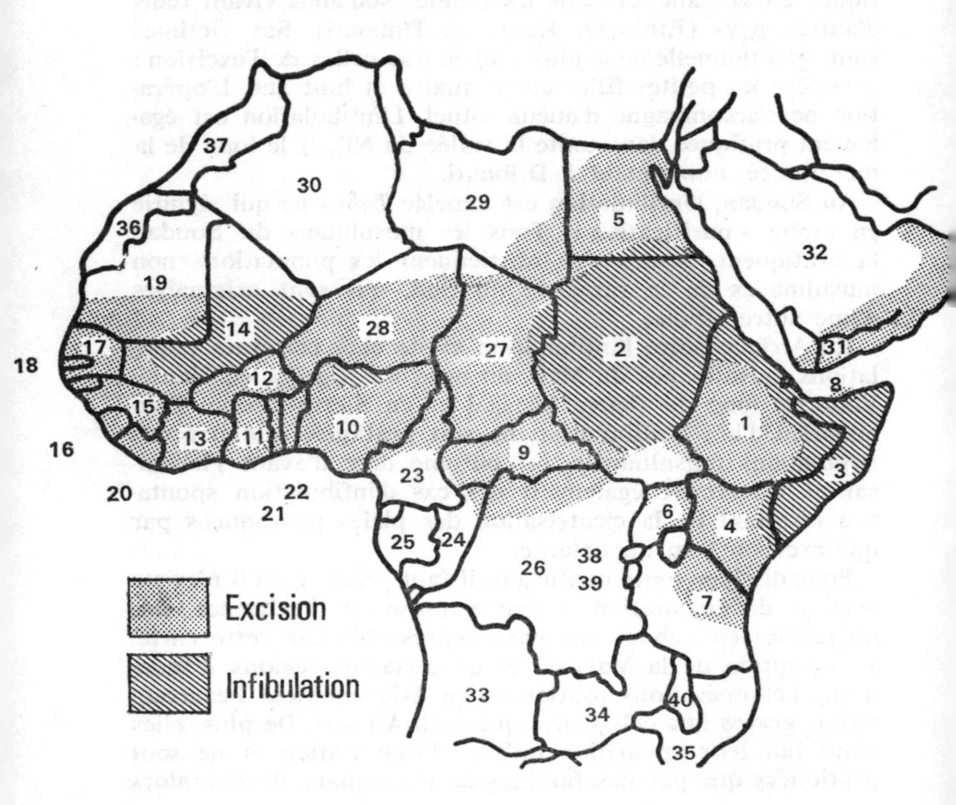

qu'en Afrique et au Moyen-Orient les opérations sont indigènes.

Il faut également distinguer entre les cas sporadiques et isolés, et la mutilation systématique de toutes les petites filles d'une ethnie donnée, comme c'est le cas en Afrique. La plupart des cas sporadiques signalés par la littérature médicale remontent à cinquante ou cent ans, et ne reposent sur aucune étude clinique. On mentionne par exemple « lintrocision » (incision à l'intérieur du vagin) qui aurait été pratiquée par les aborigènes d'Australie il y a plus de cinquante ans. Cette opération n'existe plus aujourd'hui.

Il y a plus de cent ans, les hommes et les femmes d'une secte orthodoxe de la Russie tsariste auraient également pratiqué l'autocastration. Des récits de voyageurs cités dans l'ouvrage d'anthropologie de Henrich Ploss (1885) mentionnent des cas semblables au Pérou et au Mexique. Mais aujourd'hui nous n'avons aucune preuve de l'existence des mutilations dans ces régions.

D'autres cas, isolés, de mutilations sexuelles existent peut-être ailleurs. Mais ils ne sont pas comparables avec les milliers de mutilations qui ont lieu chaque année en Afrique et au Moyen-Orient. Dans ces régions, les mutilations génitales féminines représentent un problème sanitaire majeur qui engage la responsabilité du gouvernement de chaque pays concerné.

Le total de plus de 84 millions de femmes mutilées est fondé sur les estimations les plus prudentes, faites pays par pays. Les chiffres ne sont donnés que pour les pays où ils sont définitifs et doublement confirmés par les rapports médicaux et sanitaires. Dans le cas des pays où les opérations sont pratiquées sans que l'on puisse faire une estimation précise du nombre des victimes, nous avons indiqué : *montant inconnu.* Le total des victimes pour le continent africain devra donc être révisé en hausse au fur et à mesure que nous parviendrons à compléter nos informations.

En ce qui concerne la péninsule arabique et le golfe Persique, il nous est toujours impossible de faire une estimation, même approximative. Nous ignorons de même le nombre de petites filles soumises aux opérations en Malaisie et en Indonésie, ainsi que les conséquences de ces opérations sur la santé et la sexualité des victimes.

Tous les pays mentionnés dans notre tableau connaissent une croissance démographique rapide — de l'ordre de 2,5 pour cent à 3 pour cent par an, et plus encore dans le cas

ESTIMATION DU NOMBRE TOTAL DES FEMMES ET FILLES OPÉRÉES SUR LE CONTINENT AFRICAIN

Pays (mentionnés) dans le *Rapport Hosken*)	Population totale (en millions)	Nombre de femmes (50 % de la population totale)	Pourcentage des femmes opérées (estimation)
Afrique de l'Est			
Soudan	17,40	8,70	80 % 6,96
Somalie	3,90	1,95	100 % 1,95
Egypte	44,00	22,00	50 % 11,00
Ethiopie	31,00	15,50	90 % 13,95
Kenia	15,80	7,90	60 % 4,74
Afrique de l'Ouest			
Nigeria	100,00	50,00	50 % 25,00
Mali	6,70	3,35	80 % 2,68
Haute-Volta	6,90	3,45	70 % 2,41
Sénégal	5,60	2,80	50 % 1,40
Côte-d'Ivoire	8,20	4,10	60 % 2,46
Sierra Leone	3,50	1,75	80 % 1,40
TOTAL : 73 millions 950 000 femmes			

PAYS POUR LESQUELS LES INFORMATIONS SUR LES OPÉRATIONS SONT SUCCINCTES

Afrique centrale et de l'Est			
Djibouti	0,29	0,14	100 % 0,14
Tanzanie	17,40	8,70	10 % 0,87
Ouganda	13,20	6,60	faible faible
Tchad	4,30	2,15	20 % 0,43
Niger	5,20	2,60	20 % 0,52
République	2,50	1,25	20 % 0,25
centre-africaine	27,10	13,55	faible faible
Zaïre			
Afrique de l'Ouest			
Bénin	3,30	1,65	20 % 0,33
Togo	2,80	1,40	20 % 0,28
Ghana	11,30	5,65	20 % 1,13
Liberia	1,90	0,95	20 % 0,19
Guinée-Bissau	5,30	2,65	50 % 1,32
Guinée-Conakry	0,80	0,40	50 % 0,20
Gambie	0,58	0,29	60 % 0,17
Mauritanie	1,52	0,76	25 % 0,19
TOTAL : 6 millions 20 000 femmes			

Estimation du nombre de femmes ayant subi des mutilations sexuelles : 80 millions

Les chiffres de population sont issus des statistiques officielles 1979/1980 des différents gouvernements. On peut estimer qu'en Afrique la population s'accroît de 2,5 à 3 % par an. Ce qui ajouterait 4 millions (5 % pour deux ans) de femmes mutilées. Le nombre total pour 1982 serait donc, pour le continent africain, de *84 millions*.

du Nigeria et du Kenya. Le nombre d'enfants mutilées s'accroît donc en proportion puisque malgré les Recommandations du séminaire de Khartoum, aucun de ces pays n'a pris des mesures effectives de prévention pour mettre fin aux opérations.

Excision/infibulation : leurs conséquences sur la sexualité

Lors du Ve Congrès d'obstétrique et de gynécologie de Khartoum au Soudan en 1977, le Dr Salah Abu Bakr a présenté une série de diapositives montrant la structure cellulaire d'échantillons de tissus du clitoris et des petites lèvres, coupés lors d'opérations d'excision. Ces agrandissements, réalisés au microscope, montraient clairement de nombreuses terminaisons nerveuses.

D'autres diapositives montraient la structure des tissus cicatriciels chez des femmes excisées. Les rares terminaisons nerveuses qui subsistaient dans ces tissus étaient entourées de couches de tissus fibreux qui les rendaient inopérantes. Le commentaire du Dr Bakr est sans appel : « L'excision et l'infibulation détruisent le système nerveux de la vulve, interdisant ainsi l'excitation sexuelle. »

L'opération rend la zone génitale insensible au toucher. La femme opérée ne peut plus être sexuellement stimulée ni par la pénétration ni par les attouchements de la zone génitale.

D'autre part, si des terminaisons nerveuses se retrouvent prises dans le tissu cicatriciel, toute la zone devient terriblement sensible et les rapports sexuels deviennent pour la femme un véritable cauchemar.

Comparaison hommes/femmes

L'équivalent de l'excision serait pour l'homme l'ablation d'une partie ou de tout le pénis. L'équivalent de la circoncision Sunna (ablation de la pointe du clitoris) serait pour l'homme l'ablation du gland du pénis — dans les deux cas ce sont des zones extrêmement sensibles et pleines de terminaisons nerveuses.

D'un point de vue anatomique, confirmé par leur développement embryonnaire, le clitoris et le pénis sont des organes parallèles.

L'ablation du pénis n'empêche pas la production de sperme, de même que l'ablation du clitoris n'empêche pas l'ovulation. Les enfants peuvent être conçus par insémination artificielle, à l'aide, par exemple, d'une simple cuillère. L'ablation du pénis, une fois la blessure guérie, n'empêche pas l'élimination des urines (il en va de même pour la clitoridectomie).

Les hommes prétendent souvent que la circoncision Sunna « ne fait pas de mal ». Diraient-ils la même chose si on leur coupait le gland du pénis ? Aimeraient-ils qu'on leur coupe la partie la plus sensible de leur sexe ? Leur sexualité n'en serait-elle pas compromise ? Un petit garçon à qui l'on ferait subir cette opération ne serait-il pas traumatisé ? Combien d'hommes considéreraient qu'il ne s'agit que d'une bénigne opération de routine ? Voilà ce qu'il faudrait demander aux hommes. Mais personne ne pose ces questions.

Quand un homme africain ou arabe dit qu'une circoncision Sunna ne fait pas de mal, il veut dire en fait que le corps de la femme lui appartient. La femme est là pour lui donner des enfants — de sexe mâle de préférence. En payant la dot, il a fait acquisition des capacités reproductives de la femme, sur lesquelles il exerce un contrôle sans partage. En coupant une partie ou l'ensemble du clitoris de la femme, l'homme ne fait que s'assurer de son bien. A cause de la douleur, la femme évitera toute relation sexuelle, sauf celle que son mari lui imposera de force.

Cette comparaison entre l'excision féminine et l'équivalent masculin (la pénisectomie) permettra peut-être d'éclaircir le problème. Quant aux médecins soudanais et occidentaux partisans de moderniser les opérations, la comparaison avec l'excision masculine les fera peut-être réfléchir.

Le Dr Ravenholt, ex-directeur des programmes démographiques de l'Association américaine pour le développement international (U.S. A.I.D.), ne voyait dans les mutilations sexuelles « qu'une méthode traditionnelle de contrôle des naissances ». L'excision masculine serait certainement beaucoup plus efficace de ce point de vue là.

Les hommes d'Afrique et du Moyen-Orient prétendent que l'excision est le seul moyen de contrôler la sexualité des femmes. Mais c'est la sexualité des hommes qu'il faudrait contrôler. L'excision masculine réglerait rapidement le problème des viols et des violences sexuelles qui sont en augmentation dans le monde entier. De plus, l'excision masculine rendrait l'excision féminine totalement superflue.

Le plaisir sexuel de la femme ne dépend pas de la pénétration. C'est la stimulation clitoridienne qui permet à la femme de parvenir à l'orgasme. L'excision masculine ne compromettrait en rien le plaisir sexuel des femmes.

Toutes les femmes présentes au séminaire de Khartoum ont voté contre la « modernisation » des opérations, et la proposition fut écartée. Mais elle sera certainement reprise par d'autres. Nous proposons une étude des données biologiques et sanitaires, réalisée sous l'égide de l'O.M.S., pour éclaircir la situation. L'étude analysera les avantages comparés de la pénisectomie et de la clitoridectomie, notamment sur le plan des coûts et des bénéfices. Cette étude montrera clairement les avantages de la pénisectomie, et permettra aux hommes de prendre réellement conscience du problème. Nous en recommanderons la lecture à tous les politiciens d'Afrique et du Moyen-Orient.

Analyse des coûts

Il est impossible de mesurer ce que coûtent les opérations sur le plan humain : les petites filles et les femmes d'Afrique et du Moyen-Orient les payent souvent de leur vie.

En revanche nous pouvons calculer ce que coûtent les opérations aux gouvernements des pays concernés, et par là même aux organismes internationaux qui financent les programmes de développement dans ces pays. En dernier ressort, c'est vous et moi qui finançons ces programmes, avec les impôts que nous payons. Nous avons donc notre mot à dire sur la façon dont cet argent est dépensé.

Le coût des opérations se décompose en quatre éléments principaux :

1. Les coûts représentés par les décès des petites filles et des jeunes femmes, résultant directement des opérations. C'est une perte irréparable non seulement pour les familles, mais pour la société dans son ensemble.

2. Les coûts résultant des complications à l'accouchement. Les femmes se rendent de plus en plus souvent à l'hôpital, ce qui coûte de plus en plus cher au gouvernement. Selon les statistiques du Bureau régional de l'O.M.S. à Alexandrie, on a compté pour un an (de juillet 1977 à juillet 1978) et pour un seul hôpital, mille neuf cent soixante-sept jours d'hospitalisation pour le traitement des séquelles des opé-

rations génitales. Cela coûte très cher, surtout aux pays démunis d'équipements sanitaires.

3. Les coûts résultant de la perte de productivité et des arrêts de travail provoqués par les maladies, séquelles des opérations. (Notamment des complications chroniques affectant la menstruation.) Ces coûts sont supportés par chaque employeur, et dans les pays concernés, le premier employeur c'est l'Etat. Dans les pays qui ont des systèmes d'assurance maladie et de Sécurité sociale, les coûts des mutilations sexuelles sont directement payés par les organismes d'assurance et les gouvernements.

4. Si les opérations étaient modernisées, et pratiquées dans les hôpitaux d'Afrique et du Moyen-Orient, leurs coûts deviendraient astronomiques (en soins et en médicaments). Pratiquement tous les hôpitaux et toutes les cliniques de ces régions sont financés par le gouvernement.

Cela signifierait que les moyens sanitaires dérisoires de ces pays, financés par les impôts et les aides internationales, seraient utilisés pour mutiler les petites filles. Est-ce vraiment à cela que doit servir l'assistance sanitaire internationale ?

Cette analyse des coûts montre qu'en finançant au niveau national et international des campagnes de prévention et d'éducation sanitaire luttant contre les mutilations, on réaliserait, dans les années qui viennent, d'importantes économies. Ces campagnes devraient mettre l'accent sur une approche positive des problèmes sanitaires ; elles viseraient à remplacer les opérations et les pratiques traditionnelles par les soins maternels et infantiles (nutrition, contrôle des naissances, hygiène de la reproduction). Ces campagnes permettraient d'améliorer considérablement le niveau de santé au sein de chaque famille et dans l'ensemble du pays.

Les jeunes générations seraient plus saines, ce qui entraînerait une importante diminution des dépenses médicales et sanitaires.

Le séminaire de l'Organisation mondiale de la santé

Les pratiques traditionnelles affectant la santé des femmes et des enfants Khartoum, Soudan, 10-15 février 1979

Le séminaire de Khartoum organisé par le Bureau régional de l'O.M.S. fut un événement historique pour toutes les femmes. Il s'est tenu dans une salle de conférences de la nouvelle Maison de l'amitié, construite sur les bords du Nil avec l'aide chinoise. Participaient au séminaire les délégations officielles des ministères de la Santé de neuf pays d'Afrique et du Moyen-Orient, des représentants de l'O.M.S. et d'autres organismes des Nations unies, ainsi que de nombreux observateurs.

Au Soudan, la plupart des réunions internationales se tiennent à cette époque de l'année : le reste du temps la chaleur est trop lourde, et les deux cités jumelles de Khartoum et d'Omdurman, de part et d'autre du Nil, sont balayées par les tempêtes de sable. Le Nil, bordé d'arbres et de champs, est le croissant fertile de ce pays aussi vaste que dépeuplé. Le reste du Soudan est un désert où, depuis des siècles, survivent péniblement des populations nomades.

Khartoum est une ville de contrastes. Voitures et boucs se croisent dans de larges rues aux trottoirs ensablés. Le quartier des marchés, bordé de mosquées et de bâtiments officiels est le centre de la vie traditionnelle. La plupart des commerçants sont des hommes, revêtus d'amples robes blanches. De temps à autre on aperçoit une femme, vêtue selon la tradition d'une « tarbe » — un grand tissu chatoyant qui l'enveloppe des pieds à la tête. Mais aussi bien les rues de la ville moderne de Khartoum que celles de la ville traditionnelle d'Omdurman, appartiennent visiblement aux hommes. Le personnel des hôtels modernes bâtis le long du Nil est lui aussi masculin dans sa presque totalité. Toutefois des étudiantes de l'école des sages-femmes, vêtues d'impeccables robes blanches, sont venues chaque jour assister aux réunions du séminaire.

De nombreux sujets figuraient à l'ordre du jour : les pratiques nutritionnelles et les tabous alimentaires durant la grossesse, les pratiques traditionnelles liées à l'accouchement, l'allaitement, le sevrage, l'alimentation de la mère et de l'enfant, les grossesses et les mariages précoces. Mais les débats devaient surtout porter sur le problème de la circoncision féminine, thème principal du séminaire. Suivant l'habitude africaine et celle du Moyen-Orient, l'O.M.S. continue à utiliser le terme de circoncision féminine (incorrect du point de vue médical, on l'a vu) pour désigner l'ensemble des mutilations sexuelles imposées aux petites filles de ces régions. Le séminaire était la première réunion internationale traitant la circoncision féminine comme un problème sanitaire.

Outre le Soudan, l'Egypte, la Somalie, Djibouti, le Yémen du Sud, le sultanat d'Oman, l'Ethiopie, le Kenya et le Nigeria, avaient envoyé des délégations officielles. La Haute-Volta était représentée par un observateur. De nombreux pays d'Afrique occidentale devaient y participer. Mais la pénurie de carburant qui régnait alors en Afrique rendait les déplacements très difficiles et de nombreux invités ne purent venir. Un grand nombre de médecins soudanais et des représentants du ministère de la Santé (femmes et hommes) prirent également part aux travaux du séminaire.

J'introduisis les débats par une présentation générale du problème : distribution géographique et ethnique des opérations aujourd'hui. Les différents types d'opérations pratiquées furent expliqués par des médecins. La plupart des délégations firent ensuite un rapport sur la situation dans leur pays. Les obstétriciens et gynécologues soudanais évoquèrent les terribles complications médicales auxquelles ils étaient quotidiennement confrontés. Le Dr Asma El Dareer présenta un rapport sur les travaux de l'équipe de chercheurs qu'elle dirigeait : la première étude d'ampleur nationale analysant province par province l'épidémiologie des mutilations génitales au Soudan. Celui-ci est le seul pays africain qui se soit livré à d'importantes recherches sur ce sujet.

Les participants au séminaire ont exprimé le souhait qu'un séminaire semblable soit organisé pour les pays de l'Afrique occidentale francophone, où les mutilations font des ravages sans être l'objet d'aucune étude. Cette réunion n'a malheureusement toujours pas eu lieu.

Deux rapports de délégations officielles retinrent tout particulièrement l'attention : le rapport somalien, un vibrant appel féministe, et le rapport égyptien, qui présentait une analyse approfondie de la situation.

Le rapport sur la Somalie — « où toutes les femmes, à de rares exceptions près, sont infibulées dès leur plus jeune âge » — fut présenté par Raqiya Haji Dualeh, membre de l'Organisation démocratique des femmes de Somalie : « La circoncision féminine est une des formes d'oppression sexuelle de la femme. Cette manipulation de la sexualité féminine vise à perpétuer l'asservissement et l'exploitation des femmes. En leur donnant une vision négative d'elles-mêmes elle condamne les femmes à rester inférieures et soumises...

« Les femmes et l'ensemble du peuple somalien estiment que ces mesures de discrimination qui empêchent les femmes de réaliser leur potentiel humain et d'exercer leurs pleins droits économiques et politiques, affaiblissent la société tout entière...

« Les femmes sont victimes de coutumes archaïques et des comportements méprisants de leurs frères, les hommes... »

Après avoir longuement exalté les conquêtes de la révolution somalienne, la déléguée dut cependant admettre que les femmes avaient encore un long chemin à parcourir : « Il nous reste encore à vaincre les traditions, l'oppression, les préjugés, les idées d'un autre âge. Nous devons lutter contre cette idéologie du mépris, qui nous dénie nos capacités et sape notre confiance en nous-mêmes...

« La circoncision féminine continue à sévir dans notre pays... La majorité de la population la pratique sous sa forme la plus extrême : celle de l'infibulation ou circoncision pharaonique...

« Cette opération qui détruit la nature physique de la femme est la chose la plus cruelle, la plus violente que l'on puisse faire subir à un être humain...

« Cette opération représente un horrible martyre, une sinistre épreuve pour toutes celles qui la subissent.

« Quand la femme se marie, on lui impose à nouveau de terribles souffrances, car il faut l'opérer une seconde fois pour qu'elle puisse avoir des rapports sexuels. De nombreuses femmes connaissent de graves problèmes au moment de l'accouchement et souffrent de complications postnatales...

« Nous voulons abolir cette coutume. Seules l'éducation et l'émancipation des femmes nous permettront d'y parvenir... »

Un autre membre de la délégation somalienne, le Dr Mohamed Warsame, directeur de l'hôpital Benadir pour femmes et enfants de Mogadishu, a estimé que pour 1978 le coût des soins donnés dans son hôpital, aux femmes et aux petites filles mutilées, atteignait des centaines de milliers de shillings somalis — et il faut rappeler que la Somalie est un des pays les plus pauvres du monde. De plus, seule une petite minorité des habitants de Mogadishu peut se faire soigner à l'hôpital.

Les études composant le rapport égyptien ont montré que, contrairement à ce que l'on croit, l'excision est pratiquée à grande échelle dans tout le pays, y compris au Caire. Ce sont en général les sages-femmes traditionnelles — les « dayas » — qui opèrent. Mais les excisions peuvent aussi être pratiquées par des barbiers, des médecins, des sages-femmes et des infirmiers professionnels.

Le rapport égyptien comprenait une étude sur les « Connaissances et les comportements des infirmières d'Alexandrie concernant la circoncision féminine ». L'auteur de cette étude, Eleanor W. Smith, professeur de soins maternels et infantiles, avait interrogé 135 infirmières travaillant dans des services d'obstétrique.

On a pu constater que 63 pour cent des infirmières interrogées connaissaient très mal le problème. 76 pour cent ne savaient pas si les opérations étaient ou n'étaient pas légales. 83 pour cent estimaient que les opérations n'avaient pas d'effets négatifs.

Plus de 67 pour cent des infirmières déclarèrent qu'elles ne feraient pas circoncire leurs filles. Celles qui envisagaient de le faire avancèrent plusieurs raisons : des justifications d'ordre esthétique, le désir de tempérer les pulsions sexuelles de leurs filles et de les protéger de la délinquance. Les réponses varient en fonction de l'âge et du niveau d'éducation. Les infirmières jeunes sont plutôt défavorables à la circoncision, de même que celles qui ont un niveau d'éducation plus élevé. Les trois quarts des infirmières interrogées étaient elles-mêmes circoncises.

Le rapport égyptien présentait également une étude réalisée en janvier 1979 par Mary B. Assad, sur les cas de 54 femmes venues en consultation dans une clinique du planning familial d'un quartier pauvre du Caire. Presque toutes ces femmes étaient musulmanes. Agées de vingt à cinquante ans, toutes étaient mariées. 30 pour cent d'entre elles étaient illettrées.

Elles étaient circoncises à 90 pour cent. 80 pour cent d'entre elles avaient fait circoncire leurs filles ou avaient l'intention de le faire.

Plus de la moitié des femmes avaient été opérées par des sages-femmes traditionnelles, les dayas. Dans les autres cas les opérations avaient été pratiquées par des barbiers, des médecins et des sages-femmes professionnelles. On retrouvait à peu près la même répartition dans les opérations subies par les filles des femmes interrogées.

La plupart des femmes ont évoqué la peur, la souffrance, les saignements, les infections et les complications urinaires. Elles justifiaient la circoncision par les raisons suivantes (données dans cet ordre) : atténuation du désir sexuel, coutume familiale, mesure d'hygiène.

Mary Assad a également interrogé le personnel féminin de cette clinique du planning familial : la plupart de ces femmes étaient circoncises, et elles envisageaient de faire circoncire leurs filles, si ce n'était déjà fait !

Il faut bien conclure de ces réponses que les organisations de planning familial elles-mêmes se révèlent incapables de donner à leur propre personnel le minimum de connaissances indispensables en matière de biologie et de sexualité. Tant sur le plan financier que sur le plan de la formation, ces Centres sociaux sont pourtant tributaires de l'aide internationale, ce qui prouve, s'il en était besoin, que les organismes internationaux ne s'estiment nullement concernés par les problèmes de la santé des femmes.

Le dernier jour du séminaire, six Recommandations furent soumises à l'approbation des délégués. Les deux premières furent adoptées sur-le-champ. Les quatre autres, concernant les mesures éducatives et des propositions d'action, furent condensées en deux Recommandations, au terme d'une discussion longue et laborieuse.

Le Dr Bertha Johnson, médecin et psychiatre nigériane, vice-présidente du séminaire posa cette question capitale à propos de la dernière Recommandation sur l'éducation du personnel sanitaire : « De quelle éducation s'agit-il ? » En effet, le projet rédigé par la commission s'en était tenu à une formulation vague et ambiguë, ne précisant pas que les mesures éducatives devaient *lutter contre* les mutilations sexuelles.

Le Dr Johnson fit remarquer que, sous cette forme, le texte pouvait être interprété dans un sens contraire aux souhaits du séminaire. Il semblait recommander la formation du personnel médical aux opérations d'excision et d'infibulation, pratiquées à moindre risque grâce aux acquis de la médecine moderne.

Au cours de la discussion qui a suivi, il est apparu que la commission voulait effectivement laisser le champ libre à toutes les interprétations possibles de cette recommandation. La vigilance du Dr Johnson a permis de remettre les choses au point.

Cette discussion a dévoilé d'importantes divergences parmi les participants. Les partisans de la « modernisation » des opérations estimaient que c'était une bonne étape intermédiaire, permettant de diminuer les risques d'infection et d'autres complications. Cette position fut défendue par de nombreux gynécologues (hommes) soudanais.

Selon le Dr R.H.O. Bannerman, médecin ghanéen, chargé des programmes de médecine traditionnelle de l'O.M.S., il fallait passer par cette « étape intermédiaire », car les Africains « ne renonceraient jamais à des traditions sociales aussi importantes ». Mais quel est le rapport entre une mutilation sexuelle pratiquée selon les méthodes de la médecine occidentale dans des hôpitaux occidentaux, et les traditions sociales africaines ?

Rapidement cette notion d'« étape intermédiaire » fut au centre de la discussion. Selon le texte initial de la recommandation, l'opération modernisée représentait un « moindre mal ». Sous le couvert de cet euphémisme, il s'agissait en fait de faire châtrer et infibuler des petites filles non consentantes par des médecins et dans des hôpitaux bénéficiant de l'assistance sanitaire internationale. Toutes les femmes présentes au séminaire se sont opposées à cette éventuelle « modernisation » des mutilations.

Il ne s'agissait plus seulement de discuter des termes employés dans cette recommandation. Il s'agissait de savoir si un séminaire international de l'O.M.S. allait approuver les mutilations sexuelles — sous réserve qu'elles soient pratiquées dans des conditions sanitaires modernes. Il s'agissait également de savoir si l'assistance sanitaire internationale allait subventionner la castration sexuelle de petites filles en Afrique et au Moyen-Orient.

Bien entendu, les partisans de la « modernisation » des opérations ne sont pas tous désintéressés. Le personnel médical du Soudan, de l'Egypte, du Nigeria, du Mali et d'autres pays, tire de ces opérations de confortables revenus.

Lors du Ve Congrès d'obstétrique et de gynécologie au Soudan, la secrétaire de l'Organisation des femmes, Kateera Yassin, avait déjà accusé les médecins et les sages-femmes de son pays de gagner des sommes énormes en opérant les petites filles des familles riches. Dans les hôpitaux généraux de Mogadishu et de Bamako, les opérations génitales font partie de la routine. Et il en va de même dans de nombreux hôpitaux africains.

Lors du séminaire, le Dr Bannerman ne fut pas le seul défenseur des « traditions » — malgré les horreurs révélées par les rapports des délégations. Cette position est pour le moins paradoxale de la part d'un médecin travaillant pour l'Organisation mondiale de la *santé !* Mais de nombreux hommes partagent son point de vue.

Moderniser les opérations permettrait sans doute de sauver la vie de quelques petites filles des classes privilégiées — celles qui ont accès aux services médicaux modernes. Ces enfants-là pourraient à coup sûr être châtrées en toute sécurité. Mais la plupart des enfants des zones rurales, opérées selon les méthodes traditionnelles seront totalement abandonnées à leur sort. D'autre part, une fois que les mutilations génitales seront ainsi « institutionnalisées », il sera pratiquement impossible de les abolir, car les intérêts économiques des médecins et du personnel médical seront en jeu.

L'exemple occidental montre que le nombre d'opérations facultatives — surtout celles qui sont pratiquées sur les femmes — croît en proportion des revenus qu'en tire la profession médicale. C'est par exemple le cas des hystérectomies aux Etats-Unis. D'un autre côté, en modernisant la castration sexuelle des femmes, on institutionnaliserait le contrôle sexuel des hommes sur les femmes.

Il ne fait aucun doute qu'on assistera également à des tentatives d'exportation de ces pratiques. De fait certains médecins américains du début du siècle ont déjà essayé de populariser la circoncision féminine aux Etats-Unis. Et les immigrants d'Afrique et du Moyen-Orient exportent les opérations dans leurs pays d'accueil : en France, en Suède, en Italie, en Allemagne, etc. Ils y trouvent le concours de médecins obligeants — moyennant honoraires bien entendu.

Curieusement, les partisans de la modernisation, les avocats de « l'étape intermédiaire » ne font aucune proposition concrète pour les étapes suivantes. Que se passera-t-il une fois les opérations modernisées et institutionnalisées ?

Après plus de deux heures de discussions infructueuses le Dr Baasher demanda aux délégués s'ils estimaient que ces opérations traditionnelles étaient compatibles avec les objectifs d'une médecine moderne. Ceux qui avaient pour mission de soigner et de guérir pouvaient-ils se permettre de pratiquer des mutilations génitales ? Le Dr Baasher fut le seul à placer le problème sur le plan de l'éthique médicale.

En fin de compte, une nouvelle version des Recommandations, claire et sans équivoque fut approuvée à l'unanimité par tous les délégués : « Adoption de politiques nationales claires en vue de l'abolition de la circoncision féminine.

« Création de commissions nationales pour coordonner et poursuivre les activités des organismes travaillant à cette question — y compris, le cas échéant, la mise en vigueur de la législation interdisant cette coutume.

« Intensification de l'éducation générale du public, y compris l'éducation sanitaire à tous les niveaux, l'accent étant mis sur les dangers de la circoncision féminine.

« Intensification des programmes éducatifs destinés aux accoucheuses traditionnelles, aux sages-femmes, aux guérisseurs et autres praticiens de médecine traditionnelle, de façon à les convaincre des effets nocifs de la circoncision féminine et à les gagner ainsi à la cause de l'abolition de cette pratique. »

Dans le numéro de mai 1979 de *World Health*, revue officielle de l'O.M.S., le Dr A.H. Taba, directeur du Bureau régional de l'O.M.S. pour la Méditerranée orientale, commenta les Recommandations du séminaire : « Ces recommandations devraient être utiles à tous les pays qui doivent affronter ce problème. Pour les appliquer, il faudra pouvoir compter sur la volonté de collaboration de toutes les instances sociales et politiques, en étroite coordination avec les établissements religieux, pédagogiques et sanitaires ainsi que les institutions communautaires.

« Ces efforts intensifiés de la part des autorités nationales, ainsi que les actions concertées au niveau international permettront de faire du chemin dans ce difficile domaine. Il faut espérer que le jour où nous pourrons célébrer la totale abolition de la circoncision féminine n'est pas trop lointain. »

Cet appel à « des actions concertées au niveau international » est particulièrement important. Avant le séminaire de Khartoum, les mutilations sexuelles étaient un sujet tabou dans les réunions internationales. Les organismes des Nations unies et autres instances internationales prétendaient que les opérations n'existaient plus et refusaient de reconnaître leurs terribles ravages. Grâce au séminaire de Khartoum et à l'article de *World Health,* plus personne aujourd'hui ne peut feindre l'ignorance. L'inaction désormais n'a plus d'excuses. Comme l'a dit Albert Camus, cité par Benoîte Groult dans un éditorial de *F Magazine :* « Maintenant il n'y a plus d'aveugles ou de naïfs, mais seulement des complices. »

Le contexte historique

Pour faire l'historique d'une pratique traditionnelle, il faut disposer d'une documentation minutieuse. Ce livre n'a pas la prétention de tout dire sur l'histoire des mutilations sexuelles, histoire vieille de plus de deux mille ans, et entourée de secret.

Nous devons par conséquent définir ce que nous entendons par « contexte historique » : pour nous, ce terme signifie que nous allons traiter, dans ce chapitre, du passé et non du présent. Notre but est de faciliter l'accès aux sources historiques. De nombreuses pratiques, décrites dans ces sources, sont encore en vigueur aujourd'hui, sous des formes pratiquement inchangées.

Une histoire des mutilations sexuelles exigerait en premier lieu une analyse des innombrables migrations des populations africaines. Il nous faudrait suivre les groupes et les tribus dans leur errance, tout au long des luttes, des conquêtes, des guerres locales. Il nous faudrait aussi accompagner dans leurs voyages les marchands arabes, étudier leurs activités commerciales et le trafic d'esclaves — surtout des femmes — auquel ils se livraient dans toute l'Afrique de l'Est et de l'Ouest, et au Moyen-Orient.

On ne connaît pas les origines des mutilations génitales féminines. Se sont-elles propagées à partir d'un foyer unique ? Furent-elles inventées par différents groupes ethniques à différentes époques ? Pour certains spécialistes, les mutilations génitales virent le jour au Moyen-Orient et dans la péninsule arabique, et furent propagées par les marchands arabes. D'autres pensent que c'est tout à fait improbable.

Une chose semble acquise : la circoncision masculine fut antérieure à l'opération féminine. On sait également que ces opérations se pratiquaient en Afrique orientale et occidentale ainsi qu'au Moyen-Orient, bien avant l'islamisation.

Des opérations de circoncision masculine sont représentées sur un bas-relief égyptien du tombeau d'Ankh-Ma Hor, de la sixième dynastie (2340-2180 av. J.-C.). D'autres représentations de pénis circoncis datent de l'époque pharaonique : de toute évidence la circoncision masculine fut pratiquée en Egypte pendant des millénaires.

Mais on ne trouve pas de semblables représentations de circoncision féminine, malgré l'hypothèse, faite par de nombreux spécialistes, selon laquelle cette opération serait apparue dans la même région, comme un pendant à l'opération masculine. Dans la mesure toutefois où ces représentations sont uniques en leur genre, on ne peut en tirer de conclusions définitives.

En l'absence de toute preuve historique, de tout document confirmé par les connaissances médicales, les origines de la circoncision masculine et féminine ont donné lieu à de nombreuses spéculations, mais à aucune certitude. Il est cependant avéré que toutes les sociétés pratiquant la circoncision féminine pratiquent également la circoncision masculine. Mais l'opération masculine fut et demeure beaucoup plus répandue que l'opération féminine.

L'objectif de ce chapitre est donc d'établir des données de base concernant les mutilations sexuelles féminines, en rassemblant toutes les sources possibles. Nous espérons que les chercheurs parviendront à combler les lacunes. De nombreuses recherches sur le terrain sont encore nécessaires, si l'on veut comprendre les racines historiques de ces pratiques, entourées de croyances et de mythes, travesties par l'hypocrisie, la discrimination, les tabous sexuels.

Les africanistes et les spécialistes de l'histoire africaine n'ont malheureusement jamais étudié le contexte historique des mutilations sexuelles féminines. C'est pourtant en Afrique que ces pratiques sont les plus répandues et le mieux acceptées par des populations très différentes.

Cette absence d'études historiques est d'autant plus remarquable que les mutilations jouent un rôle de premier plan dans les comportements sociaux, dans la vie familiale, ainsi que dans le développement économique et national. Ce silence surprend encore plus quand on sait à quel point les chercheurs africains ont la plume facile. Les universitaires africains ont commenté, illustré, enregistré, disséqué toutes sortes de coutumes africaines, jusqu'aux plus oubliées, aux plus localisées. Mais ils s'obstinent à ignorer les mutilations sexuelles féminines.

Pour trouver une relation des faits, j'ai dû me tourner vers les publications médicales. Les ouvrages d'ethnographie ou d'anthropologie, écrits la plupart du temps par des hommes, passent ces opérations sous silence [1] ou dissimulent leurs véritables conséquences.

Un seul livre donne des informations sérieuses sur le sujet, et présente des témoignages de victimes des mutilations : *La parole aux négresses* de la Sénégalaise Awa Thiam, publié en 1978. Seul autre exemple de description d'une excision dans la littérature africaine : un passage d'un livre de Jomo Kenyatta, écrit alors qu'il étudiait l'anthropologie à Londres, dans les années 20. Et encore ne s'agit-il que d'une description d'excision chez les Kikuyu, à laquelle l'auteur, en tant qu'homme, n'a pas pu assister.

La raison véritable de ces opérations s'est perdue dans un passé lointain. Aujourd'hui, en Afrique, personne n'est à même de donner une explication plausible de ces pratiques. Bien au contraire, toute tentative d'explication est imprégnée de superstitions, marquée par une ignorance totale des données biologiques. On ne peut qu'imaginer combien de temps il a fallu pour que ces terrifiantes opérations soient acceptées comme une « coutume », et deviennent la condition *sine qua non* du mariage dans de nombreux pays africains, au point que les femmes elles-mêmes ont intériorisé le besoin de leur propre mutilation et font pratiquer l'opération sur leurs propres filles.

Bien peu de sources originelles sont réellement dignes de confiance. De plus, on découvre rapidement que les chercheurs partent souvent des mêmes documents, qu'ils réinterprètent à leur guise. Les sources écrites sont constituées de récits de voyage en Afrique orientale, en Egypte et au Soudan, et de travaux d'ethnographes et de médecins. En ce qui concerne l'Afrique occidentale, les sources sont encore plus rares. Les sources indigènes, s'il en existe, n'ont pas été rendues publiques par les Africains. Nous espérons que ce livre permettra de mettre au jour de nouveaux documents et encouragera ceux qui connaissent d'autres sources à les rendre publiques.

Le document le plus fréquemment cité est l'ouvrage de

1. Une exception : le livre extraordinaire de Jacques Lantier *La cité magique et magie en Afrique noire*. Mais il n'y est pas fait mention de données historiques.

Ploss et Bartels, *Das Weib*[1] (*La femme*). Tous les ouvrages d'anthropologie et de médecine jusqu'à nos jours citent et recitent Ploss et Bartels. Mais aucun des auteurs qui se réfèrent à cette œuvre ne s'est donné la peine de vérifier si les pratiques qu'elle décrit existent encore. Les auteurs d'ouvrages médicaux en particulier citent Ploss pour l'extension et l'incidence des opérations, s'appuyant ainsi sur des données vieilles de plus de cent ans, et jamais confirmées.

Les livres décrivent deux types d'opérations : l'excision/clitoridectomie, et l'infibulation. Comme l'explique, entre autres, Windstrand, le terme d'infibulation vient du mot latin *fibula,* c'est-à-dire : agrafe. Dans la Rome antique, la fibule servait à maintenir fermés les pans de la toge. Une fibule, ou agrafe, en forme d'anneau, était passée à travers le prépuce des gladiateurs et des esclaves, pour les empêcher de gaspiller leurs forces avec les femmes. D'autres explications existent. Mais le but est toujours le même : empêcher les rapports sexuels. Dans le cas des femmes, un ou plusieurs anneaux étaient insérés en travers des lèvres du vagin, pour les contraindre à la chasteté. Parfois les anneaux étaient reliés entre eux, ou fermés par un cadenas. Les femmes esclaves étaient ainsi infibulées pour les empêcher d'avoir des enfants, la maternité les rendant inaptes au travail. Cette *méthode d'infibulation mécanique,* décrite également par Remondino n'était pas réservée aux seuls esclaves romains. On en trouve également quelques rares cas beaucoup plus tard en Europe. Les vétérinaires connaissent également cette méthode : on infibule les juments avant d'envoyer les chevaux aux pâturages.

1. L'édition originale de *Das Weib-in der Natur-und Volkerkunde* du Dr Heinrich Ploss date de 1885. Ploss était un médecin allemand, auteur connu à son époque de nombreuses études d'anthropologie médicale. Son autre ouvrage historique, *Das Kind* (*L'enfant*), fut tout aussi célèbre. Ploss mourut en 1885 et la première édition de *Das Weib* fut rapidement épuisée. La Société allemande d'anthropologie demanda alors au Dr Bartels de préparer une édition augmentée des nombreuses recherches que Ploss avait laissées derrière lui. L'ouvrage connut de nombreuses rééditions, révisées par Bartels. En 1935 le livre fut traduit en anglais et parut sous la supervision d'Eric John Dingwall (William Heinemann Medical Books Ltd, London, 1935). Une version contemporaine du même livre, révisé par J.R. Brosslowsky parut en 1965 sous le titre *Femina Libido Sexualis* (Medical Press, New York, 1965). Il faut ajouter que l'ouvrage n'est pas accessible au public: à la Countway Medical Library de l'université de Harvard, par exemple, le livre est gardé sous clef, parce que, comme l'explique le bibliothécaire : « Ce genre d'ouvrage a tendance à disparaître. »

La méthode d'infibulation orientale, dont traite ce livre, s'accompagne d'une excision/clitoridectomie, et signifie l'obturation de la vulve par scarification.

Lors des fouilles de sépultures égyptiennes, des archéologues ont retrouvé des momies excisées, ainsi que nous l'apprennent différentes publications médicales d'Egypte et du Soudan. D'après certains archéologues, ces momies étaient si bien conservées qu'on pouvait détecter sur leurs corps non seulement des traces d'excision, mais aussi d'infibulation. D'autres archéologues nient que les momies aient été infibulées, mais tout le monde s'accorde pour dire que l'excision était couramment pratiquée par les classes dominantes de l'ancienne Egypte.

Dans une étude d'ensemble de la circoncision féminine, le Dr A. Huber, qui travailla de nombreuses années en Ethiopie, écrit que des traces d'excision furent retrouvées sur une momie de femme égyptienne datant du XVIe siècle avant Jésus-Christ. Dans son étude sur la circoncision féminine et sur l'infibulation, le Dr Shandall écrit : « On a retrouvé de nombreuses traces d'excision sur les momies de femmes égyptiennes, mais les cas d'infibulation sont très rares. »

Selon le Dr Shandall : « Les Arabes pratiquaient l'infibulation bien avant l'islam. » Shandall précise que cette pratique avait pour but de protéger les bergères du viol[1]. C'est encore aujourd'hui l'un des arguments couramment avancés au Soudan et en Somalie.

Hérodote (484-424 av. J.-C.) écrit que les Egyptiens, dont il a parcouru le pays, pratiquent l'excision. Un papyrus grec conservé par le British Museum, et datant de 163 avant Jésus-Christ, évoque les opérations que subissaient les jeunes filles de Memphis au moment de recevoir leur dot. Les Drs Karim et Ammar mentionnent une plaque égyptienne, datant sensiblement de la même époque (160 av. J.-C.), « qui donne les détails d'un procès en recouvrements des frais occasionnés par une clitoridectomie ».

Dans la quatorzième édition de *Das Weib*, Ploss et Bartels

1. Cet argument mérite d'être réfuté. Rien n'empêche le violeur potentiel de faire comme tout jeune marié : pénétrer la femme de force et/ou se servir d'un couteau. L'infibulation n'offre aucune protection contre le viol. Cet argument suppose également que dans les sociétés où les femmes sont mutilées, les hommes peuvent violer qui bon leur semble. Ce sont donc les hommes, et non pas les femmes, comme on les en accuse, qui se montrent incapables de contrôler leur sexualité. Le remède logique serait donc l'ablation du pénis.

rapportent la même anecdote sur les jeunes filles de Memphis. C'est certainement la source des écrits postérieurs. On en a conclu que dans l'Egypte antique toutes les jeunes filles subissaient cette opération au moment de recevoir leur dot, c'est-à-dire juste avant le mariage. Windstrand se réfère également à la même source. On y décrit les procédures légales en vue de recouvrer les sommes versées à la mère d'une jeune fille, « pour l'excision et pour la dot ». Selon certaines sources, la clitoridectomie était signe de noblesse et fut dans un premier temps l'apanage des femmes des familles royales de l'Egypte antique. On dit également que ces femmes ne pouvaient hériter que si elles étaient circoncises.

Strabon, le géographe grec, décrit également cette opération comme une coutume égyptienne, après son voyage en Egypte aux alentours de l'an 25 avant Jésus-Christ. Il décrit aussi les populations de la côte orientale de la mer Rouge, et les qualifie de « mutilées ». Il précise que ces populations excisent les femmes, comme en Egypte.

Dans une étude d'un village nubien de la Haute-Egypte, John G. Kennedy écrit que la circoncision est une coutume de l'ancienne Egypte. Aujourd'hui, la forme que prennent ces opérations est pour ainsi dire inchangée. Kennedy explique que les jeunes filles subissent l'opération bien avant la puberté, et que l'opération est accompagnée de chants coraniques et des cris des femmes réunies, pour couvrir les hurlements des victimes. L'opération qu'il décrit est une infibulation et les rituels ressemblent beaucoup à ce qui se pratique aujourd'hui à Khartoum et dans le reste du Soudan, avec notamment toutes sortes de précautions contre les mauvais esprits ou *djinns* qui sont, paraît-il, attirés par le sang issu des organes génitaux.

De nombreux ouvrages tentent d'établir une relation historique entre la circoncision féminine et la circoncision masculine. Dans l'Antiquité, la circoncision masculine fut très répandue dans tout le Moyen-Orient et en Egypte. Toutes les sources établissent l'antériorité de l'opération masculine.

Le Mufti du Soudan, le cheikh Ahmed El-Taher, a déclaré : « La circoncision fut pratiquée par les Prophètes et Abraham fut le premier d'entre eux à être circoncis. Le Coran dit : " Quand son Seigneur mit Abraham à l'épreuve par des commandements auxquels il se plia ", sourate II, verset 110. »

Certains anthropologues se demandent quelle est la relation entre la circoncision masculine, l'ablation du prépuce, et l'ablation du pénis tout entier, offert en sacrifice aux dieux. C'était, semble-t-il, une pratique de l'ancienne Egypte. On trouve dans toute l'histoire du Moyen-Orient des exemples de cette coutume qui transforme le sexe masculin en trophée de guerre. Des faits semblables sont également mentionnés par des textes de l'Egypte antique.

Les Gallas, les Somalis et les Abyssins (Ethiopiens), selon certaines études, coupent entièrement le sexe de leurs ennemis. Ces trophées sont parfois offerts aux jeunes filles que les guerriers veulent épouser. De nos jours, on retrouve cette coutume en Afrique : des exemples en furent signalés lors des deux récents soulèvements au Zaïre (Congo). D'autres cas furent signalés au Viêt-nam.

La circoncision tant masculine que féminine s'est imposée bien avant l'islam et fut pratiquée dans de nombreuses régions d'Afrique. Mais la coutume fut ignorée des Romains, jusqu'à leur conquête de l'Egypte et du Moyen-Orient.

Depuis les temps préhistoriques, les coptes d'Egypte et les Abyssins ont circoncis les garçons et les filles, à un âge beaucoup plus jeune que dans les rites caractéristiques de la puberté d'Afrique noire.

Les Egyptiens ont appris la circoncision, semble-t-il, aux Arabes et aux Juifs. Au Moyen-Orient et en Afrique, la règle interdit à un garçon de se marier tant qu'il n'est pas circoncis. La même règle s'applique à l'excision dont la rhétorique et les rites font de nombreux emprunts à l'opération masculine.

En raison de la position dominante des hommes, les rites entourant la circoncision masculine tiennent une place beaucoup plus importante, tant en Afrique qu'au Moyen-Orient.

Awa Thiam s'est également intéressée aux origines de l'excision, qu'elle fait remonter au Prophète Abraham. Sa première femme aurait fait exciser une de ses coépouses, pour assouvir sa jalousie. Dans sa thèse sur *L'Excision chez les Bambaras,* la Malienne Assitan Diallo écrit que les Bambaras pratiquaient l'excision bien avant de se convertir à l'islam.

Tous les ouvrages sont catégoriques sur un point : les mutilations ne relèvent pas d'une pratique religieuse, ce ne sont que des coutumes traditionnelles de certains groupes ethniques. Les fidèles de toutes les religions s'y livrent : coptes, chrétiens d'Ethiopie, catholiques, protestants, animistes, musulmans. Aucune autorité religieuse musulmane ou chrétienne n'a publiquement condamné les mutilations. Certains religieux musulmans les propagent au nom de l'islam, surtout à l'ouest du continent. Pour les animistes, ces pratiques répondent « aux vœux des ancêtres ».

Dans la langue arabe classique, la circoncision féminine ou clitoridectomie, est appelée *khafd*. Mais le terme *taharo* est plus courant. Les deux mots signifient : la purification. La croyance que la femme est impure et doit être « lavée » par l'excision, avant de devenir réellement femme et de pouvoir avoir des enfants, est largement répandue.

Mohammed, le Prophète de l'islam (580 ap. J.-C.), mettait ses adeptes en garde contre les formes les plus extrêmes des mutilations. Shandall cite les termes exacts d'un propos que Mohammed aurait tenu à une circonciseuse de Médine : « Ne va pas profond. C'est agréable pour la femme, et préférable pour l'homme » (Omatiya). Ou dans une autre version, souvent citée : « Ne va pas profond. Cela illumine mieux le visage et procure plus de plaisir à l'homme » (Razeen).

La littérature musulmane attribue aussi à Mohammed cette phrase : « Pour l'homme, la circoncision est un devoir, pour la femme, c'est un embellissement. »

Une question doit être posée : pourquoi le Prophète ne s'est-il pas prononcé contre la mutilation des femmes ? De plus, son conseil « Ne va pas profond » reste totalement ignoré des autorités religieuses musulmanes. Selon toutes les informations en notre possession, seuls les musulmans continuent aujourd'hui à pratiquer l'infibulation. Et cela sans aucune justification religieuse. Au contraire : infliger une blessure ou une souffrance à autrui est en contradiction avec les principes de la religion musulmane. Il semble que les autorités religieuses de l'islam aient oublié d'en informer les fidèles : beaucoup d'entre eux continuent à mutiler leurs filles « parce que la religion l'exige », comme l'ont montré les chercheurs soudanais.

Le thème du mépris pour la femme non circoncise revient fréquemment dans la littérature arabe. En Afrique musulmane, être traité de « fils de femme non circoncise » constitue la pire des insultes.

L'islamisation de l'Afrique progresse rapidement. Les marabouts locaux se font, dit-on, défenseurs des mutilations sexuelles, sous prétexte que ces opérations ont un sens religieux et sont exigées par le Coran.

On fait souvent croire aux femmes musulmanes que la

mutilation sexuelle féminine est un commandement de la religion islamique. Dans la mesure où l'islam n'a pas d'autorité centrale (à l'image du pape de la religion catholique) le Coran connaît de nombreuses interprétations, avec des variantes locales. Certaines de ces variantes sont plus libérales que d'autres. Mais le concept de l'infériorité de la femme reste fermement ancré dans la doctrine islamique de la ségrégation des sexes.

En 1965, H.H. Hansen a interrogé le Grand Mufti cheikh Hasan Mahmoon, qui était à l'époque l'autorité religieuse suprême en Egypte et recteur de la célèbre université islamique Al-Azhar. Selon Hansen, le Grand Mufti était parfaitement informé, comme le sont les autorités religieuses musulmanes partout où les opérations ont cours. Il faut préciser que l'expérience que les religieux musulmans ont en la matière est une expérience de « première main » puisque l'islam les oblige à se marier et que la polygamie y est de règle.

Mais si l'on se fie aux textes existants, aucun chef religieux musulman n'a, à ce jour, protesté contre les mutilations ou tenté d'y mettre fin. Il n'existe qu'une seule proclamation publique des autorités islamiques à ce sujet. Elle fut publiée au Soudan en 1945 juste avant que n'entre en vigueur, sur l'insistance de l'administration britannique, une législation interdisant les mutilations. Mais cette proclamation se garde bien de justifier cette interdiction sur des bases religieuses.

L'Egypte, la vallée du Nil, les bords de la mer Rouge, furent les foyers historiques des mutilations. On ne peut dès lors s'empêcher de se demander si les Juifs ont adopté ces coutumes lors de leur séjour en Egypte.

Elisabeth Gould Davis écrit : « Les Juifs... ont nié avoir pratiqué ces opérations sur leurs filles, mais la preuve du contraire existe. » Elle cite sir Richard Francis Burton, selon lequel le rite fut en vigueur chez les Juifs jusqu'à l'époque du rabbi Gershom (1000 av. J.-C.) qui s'insurgea contre ce scandale. Seuls les Juifs d'Ethiopie, les Fallashas qui vivent près de Gondar, mutilent encore leurs filles, comme le font toutes les autres ethnies de cette région.

Dans un ouvrage posthume, publié au milieu du XVIe siècle, l'historien vénitien Pietro Bembo rapporte les observations de voyageurs qui allèrent jusqu'à la mer Rouge : « Dans ces contrées habitent des hommes noirs, hommes généreux, braves guerriers. » On tient ici la virginité en si haute estime, continue Bembo, que « les parties intimes des jeunes filles sont cousues aussitôt après leur naissance. Quand elles arrivent à l'âge adulte et qu'on les donne en mariage, le premier geste du mari est d'ouvrir au couteau les parties intimes, solidement cicatrisées, de la jeune vierge ».

L'idée étonnante que l'ablation du clitoris se justifie pour des raisons médicales, apparaît très tôt. Soramus, un médecin grec qui exerça à Alexandrie et à Rome (environ 138 av. J.-C.) décrit en détail une opération d'excision et les instruments utilisés. Il prétend également que « dans certains cas, le clitoris est si grand qu'il présente une difformité honteuse », qu'il provoque une surexcitation sexuelle et pousse la femme à la débauche. Pour traiter ces cas, Soramus coupait au scalpel « tout ce qui semblait être en trop ».

Aetius, autre médecin (502-575), cité par Karim et Ammar, décrit l'opération dans les mêmes termes. Il approuve la coutume égyptienne de l'amputation du clitoris d'une jeune fille « avant qu'il ne devienne trop grand ». La victime est placée sur une chaise. Une personne, assise derrière elle, maintient ses jambes écartées. « Debout devant la patiente, le chirurgien tire le clitoris avec un forceps qu'il tient dans sa main gauche, et sectionne le clitoris de sa main droite, à ras du mors du forceps. »

Paulus d'Egine, un médecin grec du VIIe siècle, cité par Karim et Ammar, décrit la même opération, en précisant qu'un clitoris trop grand est une chose honteuse qui peut « entrer en érection comme un pénis, et servir au coït lesbien ».

Dans son étude sur la circoncision féminine et sur l'infibulation, Asim Zaki Mustafa écrit que les missionnaires jésuites arrivèrent en Abyssinie à la fin du XVIe siècle, et convertirent la population au catholicisme romain. Quand ils tentèrent d'interdire l'excision comme une pratique païenne, ils se heurtèrent à une résistance acharnée. Mustafa cite pratiquement mot pour mot le Dr Sequeira qui avait publié quelques années auparavant un article sur le même sujet dans la revue médicale anglaise *Lancet*. Quant à Sequeira, il reconnaît qu'il a trouvé tout ça chez Ploss. La quatrième édition de l'ouvrage de Ploss explique en effet que les missionnaires catholiques en Ethiopie ont interdit l'excision parce qu'ils pensaient que c'était un rite juif. Mais quand les filles non excisées ont grandi et atteint l'âge de se marier, « leurs parties » étaient parfois si grandes, si protubérantes, qu'elles choquaient la vue et le toucher.

Quand les hommes choisirent leurs futures épouses, ils rejetèrent les converties au catholicisme, et épousèrent des filles excisées. « La communauté catholique déclina rapidement, et les indigènes retournèrent à leurs errements païens. »

Les missionnaires se tournèrent alors vers Rome, et appelèrent à l'aide le Collège des Cardinaux *de propaganda fide* (pour la propagation de la foi) qui dépêcha sur place une mission composée de médecins expérimentés, pour faire un rapport sur la situation.

A leur retour, ces médecins déclarèrent qu'à cause de la chaleur, du climat ou de toute autre cause naturelle, « les parties » des femmes de ces pays étaient exceptionnellement développées. Ce qui provoquait le dégoût chez l'homme, et constituait donc un obstacle au mariage. En conséquence, le clergé catholique autorisa ces opérations, à condition toutefois que les Ethiopiens déclarent « qu'elles n'avaient aucun rapport avec la religion juive ». Le clergé proclama que « tout obstacle au mariage devait être supprimé » et l'excision obtint ainsi la bénédiction papale. Elle la garde encore aujourd'hui.

James Bruce, le fameux explorateur écossais qui a redécouvert la source du Nil Bleu, fit en 1768 un voyage sur la mer Rouge. Il se rendit à l'intérieur des terres, à Gondar, alors capitale de l'Ethiopie. D'après Ploss, on expliqua à Bruce que la taille anormale du clitoris des femmes était un obstacle à la reproduction. Pour y remédier, il fallait couper la partie protubérante. « Les Egyptiens, les Arabes, les peuples du sud de l'Afrique, y compris les Agows, les Gafats et les Gonges, pratiquent ces opérations sur leurs enfants, rapporte Bruce. L'âge auquel l'opération est pratiquée varie, mais elle a toujours lieu avant le mariage. »

Dans son article du *Lancet*, le Dr Sequeira remarque qu'une « hypertrophie congénitale des organes sexuels affecte toutes les Abyssines ». Mais cette assertion ne s'appuie sur aucune preuve, aucun exemple précis et Sequeira se garde bien de dire ce qu'il entend par hypertrophie. On retrouve beaucoup de considérations du même genre dans les publications médicales ultérieures, qui mentionnent Sequeira dans leur bibliographie.

Mais aucun de ces auteurs ne fournit la moindre preuve, la moindre description de témoin oculaire, de cette prétendue hypertrophie. Le Dr Alfons Huber, un gynécologue autrichien qui a longtemps travaillé en Ethiopie dans les années 60, a examiné personnellement des milliers de femmes éthiopiennes de tout âge. Il n'a jamais constaté une fréquence anormale de cas d'hypertrophie ou de croissance inhabituelle des organes sexuels ou du clitoris.

En 1977, à Addis-Abeba, j'ai enquêté auprès de la plus importante organisation de planning familial d'Ethiopie. Aucune anomalie n'avait été relevée. Et les cliniques du planning familial sont bien placées pour savoir ce qu'il en est, puisque c'est là qu'on pose les stérilets.

Au Kenya, dans les années 20 et 30, lors de la controverse provoquée par la circoncision féminine, les missionnaires protestants, avec à leur tête l'Eglise réformée d'Ecosse, interdirent les opérations à leurs fidèles. Les autorités catholiques, en revanche, continuèrent à tolérer les mutilations. Conséquence de cette politique : on trouve aujourd'hui un grand nombre de jeunes filles excisées dans les paroisses catholiques, comme l'a montré Jocelyn Murray dans l'étude qu'elle a consacrée à cette controverse.

Il faut ajouter que partout en Afrique les missionnaires catholiques ont officiellement avalisé ces opérations, avec la bénédiction papale, comme nous l'avons montré plus haut.

Win News a envoyé de nombreuses lettres à Rome à ce sujet. A ce jour, elles n'ont toujours pas reçu de réponse.

La toute-puissante Eglise chrétienne orthodoxe d'Ethiopie ne s'est jamais opposée aux opérations. Pratiquement toutes les filles d'Ethiopie sont excisées, en général quarante jours après leur naissance. La coutume est entourée de secret : on la cache tout particulièrement aux étrangers. Le Dr Huber cite le cas d'un Suisse, nommé Ilg, conseiller personnel de l'empereur Menelik (qui régna au cours de la seconde moitié du XIXe siècle). Ilg a vécu longtemps en Ethiopie et connaissait très bien le pays. Et pourtant, il ne se doutait même pas de l'existence de la circoncision féminine.

Selon les plus anciens textes législatifs éthiopiens, cités par le Dr Huber, la circoncision féminine est considérée comme « une coutume traditionnelle », mais n'a pas force de loi. Dans les articles de foi de l'empereur Claudius (qui régna sur l'Ethiopie au XVIe siècle), l'empereur prend la défense de la circoncision féminine, face aux objections de l'envoyé du pape. Cet émissaire de l'Eglise catholique romaine croyait que la circoncision féminine était une prescription religieuse, un peu comme la circoncision masculine chez les juifs. Et pour cette raison, il y était opposé. L'empereur le rassure : c'est une coutume populaire, comme les tatouages et les cicatrices rituelles, dépourvue de toute signification religieuse.

M. Niebuhr, un voyageur allemand, qui fut l'unique survivant de la première expédition scientifique européenne en Arabie, en Egypte et en Syrie, évoque l'excision en 1767 : « Cette coutume est très répandue en Oman, sur les bords du golfe Persique, parmi les chrétiens d'Abyssinie, les Arabes et les coptes d'Egypte. Beaucoup de choses furent dites sur les origines de cette pratique qui à première vue semble si absurde. » Et il ajoute : « Ces pratiques furent d'abord adoptées pour des raisons d'hygiène, pour faciliter les ablutions. Aucune loi ne les rend obligatoires. C'est une question d'usage, et non de devoir religieux. »

Près d'un siècle plus tard, le grand voyageur et linguiste sir Richard Francis Burton (1821-1890), consacra plusieurs livres à ses expériences en Asie, en Afrique et aux Amériques. Burton parlait couramment une dizaine de langues, dont l'arabe. En se faisant passer pour un notable arabe, il avait réussi en 1853 à faire le pèlerinage de La Mecque et de Médine, lieux interdits aux non-croyants. Il raconte cet exploit dans un livre publié en 1855-1856. Lors de ses voyages d'exploration en Afrique, il a parcouru l'Ethiopie, découvert le lac Tanganyika, et recherché la source du Nil.

Burton connaissait bien les coutumes d'Afrique et du Moyen-Orient. Dans une note en bas de page, rédigée en latin[1], dans son livre sur le pèlerinage de La Mecque et de Médine, il évoque la circoncision chez les Arabes, une coutume concernant les deux sexes et dont l'origine remonte à l'histoire d'Abraham.

Pour Burton on pratique l'excision, l'ablation du clitoris — le siège du plaisir si l'on en croit Aristote — parce que, sinon, les femmes seraient insatiables et se livreraient à des débordements sexuels. Il mentionne également la croissance démesurée du clitoris, qui rend cette opération nécessaire. Il décrit aussi les effets que l'opération est censée

1. La note de Burton est écrite en latin pour ne pas choquer le lecteur moyen de l'époque victorienne. Elle fut malgré tout supprimée des publications ultérieures par l'éditeur. Après la mort de Burton, sa femme, Isabel Burton, édita ses ouvrages et remit la note dans le texte. Dans l'édition de 1898, pp. 19-20, la note en latin figure dans sa totalité.

avoir sur le plaisir de l'homme. Les Somalis, toujours d'après Burton, coupent, outre le clitoris, les lèvres et les organes génitaux externes. Il ajoute enfin que la circoncision féminine est une pratique très répandue dans toute la région contrôlée par l'Egypte, c'est-à-dire dans une très grande partie du Moyen-Orient.

Burton qui a passé sa vie à voyager avait une extraordinaire faculté d'adaptation aux coutumes indigènes. Il a réussi à se mêler, pendant de longues périodes, aux populations d'Ethiopie et de Somalie. Il a également parcouru le Harar (habité par des Somalis). Dans son livre *First Foosteps in East Africa* il décrit le rituel du mariage qui se termine ainsi : « A peine entré dans la hutte nuptiale, le jeune marié prend son fouet et inflige une correction mémorable à sa tendre moitié. »

Selon Burton, tout de suite après le mariage, « la jeune mariée reste enfermée pendant une semaine dans la hutte, sans oser en sortir ». Mais Burton n'explique pas pourquoi : l'infibulation vient d'être rouverte et la jeune fille doit rester enfermée les jambes écartées, jusqu'à la guérison de ses blessures. Elle est soumise à de fréquents rapports sexuels, jusqu'à ce que l'entrée fraîchement rouverte de son vagin prenne la taille qui convient à la pénétration et au plaisir du mari.

Les observations de Burton concordent avec les descriptions récentes d'Annie de Villeneuve et du Dr Pieters. Lors de ma visite en Somalie, en 1979, une sage-femme de Mogadishu m'a confirmé la persistance de cette coutume : les jeunes mariées restent enfermées pendant toute une semaine, ou jusqu'à ce que l'ouverture du vagin soit suffisante pour permettre des rapports sexuels.

Dans une lettre conservée par la *Munger Africana Library* du *California Institute of Technology* de Pasadena, sir Samuel Baker White décrit les pratiques d'infibulation qu'il a observées en Afrique de l'Est. Sir Samuel a exploré les sources du Nil, en 1861, et il a découvert en 1864 le lac Albert. Il décrit l'infibulation comme une opération destinée à préserver la chasteté et à rendre pratiquement impossible le contact avec le sexe masculin. Un croquis montre comment les grandes lèvres sont coupées et recousues après insertion d'un roseau pour préserver une petite ouverture. « La nuit du mariage, la cicatrice est rouverte à l'aide d'un instrument pointu : une rapide incision suffit. La fille est sur-le-champ conduite à la hutte du mari, et projetée à l'intérieur. Les " demoiselles d'honneur " attendent devant la hutte jusqu'à ce que le mari apparaisse et leur donne le linge ensanglanté qui prouve la virginité de sa femme. »

Un dessin du couteau, recourbé et affilé, accompagne la lettre.

Widstrand cite de nombreux récits de voyage en Egypte et dans le haut de la vallée du Nil — le Soudan actuel — qui décrivent les opérations et s'étendent sur ces horribles coutumes. D'après ces témoignages, les cas de syphilis abondent, malgré ou à cause de l'infibulation. Voici comment Ruppel décrit ce qu'il a vu en 1829 : « La réouverture de la vulve n'a lieu qu'une fois payé le prix de la mariée. L'ouverture est faite plus ou moins large, selon les désirs du mari. Pour permettre à la femme d'accoucher on élargit l'ouverture par quelques incisions. Après l'accouchement, l'ouverture est refermée. Elle demeure fermée pendant l'allaitement, puis on prépare une nouvelle opération. Cela peut se répéter trois ou quatre fois : c'est le mari qui en décide. »

Le récit d'un autre voyageur, Pallme, qui s'est rendu à Kordofan en 1843, montre jusqu'où peut aller cette obsession de la virginité et cette manipulation des organes sexuels de la femme. Au moment du mariage, écrit Pallme, « le futur marié présente un modèle en bois ou en argile de son sexe en érection. Ce modèle sert de référence au moment où l'on pratique l'ouverture ».

Dans *The American Anthropologist,* Ashley Montagu, citant une description de Werne qui date de 1852, rapporte des faits semblables. La sage-femme fabrique un modèle aux mensurations du phallus du futur marié, puis : « ... elle incise la cicatrice sur une certaine longueur et laisse l'instrument, enveloppé dans un chiffon, dans la blessure, pour l'empêcher de se refermer. La cérémonie du mariage s'accompagne d'un hideux tintamarre. L'homme conduit la jeune mariée dans sa maison — elle souffre à chaque pas — et sans donner à la blessure le temps de se cicatriser, il exerce ses privilèges matrimoniaux. Avant une naissance, la vulve doit être réouverte sur toute sa longueur. Mais une fois l'enfant né, la femme est à nouveau infibulée, et, selon les désirs du mari, l'ouverture est ramenée à ses dimensions antérieures... »

En 1859 le Dr Peney, chirurgien en chef des forces françaises au Soudan, décrit les pratiques de la population indigène. Ashley Montagu cite ses propos : « Entre sept et huit ans, la petite fille est remise à la matrone chargée de l'opération. Quelques jours avant, la mère invite toutes ses parentes et toutes ses connaissances à se réunir chez elle, et la cérémonie est précédée de festins et de réjouissances. Quand vient l'heure, l'enfant est couchée sur le lit, tenue par les femmes présentes, tandis que la matrone, agenouillée entre ses cuisses, coupe la pointe de son clitoris, et les bords des lèvres intérieures. Le rasoir passe ensuite au long de la crête des lèvres extérieures, coupant un ruban de chair de 2 centimètres de large. Tout cela prend entre 4 ou 5 minutes. Pour recouvrir les hurlements de la fillette, les femmes présentes poussent les cris les plus inimaginables pendant toute l'opération. Une fois le sang épanché, la fillette est couchée à plat sur le dos, ses jambes allongées sont fermement liées ensemble de façon à l'empêcher de marcher, ce qui compromettrait le résultat souhaité. Avant de laisser la nature faire son œuvre de guérison, la matrone introduit dans la partie inférieure du vagin, un cylindre de bois creux, du diamètre d'une plume d'oie, qui restera en place jusqu'à la cicatrisation complète. Ce petit passage qui permet l'évacuation des urines et du sang menstruel est tout ce qui reste de l'ouverture du vagin. »

Les témoignages des voyageurs sur l'Egypte du XIXe siècle, montrent que, contrairement à l'excision, l'infibulation y était pratiquement inconnue. L'infibulation était toutefois « massivement répandue parmi les femmes esclaves, pour les empêcher d'avoir des enfants ». Les esclaves infibulées venaient surtout du Sud, de Nubie ou du Soudan. « Les marchands d'esclaves... recherchaient surtout des filles infibulées qu'ils pouvaient vendre beaucoup plus cher sur les marchés égyptiens. »

Selon d'autres documents, certains des grands marchés d'esclaves étaient réservés aux femmes, aux jeunes filles surtout achetées par les Arabes à cause du taux élevé de mortalité féminine.

Vers 1800, durant la campagne d'Egypte de Napoléon Bonaparte, le chirurgien en chef des troupes françaises remarquait que les jeunes filles étaient excisées, « mais que ce n'était pas la seule coutume barbare inventée par la jalousie de Turcs » (maîtres de l'Egypte à cette époque). Il faisait évidemment allusion à l'infibulation. Tous les récits du XIXe siècle sur l'Egypte et sur l'Afrique orientale qui abordent le problème insistent sur l'importance accordée à la virginité, véritable raison d'être de l'infibulation.

En 1890, la Société d'anthropologie de Bombay a publié un article « Sur les pratiques de la circoncision féminine et de l'infibulation parmi les Somalis et les autres peuples d'Afrique du Nord ». L'auteur de l'article, un certain major J.S. King a de toute évidence vécu quelque temps en Afrique. Ses informations confirment ce qui a été dit plus haut. Le major ajoute qu'en Somalie, dans tous les pays Dankalis, à Shoa et dans la ville d'Harar, « la circoncision féminine s'accompagne toujours d'une infibulation ».

Sa description de l'opération ressemble à celles que nous avons déjà citées. Après la cérémonie du mariage (la mariée a environ quinze ans) « certains jeunes hommes sont fiers de percer ce qu'on pourrait appeler le *velum virginale* à l'aide du seul instrument dont les a dotés la nature. Mais un couteau fait en général mieux l'affaire ». L'opération est alors accomplie par une femme d'expérience, originaire d'une tribu bannie (*midg'an*) : « Le mari tient la femme pour l'empêcher de se débattre. Pour couvrir les pleurs de la femme, on chante et on danse devant la hutte, en tapant des mains en guise de musique. Chez les Somalis, à l'intérieur du pays, le mari pratique lui-même l'incision, tandis que deux hommes, amis de la famille maintiennent la femme. »

Lors des fiançailles, l'homme fait venir sa future femme dans une hutte. « Il lui ordonne de se déshabiller et procède à l'examen critique et exhaustif de sa nudité. » Puis, pendant qu'on négocie le prix d'achat de la femme, le futur mari peut la rencontrer en tête à tête, à condition de payer pour chaque rencontre. Et King conclut : « Les Somalis reconnaissent eux-mêmes que l'infibulation est une survivance païenne. Mais ils sont obstinément conservateurs, dans le pire sens du terme, et n'osent pas renoncer à cette coutume. »

L'ouvrage *History of circumcision from the Earliest Times to the Present,* paru en 1891 à Philadelphie, est une compilation de faits et de récits du monde entier. Son auteur, P.C. Remondino, M.D., s'intéresse surtout à la circoncision masculine mais consacre un chapitre à l'infibulation des femmes : « L'infibulation est une pratique vieille de plusieurs siècles. Dans ces temps lointains et durs, elle semblait être la façon la plus naturelle et la plus efficace de parvenir à cette fin (assurer la chasteté des femmes). C'était une opération bien moins barbare que l'émasculation de l'homme : elle n'interférait que momentanément avec ses fonctions [1] ».

Et Remondino ajoute : « Quand une petite fille naît en Ethiopie, sa vulve est aussitôt suturée : on ne laisse ouvert qu'un petit passage pour les besoins naturels. La blessure se referme et le père est alors en possession d'une vierge qu'il peut vendre au plus offrant. Juste avant le mariage on incise la cicatrice à l'aide d'un couteau affilé. Dans certaines régions d'Afrique et d'Asie, on passe un anneau dans les lèvres du vagin : pour l'enlever il faut un ciseau ou une scie. Mais cela ne s'applique qu'aux vierges. Pour les femmes mariées existe une sorte de muselière attachée au corps par une serrure ou un cadenas dont le mari garde la clef. Pour les riches, le sérail et les eunuques tiennent lieu de ceinture et de cadenas. Il existe aussi un autre système : la ceinture attachée à la taille, faite de fils de cuivre liés par une série de nœuds que seul le mari sait défaire. On peut en voir des spécimens dans le musée de Naples : certaines sont garnies de pointes acérées, à la hauteur de l'abdomen, qui visent à prévenir les familiarités les plus innocentes, pour ne rien dire des autres. »

Tout récemment encore, au Moyen-Orient et en Afrique orientale, les musulmans riches et puissants avaient leurs harems. Ceux qui ne pouvaient s'offrir ce luxe, séquestraient leurs femmes dans les arrière-cours de leurs maisons. Quant aux pauvres, seule leur restait l'infibulation. De tout cela il nous faut conclure que le viol était de règle dans ces pays, car sinon ces mesures n'auraient pas été nécessaires.

Selon Remondino, le viol était autrefois puni par la castration : ce châtiment figure dans le Code pénal de l'Egypte antique, et fut également pratiqué par les Espagnols et les Bretons. Mais « cette peine tomba en désuétude... le crime était difficile à prouver, et l'on pouvait facilement s'en voir accusé par vengeance, dépit ou cupidité... ».

Et c'est aux femmes qu'on fit payer ce crime commis par des hommes. Elles furent mutilées, infibulées, séquestrées, tandis que les hommes se voyaient absous. Le viol ne pouvait prouver que leur virilité.

1. Remondino ne considère l'infibulation que du point de vue masculin. Pour lui l'infibulation n'empêche que temporairement l'homme d'avoir des rapports sexuels (« sa fonction »). Une fois la femme achetée, l'homme peut rouvrir la cicatrice et prendre son plaisir. Remondino n'a que faire des souffrances qu'inflige cette mutilation à la femme.

Les eunuques sont indispensables au bon fonctionnement d'un harem. C'est pourquoi on se mit littéralement à les produire à la chaîne : « les usines » étaient installées en Egypte, la matière première venait du Soudan, d'Ethiopie et d'autres pays voisins. C'étaient des enfants achetés ou enlevés. Remondino décrit une de ces grandes « usines » sur le mont Ghebel Eter, où officiaient des moines coptes « qui faisaient de très bonnes affaires avec l'Arabie, Constantinople et l'Asie Mineure ».

La salle d'opération est dans les caves du monastère. Le taux de mortalité s'élève à 80-90 pour cent, causé surtout par les « soins postopératoires » donnés par les moines. Un eunuque complet (ablation de tous les organes génitaux) vaut quatre fois plus cher qu'un castrat. Selon Remondino, la production de 3 800 eunuques soudanais exigeait le sacrifice de 35 000 petits Africains chaque année.

Remondino s'insurge contre « la barbarie inutile de ces opérations » et demande qu'on abolisse ces pratiques. Mais il ne dit pas un mot pour demander l'abolition des harems et des mutilations infligées aux femmes.

Eunuques et harems ont aujourd'hui disparu. Mais les mutilations et les infibulations continuent comme par le passé.

Remondino cite le livre d'un certain colonel Dubisson : *Les femmes, les eunuques et les guerriers du Soudan.* Dubisson a parcouru l'Abyssinie, l'Egypte et le Soudan. Il a remarqué que, contrairement aux usages orientaux, les femmes des harems pouvaient se promener « sans la surveillance habituelle des eunuques ». Il remarque aussi que ces femmes marchaient avec peine et hésitation.

« On expliqua à Dubisson que chaque femme portait une baguette de bambou de huit pouces de long, dont trois pouces environ étaient insérés dans son vagin de façon à en obturer l'ouverture. Ce bâton de bambou ou " gardien de la vertu féminine ", était maintenu en place par une courroie, avec un bouclier protégeant la vulve. L'ensemble était fixé aux hanches et à la taille, et fermé par un cadenas. La femme devait porter cet appareil chaque fois qu'on l'autorisait à quitter le harem. C'est l'eunuque qui mettait l'appareil en place et qui en gardait la clef. Ainsi harnachée, la vertu de la femme était bien à l'abri. »

Et Remondino conclut, en représentant authentique de l'espèce masculine : « Le divorce n'existe pas au Soudan, d'où probablement l'utilité de cet appareil. La femme n'est obligée de le porter que si elle choisit de sortir seule. L'introduction de ce système aux Etats-Unis permettrait de réduire considérablement le nombre des procédures de divorce. »

Les attitudes patriarcales se perpétuent dans le monde entier. Comme le montre ce livre, ces pratiques ne sont pas le triste privilège des seuls pays où les mutilations ont effectivement lieu.

Nulle part au monde ne sont prises des mesures effectives et positives pour combattre le viol et les violences sexuelles, cause apparente et excuse très souvent invoquées pour les mutilations.

Les agressions sexuelles et les viols sont les crimes les moins réprimés où que ce soit dans le monde. Pourtant là où des statistiques sont tenues, on constate que ce sont aussi les crimes dont le taux de croissance est le plus rapide.

Il est temps de poser la question qui n'a jamais été posée jusque-là. Cette question, il faut la poser à tous les hommes, dans toutes les familles, dans toutes les sociétés.

Qu'attendent les hommes pour dénoncer et combattre les violences sexuelles commises par des hommes ?

Qu'attendent-ils pour dire non à la violence des hommes contre les femmes, pour dire non au viol ?

Qu'attendent-ils pour proclamer qu'en tant qu'hommes ils ne toléreront plus qu'on fasse violence aux femmes ?

DEUXIÈME PARTIE

ÉTUDES DE CAS

L'Égypte

Le visiteur qui débarque pour la première fois au Caire, découvre une vaste métropole, grouillante de monde, avec ses embouteillages et ses buildings luxueux au bord du Nil. On a peine à croire que la moitié des petites filles et la majorité des femmes adultes ont subi des mutilations sexuelles.

Dans les villages des environs du Caire, pratiquement toutes les petites filles sont opérées, comme me l'a avoué franchement le Dr El Sayyad, directeur du département de la Santé maternelle et infantile au ministère égyptien de la Santé, lorsque je l'ai rencontrée en octobre 1980. Le Caire et toutes les grandes villes d'Egypte sont bondés d'immigrants venus de la campagne, qui continuent à observer les traditions familiales dont l'excision fait partie.

Le rapport de la délégation égyptienne au séminaire de l'O.M.S. de Khartoum présentait, entre autres, les résultats d'une enquête réalisée dans un centre de planning familial d'un quartier pauvre du Caire. 90 pour cent des femmes venues en consultation en l'espace d'une semaine étaient excisées. Dans leur majorité, ces femmes avaient l'intention de faire opérer leurs filles.

Dans son étude sur la clitoridectomie, publiée en 1972, H.H. Hansen rapporte le témoignage d'une femme médecin : selon elle, pratiquement toutes les femmes de sa génération (nées aux alentours de 1920) avaient été « circoncises ».

Nawal El Saadawi dit, elle aussi, dans son livre, que pratiquement toutes les filles de sa génération (nées entre 1920 et 1930) ont été excisées.

On a publié toutes sortes d'études et de recherches consacrées aux femmes égyptiennes. Mais on n'y dit presque rien des mutilations sexuelles et de leurs effets néfastes sur le bien-être, la santé, l'équilibre psychologique, et la vie familiale des femmes.

Depuis des millénaires, on pratique en Egypte la mutilation sexuelle féminine sous toutes ses formes. C'est d'Egypte que nous viennent les documents les plus anciens sur les opérations. En Egypte méridionale, l'infibulation est une pratique traditionnelle, qui reste vivace aujourd'hui encore, comme le montre une étude publiée en 1970, décrivant les pratiques d'infibulation en Nubie (au sud de l'Egypte) qui sont les mêmes qu'au Soudan. Or, au XIXe siècle, le Soudan était sous administration égyptienne, et de nos jours de nombreux Soudanais vivent en Egypte où ils continuent à infibuler leurs filles. C'est ce que confirme une étude du Dr Baasher de l'O.M.S. publiée en 1977 sur des femmes soudanaises vivant à Alexandrie : ces femmes ont subi l'infibulation ou circoncision pharaonique.

Une enquête, menée à Alexandrie (275 000 habitants) par l'Association du planning familial, montre que 80 pour cent de la population pratiquent l'excision. Chaque année les hôpitaux de la ville reçoivent environ 2 000 filles en état de choc. Mais la plupart des familles s'abstiennent de demander secours aux médecins, sauf en cas d'extrême urgence : les opérations sont en effet interdites par la loi. Précisons toutefois que cette loi est rarement appliquée (voir plus loin).

Certains chercheurs prétendent que les mutilations sexuelles ne sont pas des coutumes traditionnelles de la côte méditerranéenne et d'Alexandrie. Il semble en tout cas qu'aujourd'hui, du fait de la mobilité croissante des populations, ces coutumes se propagent dans des zones de plus en plus vastes.

L'enquête effectuée à Alexandrie montre également que les raisons invoquées pour justifier les opérations sont les mêmes que celles rencontrées au Soudan et en Afrique noire : tradition, religion, répression de la sexualité féminine. Des raisons d'esthétique et d'hygiène sont également avancées.

Cette finalité esthétique des opérations est mentionnée dans d'autres enquêtes réalisées en Egypte et au Soudan. Dans la mesure où les hommes sont à l'origine des idées sexuelles sur les femmes, on ne peut que s'interroger sur l'attrait que les Egyptiens et les Soudanais trouvent aux organes féminins mutilés.

Une jeune femme médecin qui attendait un enfant a déclaré à Hansen que « si le bébé était une petite fille, elle la circoncirait elle-même, car les médecins du Caire n'aiment pas pratiquer ce genre d'intervention ». Mais pourquoi cette mère, médecin de surcroît, tenait-elle tellement à mutiler sa petite fille ? Elle a d'abord invoqué des motifs religieux : elle était musulmane. Mais, comme le précise Hansen, les coptes chrétiens d'Egypte pratiquent également la clitoridectomie. Sa deuxième raison était d'ordre esthétique : elle voulait faire disparaître un organe difforme, laid et répugnant. La troisième raison était qu'il fallait protéger la petite fille de toute stimulation sexuelle. En dernier lieu, la jeune femme invoqua la tradition : les maris préféraient des femmes circoncises.

Cette jeune doctoresse égyptienne n'est pas la seule à invoquer l'esthétique pour justifier les excisions. Selon une conception musulmane, pour « préparer » une fiancée pour son mari, on l'épile totalement, surtout dans la région pubienne : on estime que ces poils sont laids, tout comme les organes génitaux externes. Ces organes ont quelque chose d'imparfait, d'inachevé : c'est pour cela qu'il faut les couper. L'excision est censée rendre le corps plus lisse, plus propre. Le clitoris et les organes génitaux féminins sont laids, sales, honteux. Rappelons que le mot arabe désignant l'excision, *taharo,* signifie « purification ».

Selon l'enquête menée à Alexandrie, la plupart des opérations ont lieu à domicile des parents. On opère en général une seule enfant à la fois, parfois des sœurs ou des cousines ensemble. L'opération est pratiquée par une daya, sage-femme traditionnelle. Mais on peut aussi faire appel à une sage-femme diplômée ou à un barbier. D'autres opérations ont lieu dans les cliniques ou dans les cabinets particuliers des médecins. Bien que l'on affirme que désormais la plupart des médecins s'abstiennent de ce genre d'interventions, le rapport de la délégation égyptienne au séminaire de l'O.M.S. de Khartoum montre que les classes moyennes font appel aux services des médecins et du personnel médical.

Un règlement, datant de 1959, interdit les opérations. Ce règlement fut encore renforcé en 1978. En 1959, un comité d'enquête sur la circoncision féminine fut créé, par décision du ministère de la Santé. Ce comité ne comprenait que des hommes : on y trouvait le sous-secrétaire à la Santé, le Grand Mufti, le gouverneur du Caire, et cinq directeurs du ministère. Le comité adopta la résolution suivante, paraphée par le ministre et le sous-secrétaire : « La circoncision, telle qu'elle est pratiquée actuellement, est physiologiquement nuisible pour les filles, que ce soit avant ou après le mariage. Bien que les juristes islamiques, fondant leur argumentation sur des *Shadith* (sentences du Prophète), ne s'accordent pas à dire si le Khafd (la réduction, c'est-à-dire la circoncision féminine) doit être considéré comme un devoir, un Sunna ou un Makrama (acte anoblissant). Tous conviennent cependant qu'il s'agit d'un rituel islamique, et que la loi Sharia proscrit la clitoridectomie totale. C'est pourquoi le comité considère qu'il est nécessaire d'appliquer à l'opération Khafd, la réglementation suivante :

« Il est absolument interdit à toute personne autre qu'un médecin de pratiquer cette opération.

« L'opération doit se limiter à une circoncision partielle, et non pas totale, conformément à des règlements qui seront édictés ultérieurement. »

En juin 1978, un autre document fut publié : *Données sur la circoncision féminine.* Ce document se réfère au texte de 1958 et ajoute : « La circoncision féminine est interdite, pour des raisons scientifiques et médicales, dans les Services de santé publics. Il est interdit aux dayas certifiées de pratiquer quelque intervention chirurgicale que ce soit, y compris la circoncision féminine. »

Cette législation est citée dans le rapport de la délégation égyptienne au séminaire de Khartoum. Une étude sur l'application de cette loi montre que les médecins s'abstiennent souvent de signaler des cas de petites filles mutilées et hospitalisées en général pour cause d'hémorragie. Voici ce qu'on peut lire dans le rapport : « A peu près 30 pour cent des cas sont signalés à la police, en raison d'une mutilation flagrante et d'une hémorragie grave ; mais les parents ne sont pas poursuivis. Un officier de police leur adresse un avertissement, puis l'affaire est classée. »

Au Soudan, on donne souvent en exemple cette législation égyptienne dont on vante l'efficacité : en effet, les médecins qui soignent les Egyptiennes des classes aisées voient moins de femmes excisées qu'auparavant et en tirent la conclusion que la pratique est en régression. Les Egyptiennes qui représentent leur pays à des réunions internationales affirment, elles aussi, que la pratique est en voie de disparition : mais en fait, cela veut uniquement dire que les opérations ne sont plus de mise dans les classes aisées. Ces femmes n'ont jamais mis les pieds dans un dispensaire public, elles ne savent rien des conditions de vie dans les campagnes et des pratiques sexuelles de la grande majorité de la population.

Le chapitre consacré au séminaire de l'O.M.S. décrit de façon plus détaillée le rapport de la délégation égyptienne. Ajoutons simplement que ce rapport témoigne d'une étonnante ignorance des réalités biologiques et sexuelles les plus fondamentales, de la part de professionnels de la Santé et notamment d'infirmières spécialisées en obstétrique.

Une bonne partie du personnel qualifié des centres de planning familial (dont la formation est subventionnée par les Etats-Unis et les organisations internationales) se prononce également pour l'excision, comme le montre ce rapport. De quelle formation a donc bénéficié ce personnel ? Or, c'est de ces femmes que dépend le succès ou l'échec des programmes de planning familial. Pourtant, elles semblent ignorer les réalités biologiques les plus fondamentales.

En Egypte et en Afrique, les programmes de planning familial représentent souvent le seul effort organisé d'information sexuelle et sanitaire. Le planning familial qui, en Egypte, a le soutien du gouvernement et de toutes les grandes organisations internationales de planning familial n'a pas réussi à limiter la poussée démographique. Peut-être est-ce dû au fait que des femmes qu'on a maintenues dans une totale ignorance de leur corps et de leurs problèmes de santé, ne sont guère motivées pour pratiquer le contrôle des naissances.

Ce sont les mythes, les fausses informations, l'ignorance des réalités du processus de reproduction et de la biologie féminine, qui sont en grande partie responsables de la persistance des pratiques de mutilation génitale, et de l'échec des programmes de planning familial.

Comme partout ailleurs, le planning familial en Egypte cherche surtout à faire accepter les produits contraceptifs par le plus grand nombre de femmes : on considère que ce serait une perte de temps d'enseigner à ces femmes des données concernant la reproduction et la sexualité. Quant aux effets néfastes des mutilations sexuelles, il n'en est jamais question.

Le planning familial ne peut qu'échouer dans une société où le statut des femmes continue à dépendre du nombre de fils qu'elles mettent au monde. On constate également une relation directe entre le niveau d'éducation d'une femme et le nombre de ses enfants, comme le montrent toutes les statistiques démographiques. Or, la plupart des femmes égyptiennes sont analphabètes.

En 1977, une jeune journaliste de *Al Ahram*, le principal quotidien égyptien, formulait le problème en ces termes : « Le planning familial est un problème politique majeur dans notre pays, où tout est conditionné par l'explosion démographique qui est en train de nous submerger. Notre ennemi extérieur est Israël. Notre ennemi intérieur est l'explosion démographique. Et c'est elle qui est de loin l'ennemi le plus dangereux. » Aujourd'hui, l'Egypte a signé un traité de paix avec Israël : mais l'ennemi intérieur est toujours là, plus menaçant que jamais.

En permettant aux femmes de contrôler leur processus de reproduction, le planning familial est une entreprise révolutionnaire. Car ce contrôle est traditionnellement le privilège des hommes, surtout dans les sociétés musulmanes et africaines. Pour la première fois, les femmes se trouvent interpellées, encouragées à partager avec leur mari la décision de procréer ou de ne pas procréer. La possibilité même d'un tel choix est un fait totalement révolutionnaire pour une femme à qui l'on a toujours imposé toutes les décisions concernant son propre corps, sans jamais lui demander son avis.

Le planning familial du Caire, qui a introduit le planning familial en Egypte il y a plus de vingt ans prit également l'initiative de préconiser une loi sur le divorce, c'est-à-dire une réforme de la législation de la famille. Une autre de ses initiatives importantes fut l'organisation, pour la première fois en Egypte, d'un « séminaire sur les mutilations féminines », qui se tint en octobre 1979, soit six mois après le séminaire de l'O.M.S. de Khartoum.

De nombreuses organisations nationales et internationales participaient à cette réunion : la Ligue arabe, les Facultés de médecine des grandes universités égyptiennes, l'O.M.S., l'UNICEF, et des représentants des media. La réunion fut ouverte par une intervention du Dr Amal Osman, ministre des Affaires sociales. Les orateurs, surtout ceux des Facultés de médecine, affirmèrent sans équivoque que les opérations avaient des conséquences néfastes sur la santé des victimes, et sur l'équilibre de la famille. Une longue liste de recommandations judicieuses fut proposée. Cette liste peut servir d'exemple, en Egypte et dans tous les pays concernés. Elle constitue un schéma particulièrement détaillé pour un programme d'action positive.

Al Ahram publia un grand article montrant que la circoncision féminine n'était pas une obligation religieuse pour les musulmans. Cet article citait également des médecins réputés, qui dénonçaient les conséquences néfastes des opérations sur le plan physique et psychologique.

Les interventions du Dr Roshdi Ammar, du département d'obstétrique et de gynécologie de la Faculté de médecine de l'université Ain Shams, furent particulièrement importantes. Déjà en 1965, le Dr Ammar, en collaboration avec le Dr Karim, avait publié une étude clinique sur les effets de l'excision sur l'orgasme.

En conclusion de leur étude, les médecins écrivent que « la circoncision est une pratique néfaste, responsable de traumatismes sexuels, qu'elle a des effets indéniables sur l'orgasme, et, dans une moindre mesure, sur le désir sexuel ». Ils ajoutent que « l'orgasme contribue à l'équilibre général du système nerveux des femmes... », et que « 40 pour cent des femmes incapables d'éprouver l'orgasme, souffraient de troubles psychoneurotiques graves ».

On dit également que la circoncision favorise la consommation des stupéfiants, comme le haschisch, qui pose en Egypte un grave problème social. Selon certains médecins, cités par la presse, les hommes fument du haschisch pour prolonger l'acte sexuel, dans la mesure où les drogues permettent de rester plus longtemps en érection, et donc de tenter de satisfaire leurs femmes frigides.

Les Drs Ammar et Karim se sont penchés sur cette théorie dans le cadre de leur étude. Ils sont arrivés à la conclusion que la femme n'éprouve pas plus de plaisir quand son mari prend du haschisch ou de l'alcool.

A cela, on peut ajouter que des hommes qui font exciser leurs petites filles ne sont pas susceptibles de se préoccuper de la satisfaction sexuelle de leurs femmes. Comme la plupart des théories sur la sexualité, celle-ci a des hommes pour auteurs, pour partisans ou pour adversaires. Il semble en fait que cette théorie visait à rendre les femmes responsables du nombre croissant d'hommes drogués.

En Egypte, les coptes représentent environ 15 pour cent de la population, soit plus de six millions de personnes, qui pratiquent pour la plupart l'excision des petites filles. Le séminaire de l'O.M.S. et le débat public sur les problèmes de santé, incitèrent les autorités religieuses coptes à enquêter sur les opérations et sur leurs conséquences pour la santé des femmes.

En été 1980, le département de l'Education de l'Eglise copte proposa un programme, le « Projet de lutte contre la circoncision féminine ». Ce programme prévoit une action de formation et d'éducation s'étendant sur trois ans, la mise au point du matériel pédagogique, des sessions de formation pour tous les leaders de la communauté copte d'Egypte. Solidement enraciné au niveau de la communauté, ce programme prévoit la participation de l'ensemble de l'Eglise copte et de toutes les autorités communautaires de façon à toucher tous les fidèles. Il comprend des cours pour couples fiancés et pour couples mariés, des cours pour les jeunes, des actions de motivation s'adressant à toutes les couches sociales.

Le Dr Maurice Assad, secrétaire général adjoint de l'Eglise copte, rencontra le représentant de l'UNICEF au Caire, M. Ulf Kruger, pour obtenir une assistance de l'UNICEF dans l'application de ce programme. Mais le représentant de l'UNICEF refusa de fournir cette assistance. Et cela malgré le fait que l'UNICEF avait fait savoir haut et fort qu'il était prêt à aider toute initiative locale ou nationale visant à abolir la pratique de la « circoncision féminine ». Cette politique fut officiellement proclamée à la fin de l'année 1979, et confirmée par un communiqué de presse largement diffusé à l'occasion de La Conférence des Nations unies pour la Décennie des Femmes, à Copenhague. *Win News* envoya une lettre à M. James Grant, directeur exécutif de l'UNICEF à New York, pour exiger que l'UNICEF respecte sa position officielle concernant les mutilations sexuelles. De nombreuses femmes écrivirent de même. Mais aujourd'hui encore, M. Kruger persiste dans son refus d'assistance au programme.

Le rapport de la délégation égyptienne au séminaire de l'O.M.S. à Khartoum présentait un certain nombre de cas exemplaires. En voici quelques-uns : Mona a vingt-trois ans, elle est diplômée d'une école commerciale, et de confession copte. Célibataire, elle travaille comme secrétaire dans un collège du Caire. Elle fut opérée à l'âge de neuf ans. Voici son témoignage : « Ma mère n'avait rien à voir avec tout cela... La décision fut prise entre mon père et sa sœur. Ma tante m'a dit qu'elle m'emmenait en promenade, et tout d'un coup j'ai réalisé que nous allions à la clinique du docteur...

« Ma tante, le jeune docteur musulman, et son assistant, s'emparèrent de moi. Le docteur m'a dit que l'opération était indispensable pour garantir mon avenir, mon mariage. Ils me tenaient bien, je ne pouvais pas leur échapper.

« L'assistant écarta mes jambes, et le docteur me coupa la pointe du clitoris, à l'aide de ses ciseaux...

« Ma tante fit de même avec mes cousines et mes trois sœurs. Les gens qui m'entourent continuent à soutenir qu'être circoncise c'est aussi important qu'être propre, et que seule une jeune fille circoncise peut trouver un mari...

« Les dayas insistent sur l'importance de l'opération. Elles prétendent que les parties coupées sont laides, et que si l'on ne les coupait pas, le mari n'éprouverait aucun plaisir sexuel. Toutes les filles de mon voisinage sont circoncises... »

Enayat a vingt-deux ans. Elle est née et elle a grandi au Caire. Elle est musulmane, et diplômée de la faculté de commerce. Son mari est officier dans l'armée, et diplômé d'université. Son père est avocat. Enayat et ses deux sœurs furent circoncises avant d'avoir neuf ans : « Ma grand-mère et mon père décidèrent que je devais être circoncise conformément à la coutume et à la tradition. Une daya vint m'opérer chez nous, à la maison. Jusqu'à ce jour, j'ignorais tout de l'opération. Mais le jour venu, ma grand-mère m'expliqua que l'opération était indispensable. J'avais très peur, surtout quand j'ai vu arriver la femme. Elle a ouvert son sac, et en a sorti un rasoir et du désinfectant. Je hurlais de douleur, et ma grand-mère et ma tante étaient très inquiètes. Il m'a fallu une semaine avant de pouvoir reprendre mes activités normales...

« Je n'ai pas l'intention de faire circoncire ma fille, parce que je crois que c'est une coutume archaïque, incompatible avec nos conceptions modernes.

« Les gens font circoncire leurs filles pour leur éviter les tensions nerveuses qu'éprouvent les filles non circoncises. On pense qu'une fille non circoncise ne peut pas être une épouse fidèle. Les dayas sont pour la circoncision féminine, parce qu'elle leur permet de gagner de l'argent. »

Voici quelques extraits d'autres témoignages : « J'ai été opérée par une daya, tandis que son assistante me tordait les bras en me maintenant couchée. Je hurlais de peur et de douleur. Plus tard, j'ai appris qu'on m'avait coupé tout le clitoris et les petites lèvres. Pendant cinq jours je suis restée au lit. (...) J'ai été élevée dans une famille très puritaine : on n'y parlait jamais de sexualité. J'étais sur le point de faire circoncire ma fille aînée, âgée de huit ans, quand j'ai rencontré une femme cultivée qui m'a ouvert les yeux sur la véritable nature de cette opération, et qui a réussi à m'en dissuader. J'ai pu convaincre mon mari, et mes filles furent épargnées. Mes voisines ont suivi mon exemple.

« Je suis convaincue que c'était une pratique néfaste, et j'ai connaissance de nombreux cas d'hémorragie provoqués par l'opération. Une fille en est morte, bien qu'elle ait été hospitalisée. Les parents furent poursuivis et condamnés. Aujourd'hui, malheureusement, on opère en secret, et même en cas de complication grave, les gens n'emmènent pas la jeune fille à l'hôpital, parce qu'ils ont peur des poursuites judiciaires. »

Pour Fatima, la circoncision fut une fête : on lui mit ses plus beaux habits, ses mains et ses pieds furent teints avec du henné : « La daya s'est servie d'un rasoir, après avoir badigeonné d'alcool l'endroit de l'opération.

« Bien sûr, j'ai eu très mal, et j'ai hurlé. Mais on m'a donné un verre de limonade, puis on m'a mise au lit. Ils ramassèrent les morceaux de chair coupés, les roulèrent dans du sel, puis les enveloppèrent dans un chiffon, que j'ai porté, attaché à mon bras, pendant toute une semaine. »

Pendant trois jours, Fatima fut incapable de bouger, et pendant huit heures, elle n'a plus pu uriner. Sa mère la fit s'asseoir dans un baquet d'eau chaude et de désinfectant. Cela la soulagea un peu, mais la blessure continuait à la brûler. Le docteur l'examina deux fois. On lui faisait manger de la viande, du poulet et du foie, pour remplacer le sang qu'elle avait perdu. Sept jours plus tard, une grande fête eut lieu. L'opération que Fatima a subie consistait en une excision du clitoris et des petites lèvres : « Chaque fois que je me lave, je sens que je n'ai plus rien à cet endroit-là. » Fatima reste toutefois favorable à l'opération.

Pour la déflorer, son mari se servit de ses doigts, enveloppés dans un mouchoir. La famille et les amis attendaient devant la chambre nuptiale, et ses frères firent ensuite circuler dans l'assistance le linge taché de sang, tandis que battaient les tambours. Le rituel de la défloration, effectué par la daya ou par le mari, exige qu'un linge ensanglanté soit exhibé devant les familles. Ce linge prouve que la mariée était vierge, qu'il n'y a pas eu tromperie sur la marchandise, et que l'honneur du père de la mariée, qui vient de vendre sa fille pour une somme élevée, est sauf. Cette coutume est toujours en vigueur en Egypte, en Afrique du Nord et au Moyen-Orient.

Laïla a fait circoncire ses quatre filles et elle est convaincue que la circoncision favorise la croissance et le développement de ses enfants : « Ça les engraisse. Toutes les filles doivent être circoncises, ajoute-t-elle. Mon mari croit aux vertus de la circoncision tout autant que moi. C'est lui qui m'a rappelé qu'il fallait faire circoncire nos filles. C'est une honte de ne pas être circoncise... aucun homme n'aime avoir une femme surexcitée sur le plan sexuel... Le clitoris d'une femme non circoncise peut piquer l'homme, une femme comme ça est comme un homme — seuls les étrangers ne font pas circoncire leurs filles. »

Les contradictions et les ambiguïtés de ces propos traduisent une totale ignorance des données fondamentales concernant la biologie et la santé. Depuis leur enfance, on a inculqué à ces femmes toutes sortes de mythes concernant leur propre corps, on leur a appris à accepter la domination absolue des hommes, dans tous les domaines, et surtout dans le domaine de la sexualité. Même les femmes qui se révoltent contre la brutalité des opérations, ne remettent pas en cause l'institution proprement dite. Elles ne se demandent pas pourquoi l'on détruit de cette façon atroce la sexualité normale des femmes. Elles ne s'interrogent pas sur les conséquences psychologiques des opérations.

Ces contradictions ne sont pas propres aux seuls individus. Le planning familial, prôné par le gouvernement, est totalement incompatible avec les mutilations sexuelles, qui ont pour but de transformer les femmes en machines à faire des enfants. Le planning familial demande aux femmes de contrôler leur fécondité, tandis que l'excision confirme le pouvoir sexuel des hommes, qui veulent avoir autant d'enfants que possible.

Le véritable problème, c'est le statut des femmes : seul un changement de ce statut peut assurer la réussite du planning familial. Mais pour cela, il faut que les hommes renoncent à contrôler la vie et la sexualité des femmes.

A l'origine, le planning familial fut une initiative féminine, qui se heurta à l'opposition violente des hommes. Aujourd'hui, il est devenu une institution universelle, et les hommes en ont fait un nouvel instrument de contrôle de la fécondité des femmes. Là où les femmes peuvent réellement choisir, là où leur éducation leur permet de décider en toute connaissance de cause, on réussit à contrôler la poussée démographique. En Egypte, le planning familial est un échec. Seule une égalité véritable entre hommes et femmes, dans l'éducation et dans la vie sociale, permettra de faire face à ce problème.

La ségrégation sexuelle pratiquée en Afrique du Nord, au Moyen-Orient et au Proche-Orient est à la fois la cause et le résultat de la soumission et du statut d'infériorité des femmes. Elle crée des problèmes de plus en plus graves, tant aux hommes qu'aux femmes. Elle dégrade les hommes et les femmes en tant qu'êtres humains. C'est aux hommes politiques qu'incombe la responsabilité du changement, car toutes les décisions sont, aujourd'hui encore, entre les mains des hommes.

EGYPTE : données économiques et sociales

L'Egypte est le pays le plus urbanisé d'Afrique continentale. L'agglomération du Caire compte 8,5 millions d'habitants, et celle d'Alexandrie 2,75 millions d'habitants.

Terres arables : 3 pour cent ; acres[1] par habitant : 0,2 pour cent (le taux le plus bas du monde).

Climat : Pays désertique à l'exception de la vallée et du delta du Nil, où se concentre la très grande majorité de la population.

Population : Plus de 42 millions (40 millions en 1978). Taux de croissance : 2,7 pour cent.

Espérance de vie : Cinquante et un ans.

Gouvernement : République (Constitution en 1971) ; indépendance 1922. Premier ministre (chef de gouvernement) ; Assemblée nationale (élue).

Ethnies : Egyptiens, Coptes, Bédouins, Nubiens.

Langues : arabe, anglais, français.

Religions : musulmane sunnite (85-90 %) ; chrétienne copte.

Alphabétisation : 40 pour cent (moins pour les femmes).

Education : Les universités égyptiennes sont les centres culturels du Moyen-Orient et des pays du golfe...

Revenu par habitant : 280 dollars U.S. (1978).

Economie : Coton, blé, riz, céréales. Produits industriels : textiles, produits alimentaires, tabacs, produits chimiques, dérivés du pétrole. Balance commerciale lourdement déficitaire.

1. 1 acre = 40,47 ares, ou 4 046,86 m².

Le Soudan

Le Ve Congrès de la Société soudanaise d'obstétrique et de gynécologie s'est tenu en février 1977 à l'Ecole de médecine de l'université de Khartoum. Le principal groupe de travail de ce Congrès de spécialistes avait pour objet « la circoncision fémine ». L'opération la plus sévère — l'infibulation, appelée aussi « circoncision pharaonique » — est très répandue dans le pays, y compris dans les deux villes jumelles de Khartoum et d'Omdurman.

J'avais été invitée à ce Congrès, organisé conjointement par la Société d'obstétrique et les ministères de la Santé et des Affaires sociales. Le gouvernement avait demandé au Congrès de formuler des Recommandations concernant les mutilations sexuelles, pratiquées dans l'ensemble du pays à l'exception de la province du Sud, non musulmane.

Le Soudan est le plus vaste pays d'Afrique mais sa population ne dépasse pas 18,5 millions d'habitants. Le territoire actuel du Soudan a fait partie de l'Empire romain, puis de l'Empire britannique. Il fut conquis et dominé tour à tour par les Arabes, les Turcs, les Ethiopiens, les Egyptiens. L'indépendance du pays est récente : le premier Parlement soudanais fut inauguré en janvier 1954. Aussitôt après l'Indépendance, une guerre civile a éclaté dans le sud du pays, se prolongeant jusqu'en 1972.

Outre les conquérants et les envahisseurs, des milliers de pèlerins d'Afrique occidentale en route pour La Mecque, ont traversé la savane soudanaise, surnommée pour cela « le boulevard de l'Afrique ». Les pèlerins voyageaient en groupes jusqu'à Port Soudan, d'où ils embarquaient pour l'Arabie Saoudite. Ils s'arrêtaient quelque temps au Soudan pour se remettre de leur harassant voyage : nombreux sont ceux qui se fixèrent définitivement dans le pays.

Il est impossible de déterminer avec précision où les mutilations sexuelles ont pris naissance et comment elles se sont propagées dans tout le pays, parmi les différentes ethnies. Selon certains spécialistes soudanais, ces opérations — et surtout l'infibulation — sont originaires de la côte de la mer Rouge.

Nous ne reprendrons pas ici les descriptions des opérations qui figurent dans le chapitre : « Données médicales et vue d'ensemble ». Toutefois ces descriptions doivent servir de références.

L'adresse inaugurale du Congrès d'obstétrique fut prononcée en arabe par le Dr Fatma Abdel Mahmoud, à l'époque ministre des Affaires sociales, gynécologue de formation, et membre de la Société d'obstétrique, qui se déclara sans ambiguïté pour l'abolition des mutilations sexuelles.

Il avait été décidé que la table ronde sur la circoncision féminine se tiendrait un soir de façon que le maximum de professionnels de la santé et de membres de l'Université puisse y participer. La réunion, qui s'est prolongée jusque tard dans la nuit, était présidée par le Dr Ali Bedri, directeur du planning familial soudanais, qui avait lutté toute sa vie pour l'abolition des mutilations.

Après de nombreuses interventions, on a débattu de la formulation des Recommandations demandées par les ministères des Affaires sociales et de la Santé. Fallait-il recommander l'interdiction de toutes les formes de circoncision, ou au contraire autoriser la Sunna, l'opération la plus « bénigne » qui consiste à couper uniquement la pointe du clitoris ?

Selon de nombreux gynécologues, en autorisant officiellement la Sunna, on ferait un « premier pas » vers l'abolition. Cela permettrait également de faire pratiquer l'opération par un personnel qualifié, ce qui serait un « moindre mal » pour les enfants.

Les gynécologues n'ont pu se mettre d'accord sur une définition médicale des opérations, ni établir précisément ce qui d'un point de vue médical pouvait être coupé ou non. Tout le monde dans l'assistance savait évidemment que les sages-femmes traditionnelles qui pratiquent la plupart des mutilations n'ont aucune notion d'anatomie, et qu'elles ne se laisseraient pas arrêter par des questions de définitions médicales.

Kateera Yassin, secrétaire de l'Union des femmes soudanaises, demanda la parole. Elle s'adressa aux gynécologues avec la franchise la plus totale. Elle commença par décrire la terrifiante opération et le martyre enduré par les enfants. Elle accusa les médecins : cela faisait trente ans qu'ils parlaient du problème, mais rien n'avait été fait. « Les enfants continuent à être mutilées, et la profession médicale se tait... Beaucoup de médecins gagnent des sommes considérables... en opérant les enfants à la demande des parents. » Kateera Yassin a également accusé les sages-femmes de s'enrichir elles aussi en pratiquant les mutilations.

Embarrasés par ces accusations, les médecins n'avaient plus le choix : il leur fallait agir. Mais ils n'arrivaient toujours pas à une définition de l'opération et comme il se faisait tard, l'unanimité se fit pour tout interdire. On recommanda donc aux ministères l'abolition de la circoncision sous toutes ses formes. Malheureusement personne n'a proposé de moyens pour arriver à cette fin.

Toutefois la table ronde et les interventions faites pendant le Congrès permirent d'avoir une vue d'ensemble des problèmes sanitaires des femmes soudanaises, et de faire le point sur la pratique de l'infibulation.

Le Dr Suliman Modawi, président de la Société d'obstétrique, et son frère et collègue le Dr Osman Modawi donnèrent aux observateurs étrangers un aperçu des problèmes qu'ils rencontraient avec leurs patientes : « La femme peut être fécondée même quand la pénétration n'est pas totale, et nous avons eu des cas d'accouchement où l'entrée du vagin n'était pas plus grande qu'un trou d'épingle. En cas d'avortement prématuré, le fœtus reste dans le vagin, causant de graves infections. Dans les cliniques prénatales nous avons constaté un pourcentage élevé de cystites et de vaginites. La stérilité est parfois due aux difficultés de la pénétration mais elle est aussi provoquée par les infections de la zone infibulée...

« La femme est terrorisée à l'approche de l'accouchement, elle se souvient de ce qu'elle a enduré lorsqu'elle a été infibulée : cette peur provoque l'inertie utérine et entrave la première phase du travail. La rétention urinaire pendant l'accouchement survient fréquemment, et l'introduction d'un cathéter est difficile.

« Le travail peut aussi être entravé par une sténose du vagin et par la scarification consécutive à la circoncision.

Cela provoque des atrophies et des fistules du rectum et du vagin. D'importantes déchirures du périnée sont également fréquentes. Pour permettre l'accouchement, il faut pratiquer des incisions dans la zone cicatrisée ainsi que des incisions latérales et postéro-latérales. Une sage-femme inexpérimentée peut laisser ces blessures ouvertes, ou mal les refermer. La blessure met longtemps à guérir par granulation. Dans certains cas, une deuxième infibulation est pratiquée pour refermer l'ouverture du vagin. »

Dans son intervention, le Dr Abu El-Futuh Shandall remit à jour son étude de 1967 : *Circoncision et infibulation des femmes : Considérations générales sur le problème et Etude clinique des complications chez les femmes soudanaises.* Cette étude portait sur 4 024 cas de femmes, qui furent les patientes du médecin à l'hôpital de Khartoum. Plus de 3 000 de ces femmes étaient infibulées, presque toutes les autres étant excisées. L'étude présente toutes les complications résultant des opérations : c'est l'étude clinique la plus complète et la plus précise jamais réalisée sur les mutilations. Les nouvelles données que le Dr Shandall présenta au Congrès concernaient sa clientèle privée, donc un groupe d'un niveau de vie plus élevé. Les chiffres montrent une légère diminution à Khartoum du nombre de circoncisions pharaoniques surtout parmi les jeunes filles scolarisées. Mais si l'on s'en tenait au rythme actuel, il faudrait attendre plusieurs générations avant que les mutilations ne disparaissent tout à fait.

C'est le Dr T.A. Baasher, spécialiste de la santé mentale, travaillant pour le Bureau régional de l'O.M.S. à Alexandrie, qui évoqua les problèmes psychologiques liés à la circoncision féminine. Pour commencer, le Dr Baasher souligna que les opérations étaient profondément ancrées dans la vie et les traditions soudanaises. La famille fête l'opération, avec la participation active des parents et des amis. Le jour venu, la jeune fille soudanaise revêt ses plus beaux habits, se pare de bagues et de bracelets d'or... on l'appelle « la fiancée ». Cela indique clairement que l'opération symbolise son passage à l'âge adulte et le rôle sexuel qu'elle devra jouer. Le milieu culturel dans lequel elle a grandi l'a familiarisée avec les préjugés sociaux : « Une jeune fille non circoncise est inacceptable : *el beydourha meno* ! (Qui en voudrait ?) *el beyaresha meno* ! (Qui l'épouserait ?) », etc.

La fête qui accompagne l'opération, les cadeaux que l'on offre à la jeune fille (dans les familles aisées surtout), le langage employé, tout cela sert à dissimuler la nature véritable de l'opération. « Pour rendre l'opération socialement et psychologiquement acceptable, un seul terme sert à désigner tous ses effets secondaires : on dit de la jeune fille qu'elle a été *sammahpaha*, embellie... »

Mais pour étudier sérieusement les effets psychologiques des mutilations sur la formation de la personnalité et sur la santé psychique, il faudrait pouvoir comparer l'évolution sur plusieurs années d'un groupe de femmes opérées et d'un groupe de femmes n'ayant subi aucune mutilation.

Personne toutefois n'a suggéré cette approche, de peur sans doute qu'elle ne révèle une réalité des plus déplaisantes : ainsi les anthropologues mâles peuvent-ils continuer à vanter les bienfaits et l'importance de toutes les traditions.

C'est au Soudan que la relation entre les mutilations sexuelles et la structure sociale a fait l'objet des études les plus sérieuses. L'élite du pays reconnaît les effets médicaux néfastes des opérations. Mais la société ne peut ou ne veut pas s'affranchir de ces traditions car elle ne comprend pas qu'au-delà de leurs conséquences pour les individus qui les subissent, les mutilations représentent un fardeau social et psychologique pour la société tout entière.

L'histoire récente des mutilations sexuelles au Soudan fut brièvement évoquée lors du Congrès. La législation de 1946, interdisant la circoncision « pharaonique » mais autorisant la « Sunna » est théoriquement toujours en vigueur. Mais elle n'a pratiquement jamais été appliquée à cause de l'opposition qu'elle a d'emblée suscitée.

L'Administration coloniale britannique avait pour principe de ne pas s'immiscer dans les coutumes indigènes et les pratiques religieuses, sauf en cas de mauvais traitements particulièrement graves ou de tortures. Elle interdit l'immolation des veuves en Inde et lutta contre l'excision au Kenya. Au Soudan toutefois l'Administration britannique ignora pendant longtemps le problème de la circoncision pharaonique : les femmes n'avaient pratiquement aucun contact avec les médecins britanniques. De façon générale, les femmes soudanaises ne pouvaient pas se faire soigner par un médecin homme. Dans certaines régions musulmanes cet interdit est toujours respecté, même si la femme doit en mourir.

Au début des années 20, Mlle Mabel Wolff, infirmière de l'armée britannique, créa la première maternité soudanaise.

Quelques années plus tard elle fut rejointe par sa sœur, également infirmière. Les deux femmes ne se contentaient pas de soigner : elles créèrent aussi une école de sages-femmes. C'est par Mabel Wolff que les services médicaux apprirent l'existence de la circoncision pharaonique. Mabel Wolff a consacré toute sa vie à lutter contre les opérations que les Soudanaises de son époque considéraient comme tout à fait « naturelles ».

Aujourd'hui encore beaucoup de femmes soudanaises pensent que les opérations sont « nécessaires », et qu'elles sont pratiquées dans le monde entier. En 1979 nous étions plusieurs femmes journalistes à visiter une maternité des environs de Khartoum. Les patientes de la maternité ne pouvaient pas croire qu'aucune d'entre nous n'était infibulée. A moins de se déshabiller, il n'y avait aucun moyen de les en convaincre. Pour elles, aucune femme respectable ne peut admettre qu'elle n'est pas « fermée » — cela voudrait dire qu'elle est une prostituée.

Les services médicaux britanniques, convaincus par le plaidoyer de Mabel Wolff, entreprirent une enquête sur la situation. L'école de sages-femmes, installée à Omdurman, formait des sages-femmes de plus en plus nombreuses, qui, à leur tour, en formaient d'autres : toutes ces femmes luttaient contre les infibulations, en faisant connaître les dangers des opérations.

Dans les années 30, le problème fut évoqué en Angleterre, et spécialement au Parlement. D'autre part, quelques personnes parmi les élites soudanaises commencèrent elles aussi à condamner cette pratique. C'est dans ce contexte que le gouvernement soudanais décida finalement d'agir.

Une étude du Dr Suliman Modawi décrit cette évolution : « C'est à la fin des années 30 que notre génération comprit que la circoncision féminine était un problème social, et une honte pour notre pays. Un membre du Parlement britannique dénonça la circoncision et demanda que l'Administration coloniale promulgue une loi pour y mettre fin, et pour empêcher son extension dans le sud du pays.

« Le problème fut longuement évoqué par la presse britannique et par les revues médicales. Au Soudan même, les fonctionnaires coloniaux et les élites soudanaises firent preuve de la plus grande réserve. Seuls quelques politiciens et leaders religieux soudanais accusèrent l'administration de s'ingérer dans les affaires intérieures soudanaises... »

La première mesure des Britanniques fut la publication en 1945 d'un rapport du Service médical soudanais. Le rapport était signé par neuf médecins « soudanais ou amis du Soudan ». Le premier signataire du rapport était le Dr Ali Bedri, qui dirigea le groupe de travail sur la circoncision féminine lors du Congrès de 1977. L'introduction du gouverneur général, sir Hubert Huddleston, prend la défense des femmes avec une franchise surprenante : « Ayant longtemps fréquenté les Soudanais j'ai pu constater que le pays progressait rapidement dans le domaine de l'éducation et de la technique, mais que la situation sociale et familiale n'évoluait pas... Ce retard est essentiellement dû à la situation d'infériorité des femmes et surtout à la pratique néfaste de la circoncision pharaonique qu'on leur impose de force. »

Huddleston demande aux Soudanais de renoncer à « cette coutume cruelle... qui est une insulte à l'humanité... indigne d'un peuple civilisé... Une diligence ne peut pas rouler d'un train rapide et sûr si l'un des deux chevaux de l'attelage est estropié ». Huddleston conclut en ces termes : « Je ne demande pas l'émancipation politique rapide des femmes... Je demande que vous leur accordiez un statut raisonnable au sein du foyer, fondé sur un traitement humain et sur des progrès judicieux dans le cadre de la vie domestique. Mais rien de tout cela n'est possible tant que la pratique néfaste de la circoncision pharaonique continue à corrompre le tissu même de votre vie familiale. »

Cette introduction est suivie d'un texte du Mufti du Soudan, le cheikh Ahmed El-Taher qui présente l'opinion de la Sharia. Le Mufti explique, avec de nombreuses citations d'autorités religieuses à l'appui, que la circoncision féminine n'est que recommandée : elle est « préférable en tant qu'embellissement ». Il précise ensuite que la haute société égyptienne a renoncé à la circoncision, de même que la population du Hedjaz, la terre du Prophète (la région d'Arabie où sont situées La Mecque et Médine). Puis le Mufti conclut : « Par conséquent, les musulmans doivent être fidèles à la doctrine religieuse et renoncer à ces coutumes répugnantes qui n'ont pas leur origine dans le *Livre de la tradition* et qui ne sont pas justifiées par les opinions des musulmans érudits. »

Deux autres textes complètent ces introductions. El Sayed Sir Ali El Mirghani Pasha explique qu'il faut beaucoup de temps pour qu'une coutume disparaisse. Quant à El Sayed Sir Abdel Rahman El Mahdi Pasha, il remercie le gouverneur général et les médecins pour leurs déclarations qui « viennent à point nommé », et rappelle qu'il a publié une déclaration dans le journal *El Nil,* « plaidant pour l'éducation et la prise de conscience des femmes soudanaises dans la lutte contre la circoncision pharaonique, et pour son remplacement par la Sunna... ». « Je suis convaincu que ce mouvement va s'étendre », dit-il en guise de conclusion.

Le rapport médical décrit précisément l'opération d'infibulation. Cette description s'accompagne d'une rapide présentation de l'anatomie et des fonctions des organes féminins touchés par l'opération. Le rapport décrit ensuite les risques médicaux et les séquelles de l'opération, non seulement sur le plan physique mais aussi sur le plan psychologique. C'est la première fois qu'un rapport médical aborde cet aspect du problème. « Les conséquences psychologiques de l'opération peuvent être particulièrement graves. La circoncision est probablement responsable de certains traits de caractère communs aux femmes soudanaises.

« Un sentiment de culpabilité lié à l'existence de ces organes honteux qui doivent être enlevés pour que la femme soit considérée comme saine et sage...

« La circoncision empêche le plein développement social de la femme soudanaise, en encourageant chez elle une attitude de soumission et un complexe d'infériorité, et en encourageant chez l'homme des comportements autoritaires et cruels.

« La circoncision féminine est une coutume archaïque et primitive qui ne devrait pas être tolérée par les gens évolués. Rien ne justifie cette souffrance et cette mutilation. »

Le rapport énumère ensuite les principaux arguments des partisans de la coutume et il conclut : « Une nation ne peut progresser que si tous ses citoyens progressent. La circoncision dégrade les femmes... Elle entrave le développement intellectuel des filles, les empêchant de s'adapter à une vie de plus en plus complexe...

« Pour les Soudanais, il s'agit d'une question vitale... Tant qu'ils ne mettront pas de l'ordre dans leurs foyers, l'avenir de leur pays sera compromis... On est effrayé à l'idée que les petites filles soudanaises subissent ces tortures que rien ne justifie...

« La circoncision est un des grands problèmes sociaux du Soudan. C'est un héritage de l'âge des ténèbres... La génération présente a le devoir de s'en libérer...

« Il est plus que temps d'agir, dans l'intérêt de la réputation internationale, du bien-être et de l'avenir du peuple soudanais. »

Ce rapport fut largement diffusé tant en arabe qu'en anglais. Malheureusement à cette époque une infime minorité de femmes savait lire. De plus, malgré l'appui de la classe politique soudanaise, seuls les habitants de la capitale et des grandes villes soudanaises purent en prendre connaissance. Peu de gens possédaient des postes de radio et les magnétophones n'existaient pas encore.

En 1946, un an après la publication du rapport, les opérations furent interdites. Voici le texte des amendements au Code pénal soudanais de 1925 :

« CIRCONCISION ILLÉGALE :

§ 284-A(1) : « Toute personne coupant délibérément les organes génitaux externes d'une femme, se rend coupable de circoncision illégale, à l'exception du cas suivant :

Exception : « L'ablation du clitoris ne constitue pas une infraction au paragraphe 284-A(1). »

§ 284-A(2) : « Toute personne coupable de circoncision illégale sera punie d'une peine de prison pouvant aller jusqu'à cinq ans, ou d'une amende, ou encore des deux peines cumulées. »

Explication : « Une femme se mutilant délibérément elle-même peut commettre une infraction à ce paragraphe. »

Aussi bien les abolitionnistes que les défenseurs de la tradition se réfèrent souvent à ces amendements. Les défenseurs de la tradition soulignent l'échec de cette législation ; les abolitionnistes y voient un premier pas dans la bonne direction, mais estiment que la loi fut mal appliquée. Nous devons cependant remarquer que cette législation autorise la clitoridectomie en interdisant l'infibulation : c'est pour cela que la loi est inapplicable. Il est évident que l'exciseuse prétendra n'avoir pratiqué que l'opération « légale ». Seul un examen gynécologique pourrait prouver le contraire, et aucune femme n'acceptera de s'y soumettre. De plus, les législateurs semblent avoir oublié que la clitoridectomie est presque aussi dangereuse que l'infibulation, qu'elle engendre les mêmes infections, et qu'elle constitue une castration sexuelle de la petite fille.

Voici le témoignage d'un juge soudanais qui a participé à l'élaboration de ces lois : « La première infraction à cette nouvelle loi fut découverte par la police de Rufaa, une ville de la province du Nil Bleu, située à 120 kilomètres de Khartoum, sur la rive orientale du Nil. La population de la ville est plutôt évoluée et compte de nombreux hommes ayant fait des études. La police porta plainte contre une sage-femme qui avait pratiqué une circoncision illégale, et contre la mère de la petite fille, accusée de complicité. Un magistrat local délivra un mandat d'amener. L'arrestation prit les gens par surprise et ils résistèrent. Quand la population de la ville apprit la nouvelle, elle apporta son soutien aux coupables, et de graves troubles s'ensuivirent... »

Après cette émeute, la nouvelle législation fut modifiée mais il y eut très peu de personnes poursuivies dans le cadre de cette nouvelle loi. Cependant le Dr Shandall cite dans son étude le ministre de la Santé de l'époque, selon lequel les cas de circoncision pharaonique dans la région de Khartoum auraient diminué de 75 pour cent dans l'année qui a suivi la promulgation de la nouvelle législation. Mais l'étude clinique du Dr Shandall montre que vingt ans plus tard la circoncision pharaonique faisait toujours autant de ravages.

D'autres études présentées lors du Congrès de 1977 ou du séminaire de l'O.M.S. de 1979 montrent que le ministre de la Santé a pour le moins péché par excès d'optimisme. Selon le juge soudanais cité ci-dessus c'est l'éducation, plutôt que la législation, qui permettra d'abolir « cette coutume cruelle et néfaste ». Et le juge cite en exemple les grands progrès qu'a connus la situation des femmes depuis la révolution de 1969.

C'est un fait qu'aujourd'hui des femmes étudient à l'université et qu'on en trouve dans toutes les professions. L'Union des femmes soudanaises, qui a son siège à Khartoum, est active dans l'ensemble du pays. Toutefois dans leur grande majorité, les femmes restent illettrées, et obéissent aux traditions, tout comme par le passé.

Le juge se laisse abuser par les apparences. Le fait que des filles fréquentent l'école ou l'université ne les met pas à l'abri des mutilations. Ces mutilations seront pratiquées aussi longtemps que les hommes en feront une condition *sine qua non* du mariage.

Et surtout la majorité de la population soudanaise est dispersée à travers le pays ; une grande partie mène une vie nomade. Face à cette dure réalité, les conceptions éclairées du juge volent en éclats : « Toutefois je ne crois pas du tout que l'on puisse combattre efficacement la circoncision pharaonique chez les populations de bergers nomades du Soudan occidental, du moins tant qu'elles continueront à mener cette vie-là. Des garçons et des filles pubères se retrouvent en toute liberté dans les pâturages ou près des points d'eau, à l'abri des regards indiscrets. Tout naturellement, ils flirtent. La circoncision pharaonique que ces tribus pratiquent de façon très rigoureuse est probablement destinée à prévenir les faiblesses humaines suscitées par ces rencontres. En ce qui concerne ces tribus, je me demande si l'abolition ne représente pas plus de risques que le maintien de la coutume... »

Malgré ses belles phrases sur « les progrès de la condition des femmes de Khartoum », le juge ne conçoit apparemment pas que des jeunes gens des deux sexes puissent se rencontrer et travailler ensemble, sans pour autant avoir de rapports sexuels. Victime des tabous et des mythes entourant la sexualité, le juge semble incapable d'imaginer une société où les femmes pourraient n'être pas constamment menacées de la sexualité déchaînée des hommes.

Dans son étude de 1967 le Dr Shandall formule d'importantes recommandations, qui n'ont rien perdu de leur pertinence. Il propose que tous les enfants reçoivent à l'école une éducation sexuelle et qu'on explique aux jeunes les conséquences sociales et physiques de la circoncision féminine.

Il recommande également qu'on recrute des sages-femmes et des infirmières, et qu'on les forme de façon qu'elles puissent avertir les gens des conséquences médicales des mutilations et de leurs effets sur l'équilibre psychique des petites filles. Il suggère enfin que les chefs religieux donnent l'exemple, qu'ils renoncent à faire circoncire leurs filles et qu'ils demandent à leurs fidèles de les suivre dans cette voie.

Trois ans après l'entrée en vigueur de la nouvelle législation, le *Nursing Mirror,* une revue professionnelle britannique, publia le récit d'un témoin oculaire d'une circoncision pharaonique. E. Hills Young, l'auteur de l'article, une sage-femme britannique, dirigeait l'école de formation des sages-femmes des Services médicaux soudanais. C'était la première fois qu'elle assistait à une circoncision. L'opération fut pratiquée par une des sages-femmes de sa propre école, « dans des conditions d'hygiène meilleures que de coutume ».

L'opération eut lieu tôt le matin, dans une cour d'Omdurman remplie de femmes et d'enfants, qui étaient venus pour assister au spectacle. Les deux petites victimes, âgées respectivement de six et neuf ans, portaient des vêtements neufs.

Une natte circulaire percée d'un trou en son centre, était posée à même le sol sableux, au milieu de la cour : « La sage-femme prépara un bol de compresses, un rasoir de barbier stérilisé, et une bouteille de teinture d'iode... La grand-mère s'accroupit au bord de la natte, une vieille couverture brune placée devant ses jambes croisées. Les gens se pressaient dans la cour qui résonnait du bruit de leurs conversations et des battements de tam-tams.

« ... La sage-femme se lava les mains, puis on amena la plus jeune des deux fillettes. On la fit s'asseoir sur la couverture, les jambes écartées de part et d'autre du trou de la natte, le dos appuyé aux jambes de sa grand-mère. La grand-mère lui tenait les bras, tandis que deux ou trois autres femmes immobilisaient ses jambes. La sage-femme badigeonna de teinture d'iode les organes génitaux externes de la fillette, puis saisit les grandes lèvres entre le pouce et l'index et coupa rapidement en deux mouvements les grandes lèvres et le clitoris. Puis elle nettoya la blessure avec une solution de lysol et d'eau chaude.

« A ma surprise, la blessure ne saignait pas beaucoup. Pendant quelques secondes la sage-femme pinça l'un contre l'autre les deux bords de la plaie, puis les femmes lièrent solidement les jambes de la fillette et l'emportèrent dans son lit.

« Puis ce fut le tour de l'autre petite fille, la sœur aînée, qui semblait beaucoup plus effrayée... Une fois assise elle voulut cacher son visage dans ses mains. Mais c'était interdit : la grand-mère s'empara de ses bras, tandis que les autres femmes lui maintenaient les jambes. La fillette se débattait de toutes ses forces, mais la sage-femme opéra avec célérité. La grand-mère n'était pas contente : elle trouvait que l'excision n'était pas assez importante. Mais la sage-femme ne tint pas compte de ses protestations et refusa de couper quoi que ce soit de plus.

« ... Avant qu'on permette aux petites filles de se reposer et de prendre un peu de nourriture, la coutume veut qu'on les emmène au bord du Nil ou du cours d'eau le plus proche pour leur laver rituellement les mains et le visage. On croit ainsi faciliter la menstruation et permettre à la fillette de trouver rapidement un mari. Après ces ablutions on lie fermement les jambes des petites filles. Elles resteront ainsi pendant quinze à vingt jours, ou jusqu'à la guérison complète de la plaie.

« Si une infection se déclare, la mère et la grand-mère ne

s'en troublent pas outre mesure : elles croient en effet que l'infection rendra plus solides les tissus cicatriciels, et que la chasteté de la fillette n'en sera que mieux protégée. »

Après avoir assisté à ces opérations, Hills Young prit des mesures pour interdire aux sages-femmes de son école de pratiquer des circoncisions. En effet, des sages-femmes professionnelles, payées par le gouvernement, avaient reçu une formation leur permettant de pratiquer des excisions moins importantes et dans de meilleures conditions d'hygiène. Mais on mit un terme à cette situation. Hills Young explique : « Nous devions, bien entendu, enseigner aux sages-femmes comment inciser la cicatrice au moment de l'accouchement, et comment traiter la plaie une fois l'enfant né... Nous devions aussi leur apprendre à soigner les jeunes mariées dont le vagin était pratiquement fermé... »

Les sages-femmes au Soudan jouent un rôle de tout premier plan : elles excisent et infibulent et lors d'un accouchement, ce sont elles qui pratiquent les interventions rendues indispensables par les mutilations sexuelles. Tout cela bien entendu se fait sans aucune anesthésie. L'ouverture des jeunes mariées est l'une de leurs interventions les plus lucratives : souvent l'opération se déroule en secret, et la sage-femme est bien payée en échange de son silence. En effet, on mesure la virilité du jeune marié à sa capacité d'« ouvrir » son épouse avec la seule arme dont l'a pourvu la nature. La plupart du temps c'est un exploit impossible à réaliser : dans ce cas le jeune marié se fait aider en secret par le couteau de la sage-femme traditionnelle.

Cependant, les hôpitaux doivent souvent soigner de jeunes épouses horriblement blessées par leurs nouveaux maris qui, dans leur impatience, se sont servis de leur propre couteau ou de tout autre instrument, pour pouvoir assouvir au plus vite leurs désirs. Ajoutons que seules de rares privilégiées peuvent se faire soigner à l'hôpital.

Du fait de la ségrégation sexuelle, tout ce qui touche à l'accouchement est une affaire exclusivement féminine. Dans les années 20, la première tâche des sœurs Wolff fut d'enseigner aux villageoises illettrées des règles élémentaires d'hygiène. Grâce à leur persévérance et à leur force de persuasion elles réussirent à convertir les sages-femmes traditionnelles aux nouvelles méthodes. Avec la création de l'école des sages-femmes d'Omdurman, leur dévouement finit par porter ses fruits.

En 1948, l'école avait formé plus de 500 sages-femmes dans

tout le pays. La plupart de ces femmes étant illettrées, c'est par l'odorat et le goût qu'elles identifiaient les médicaments et les produits chimiques. Leurs études étaient sanctionnées par un examen. L'école dispensait également des cours de recyclage. D'autres écoles de formation furent créées dans toutes les provinces du pays. « La formation de ces femmes illettrées n'a pas uniquement amélioré les conditions des accouchements : elle a également joué un rôle important dans la diminution de l'incidence et de la gravité de la circoncision pharaonique au Soudan », estime le Dr Ahmed Bayoumi dans un article sur « La formation et les activités des sages-femmes villageoises au Soudan ». L'article décrit les succès remarquables obtenus par les sœurs Wolff dans leur lutte contre la mortalité maternelle et infantile. A l'époque toutes les femmes étaient infibulées, et la sage-femme devait pratiquer une double épisiotomie pour permettre à la femme d'accoucher.

Dans l'accouchement traditionnel, la femme se suspendait ou se tenait à une corde attachée à une poutre du toit ; la sage-femme restant assise en dessous d'elle, attendait que l'occlusion se déchire, puis pratiquait des incisions au hasard pour aider le bébé à sortir. La mortalité maternelle et infantile était effarante. Au début du siècle, on a même constaté un déclin important de la population du pays. On attribue en général ce déclin aux perpétuelles guerres locales, mais il ne fait aucun doute que les mutilations sexuelles ont contribué à décimer la population.

L'œuvre entreprise par Mabel Wolff fut poursuivie par miss Hills Young, qui vint d'Angleterre en 1941. Les premières élèves de l'école des sages-femmes d'Omdurman furent les sages-femmes traditionnelles. Mais petit à petit on recruta d'autres jeunes femmes, qui étaient en général des parentes des sages-femmes « héréditaires ». La plupart des candidates étaient des femmes mariées, âgées de vingt à trente-cinq ans. Elles devaient obtenir au préalable l'accord de leur mari.

Un document sur « La Formation des sages-femmes au Soudan » décrit les méthodes et le programme de l'école. Les élèves ne sachant ni lire ni écrire, l'enseignement était oral. Le programme de l'école peut encore aujourd'hui servir de modèle à des entreprises similaires dans les zones rurales du continent africain.

Une nouvelle école de sages-femmes fut construite en 1940 pour accueillir les candidates de plus en plus nombreuses, venues de tout le pays. On organisa des cours de recyclage pour des sages-femmes en exercice, ainsi que des tournées régulières d'inspection et de recrutement.

L'enseignement de l'école fut sans cesse orienté contre la circoncision. Mais il faut reconnaître que malgré cette opposition sans faille, beaucoup de sages-femmes continuent à pratiquer les opérations — comme le fit remarquer Kateera Yassin, la secrétaire du Syndicat des femmes, lors du Congrès d'obstétrique de 1977.

Le problème fut également abordé lors du séminaire de l'O.M.S. en 1979 : des participants expliquèrent que les sages-femmes professionnelles qui ne touchent du gouvernement que la somme dérisoire de deux livres par mois, pratiquent des circoncisions pour augmenter leurs revenus.

De temps à autre, les femmes soudanaises essayèrent, elles aussi, de s'attaquer au problème de la circoncision. En 1945, des institutrices signèrent une proclamation contre la circoncision, qui est souvent citée. D'autre part, comme l'explique Ina Beasley, qui fut dans les années 40 l'inspectrice générale de l'enseignement des jeunes filles, « on dispensa un enseignement spécifique contre les opérations ». Des cours sur les dangers de la circoncision pharaonique, élaborés par l'école des sages-femmes, furent envoyés à toutes les directrices d'école du pays. On réalisa des affiches, on organisa des tournées d'institutrices expérimentées dans les districts les plus reculés. D'autres tournées de propagande contre les opérations furent animées par des sages-femmes de l'école.

Beasley décrit les problèmes soulevés par ces actions : « Il nous aurait été facile de démolir les arguments sur la propreté, la virginité, la chasteté. Mais cela n'aurait en rien ébranlé les convictions irrationnelles de nos interlocuteurs.

« Les femmes en général avaient du mal à accepter les idées nouvelles. Elles avaient subi, jusque dans les années 40, un régime de stricte réclusion. Cet état de choses commençait à peine à évoluer, sous l'effet de la scolarisation des jeunes filles. Mais les femmes étaient encore illettrées dans leur très grande majorité. De plus, elles n'avaient pas de contacts avec le monde extérieur. Dans ces conditions, il ne fallait pas espérer qu'elles renoncent facilement à leurs anciennes superstitions...

« De plus, ces communautés imprégnées de religion attachaient une très grande importance aux justifications religieuses de la coutume, qui s'étaient affirmées au fil des siècles... »

Au Soudan, cette notion de commandement religieux reste

encore aujourd'hui une des raisons les plus fréquemment citées pour justifier les mutilations. Mais tous les théologiens musulmans s'accordent à dire que l'islam n'exige pas la circoncision des femmes et que l'infibulation est même contraire à ses enseignements. Toutefois aucun chef religieux n'a donné l'exemple de renoncer aux mutilations dans sa propre famille.

L'Indépendance n'a pratiquement rien changé à la vie des femmes soudanaises : elle ne les a pas libérées des coutumes archaïques. Les hommes ont accompli leurs ambitions, mais les aspirations des femmes furent passées sous silence.

Le Soudan reste toutefois le seul pays où les mutilations sexuelles ont fait l'objet de recherches médicales importantes, et où l'existence même du problème fut officiellement reconnue. Lors du Congrès d'obstétrique et de gynécologie de 1977, on annonça que la Faculté de médecine de l'université de Khartoum allait entreprendre, avec l'aide de l'O.M.S., une étude d'ampleur nationale sur l'incidence et l'extension des mutilations sexuelles. Le gouvernement des Pays-Bas et la Fédération internationale du planning familial offrirent également leur assistance. Le Dr Asma El Dareer fut nommé responsable de cette étude.

On mit au point deux types de questionnaires, l'un destiné aux femmes, l'autre aux hommes. Ces questionnaires furent testés sur un échantillon de la population. Le Dr Dareer présenta un rapport préliminaire au séminaire de l'O.M.S. de 1979.

Au printemps 1981, le Dr Dareer publia une étude concernant les provinces de Khartoum, du Nil Bleu, de Kassala, de Kordofan et de Darfur. 3 210 femmes et 1 545 hommes avaient répondu aux questionnaires. *82 pour cent des femmes avaient subi la circoncision pharaonique et 12 pour cent étaient partiellement infibulées.* Plus de la moitié des femmes avaient été réinfibulées après la naissance de leur enfant, malgré les complications survenues en cours d'accouchement. Leurs principales raisons étaient de plaire à leur mari et de respecter la tradition. 80 pour cent des maris interrogés voulaient que leurs épouses fussent réinfibulées.

Des sages-femmes traditionnelles, sans aucune formation, effectuent près de 60 pour cent des opérations. 34 pour cent des opérations sont pratiquées par des sages-femmes ayant bénéficié de la formation dispensée par le gouvernement. Les instruments les plus souvent utilisés sont respectivement des couteaux spéciaux, des rasoirs et des ciseaux. Les opinions des personnes interrogées sont significatives. Le Dr Dareer écrit : « Plus de 80 pour cent des femmes interrogées étaient favorables à la poursuite des circoncisions, quel que soit leur type ; cependant les femmes les plus jeunes et les plus éduquées préféraient la circoncision Sunna, ou s'opposaient à toute circoncision.

« Plus de 87 pour cent des hommes interrogés approuvaient les opérations. Les pères prétendaient qu'ils ne se mêlaient pas des affaires de leurs femmes. Cette attitude passive équivaut à une approbation et les rend, selon moi, complices des tortures infligées à leurs filles. »

Le questionnaire comprenait des questions sur les réactions sexuelles, mais seules quelques femmes acceptèrent d'y répondre, car la sexualité est pour elles un sujet tabou : seul l'homme a le droit au plaisir sexuel. Dans leur majorité, les femmes redoutent les rapports sexuels, ce qui a des conséquences graves sur l'équilibre du couple et provoque de nombreux divorces...

L'étude du Dr Dareer recommande de nombreuses mesures dont voici la substance : donner, en premier lieu, une meilleure éducation aux femmes et aux hommes ; persuader les pères d'assumer leurs responsabilités à l'égard de leurs filles, car la circoncision n'est pas « une affaire de femmes ». L'islam doit également prendre clairement position : la plupart des gens s'abritent derrière l'argument de la religion pour justifier les opérations, malgré l'opinion des théologiens. Il faut trouver d'autres sources de revenus pour les sages-femmes qui gagnent leur vie grâce aux opérations. Les mass-media doivent participer à la campagne, la radio surtout, dont les émissions couvrent tout le pays. Il faut également obtenir l'appui de la classe politique et du personnel médical.

Enfin un Comité doit être mis en place, pour coordonner et diriger la lutte contre les opérations. Cette étude[1] est la première en son genre à couvrir une zone géographique aussi étendue, et à obtenir autant de réponses sur l'attitude des hommes. Elle montre que ce sont surtout les hommes qui approuvent les opérations, et que la plupart des maris veulent que leurs femmes soient réinfibulées après l'accouchement. Ces hommes, pourtant, jouissent d'un niveau d'édu-

1. *Woman, why do you weep ? Circumcision and its consequences*, Zed Press, London, 1983.

cation bien plus élevé que celui des femmes qui vivent encore bien souvent cloîtrées dans leurs familles.

Ce sont les pères qui payent pour l'opération et pour les réjouissances qui célèbrent la castration sexuelle de leurs filles. Si les hommes refusaient de payer ces sommes considérables, les circoncisions auraient disparu depuis longtemps.

Selon l'étude du Dr Shandall, les cas de réinfibulation, qui multiplient les souffrances et les complications à l'accouchement, sont en régression. Mais les derniers chiffres du Dr Dareer montrent que *la réinfibulation regagne du terrain, même à Khartoum.* Certains médecins expliquent cette tendance de la façon suivante : les femmes accouchent de plus en plus souvent à l'hôpital, ce qui fait perdre aux sages-femmes traditionnelles une partie de leurs revenus. Ces sages-femmes persuadent les vieilles femmes de la famille de faire réinfibuler la jeune accouchée : elles regagnent ainsi avec la réinfibulation ce qu'elles ont perdu avec l'accouchement.

L'influence des vieilles femmes reste déterminante au sein de la famille : elles croient fermement qu'une jeune fille non infibulée déshonore toute la famille. Une jeune épouse doit vivre dans la famille de son mari. C'est souvent sa belle-mère qui s'occupe des enfants : et elle impose la circoncision à ses petites-filles parfois même contre l'avis de leurs parents. Voici un cas survenu à Khartoum qui illustre bien cette différence de comportement d'une génération à l'autre : « La grand-mère a cinquante-huit ans, elle a eu trois enfants. Elle est une preuve vivante des horreurs de la circoncision pharaonique. Originaire de la tribu des Hadenowa, elle fut infibulée à l'âge de sept ans. A chaque accouchement elle dut subir à nouveau le traumatisme et les souffrances de ce rituel. Elle accouchait selon la méthode traditionnelle, suspendue par les mains, attachées au plafond.

« Chacun de ses accouchements fut une torture : son vagin étroitement cousu se déchirait pour laisser passer l'enfant. Et après chaque naissance, on la recousait à nouveau.

« Sa fille aînée a trente ans. A la différence de sa mère, elle a eu la chance de ne subir que la circoncision Sunna, l'ablation du clitoris. Contrairement aussi à sa mère, son visage n'est pas défiguré par les cicatrices rituelles — qui passaient autrefois pour une marque de beauté.

« Elle a une petite fille de sept ans. La grand-mère estime que la petite-fille doit être circoncise, comme toute fille soudanaise convenable. La mère s'y oppose violemment.

Elle est diplômée d'université, elle a beaucoup voyagé, et elle est révoltée par ces pratiques... »

Théoriquement, la loi soudanaise accorde les mêmes droits aux femmes et aux hommes. Mais si l'on examine la législation de la famille, on s'aperçoit que la répudiation traditionnelle est toujours en vigueur : le mari peut divorcer en proclamant tout simplement, devant témoins, son intention de le faire. Il peut quitter le domicile conjugal sans devoir à sa femme la moindre explication, mais elle n'en a évidemment pas le droit. Les femmes et les hommes prennent leurs repas séparément, les hommes mangent toujours en premier les meilleures parts. Les femmes sont exclues de toutes les réunions sociales hors de la famille.

Selon Mme Nagwa Kamal Farid, la première femme juge en fonction à Khartoum, la cruauté du mari est le principal motif des divorces demandés par les femmes. Les problèmes sexuels et psychologiques engendrés par la circoncision féminine constituent l'autre cause majeure. Toutefois la plupart des femmes se résignent à des situations intenables, car elles ne peuvent supporter l'idée de perdre leurs enfants.

Rose Oldfield Hayes, qui enseigna dans les années 70 à l'université de Khartoum, a analysé le statut des femmes soudanaises, leur situation sociale et économique, dans le contexte de ce système patriarcal. En tant que sociologue, elle n'a vu que peu d'indices pouvant faire espérer l'imminence d'un changement de la situation des femmes.

Les traditions séculaires se perpétuent, pratiquement inchangées. Seules quelques rares femmes privilégiées ont accès à l'éducation. Grâce à cette éducation formelle, cette petite élite de femmes peut participer à la vie économique moderne : elles sont enseignantes dans des écoles de filles, interprètes, journalistes, speakerines à la radio, bibliothécaires, etc. Les apparitions publiques des jeunes femmes sont limitées à quelques événements culturels. Elles s'y rendent en groupe, ou chaperonnées par un de leurs parents. Les déplacements locaux se font en taxi fermé. Les mariages sont arrangés par les familles. Le port de la robe traditionnelle, la tobe, est de rigueur.

La femme évoluée voit sa liberté sérieusement compromise par le mariage... Les hommes de sa famille sont responsables de son comportement, et si, à leurs yeux, elle commet des écarts, ils ont le droit de la punir.

Dans le secteur moderne, là où leur compétence est nécessaire, la condition des femmes commence à évoluer. Mais les femmes des populations musulmanes agricoles ou nomades continuent à vivre comme autrefois : « Dans les sociétés traditionnelles nomades ou semi-nomades du nord du pays, les hommes sont responsables des troupeaux — bétail, chameaux, moutons ou chèvres. Les femmes s'occupent des cultures, des animaux domestiques, de l'installation du campement, de la fabrication et de la réparation des ustensiles... » Les femmes de ces communautés jouissent d'une certaine indépendance économique : elles peuvent vendre leurs produits sur les marchés — paniers, objets en cuir, laitages — et elles ne sont pas confinées dans leurs maisons.

Un rapport sur les tribus de chameliers nomades de la province du nord du Kordofan indique que les femmes sont toutes infibulées sans exception. A l'occasion d'un programme de soins primaires, on a d'autre part découvert de nombreux cas de maladies vénériennes (syphilis et gonorrhée), qui prolifèrent en dépit, ou plutôt à cause, des infibulations. La double échelle des valeurs fait que les femmes contrairement aux hommes n'osent pas aller se faire soigner. Du fait de la polygamie et de la promiscuité, les hommes ont de nombreuses partenaires sexuelles, ce qui contribue à répandre les maladies.

Les filles sont mariées très jeunes : parfois dès l'âge de six ans, mais le mariage n'est consommé que plus tard. La moyenne d'âge de la jeune mariée est de douze à treize ans, quinze ans pour les familles les plus riches.

Un article paru dans *Sudanow*, la revue du ministère de la Culture et de l'Information, analyse la situation des femmes dans le secteur moderne. Dix pour cent des femmes travaillent dans ce secteur, toutes les autres se livrent à des occupations traditionnelles. Les femmes vivant en ville ont plus de choix que par le passé. Mais leur problème majeur est de mener de front la vie professionnelle et la vie familiale. « Il y a très peu d'emplois pour les femmes sans qualification ou sans formation. La pression sociale les exclut de nombreux secteurs : le secteur des services par exemple, les magasins, les restaurants, etc. Au Soudan on considère que ces emplois ne conviennent pas aux femmes, car ils les mettent en contact avec le public et sont incompatibles avec la notion de ségrégation sexuelle.

« L'éducation permet aux femmes d'envisager des carrières professionnelles. Mais la plupart du temps on considère que l'éducation est un élément positif de la vie familiale, plutôt qu'une ouverture sur le monde extérieur. Très peu de femmes exercent réellement une profession. »

Dans les écoles primaires, on trouve deux garçons pour une fille. Dans l'enseignement secondaire, ce rapport devient de trois garçons pour une fille... Le nombre de jeunes femmes qui ont accès à une formation professionnelle est en augmentation. Mais une fois qu'elles sont mariées, et qu'elles ont des enfants, elles n'ont pas le temps de mener de pair leur vie professionnelle et leur vie familiale. En outre : « Selon l'islam, la femme idéale ne devrait pas travailler. Son véritable métier est de faire des enfants... La femme islamique doit être une mère, une épouse ou une sœur...

« Les responsables des mouvements de femmes devraient faire moins de discours sur la participation des femmes, et plus de propositions d'action concrètes... On retrouve le même décalage entre la théorie et la pratique en ce qui concerne la représentation politique... »

En mars 1979, quelques semaines après le séminaire de l'O.M.S., le collège d'Ahfad, la plus ancienne école privée pour filles, fêtait son soixante-quinzième anniversaire. Un symposium fut organisé pour célébrer l'événement. A cette occasion, de nombreux sujets furent abordés : les Soudanaises célèbres, le statut social, économique et politique des femmes, le planning familial, la circoncision féminine.

C'est le débat consacré à la circoncision féminine qui attira le plus de monde. Les orateurs prirent la parole les uns après les autres pour condamner les mutilations sexuelles. Tout le monde était d'accord sur l'objectif : l'abolition de toute forme de circoncision. On débattit également des moyens d'y parvenir. Toutes les femmes estimaient que la propriété devait aller aux mesures éducatives.

En mars 1981 une autre réunion fut organisée au collège Ahfad, par la « Société scientifique Babiker Badri » pour les études féminines. La réunion, à laquelle participait le ministre de la Santé, Khalid Hassan Abbas, portait sur « La suppression de la circoncision féminine au Soudan ». Les travaux de cette réunion furent suivis par de nombreux gynécologues, obstétriciens, sages-femmes, représentants du Conseil national pour le bien-être social.

Les participants demandèrent qu'une campagne d'éducation d'une semaine soit organisée tous les ans. Ils lancèrent un appel aux imams, leur demandant de consacrer leur prêche du vendredi aux effets néfastes de la circoncision. Ils lancèrent également un appel aux ministères de l'Education et de la Santé, ainsi qu'à toutes les associations, leur demandant d'organiser des campagnes d'information. Ils demandèrent enfin le soutien de l'Union socialiste soudanaise. Tous les participants signèrent une déclaration *contre* la circoncision. La Société Babiker Badri, responsable de l'application des recommandations du groupe de travail, proposa un programme d'action comprenant la réalisation d'un film. On souhaite vivement que la Société Babiker Badri réussisse là où tant d'autres ont, pour l'instant, échoué.

Nous devons ajouter ici que le problème de la sexualité, des conséquences des opérations sur le plaisir sexuel de la femme, ne fut jamais réellement abordé lors du séminaire de l'O.M.S., ni lors d'autres réunions. L'étude du Dr Shandall, qui a questionné plusieurs maris de femmes infibulées, montre pourtant que beaucoup d'hommes prennent une seconde épouse parce que leur première épouse n'arrive plus à dissimuler la souffrance terrible que lui infligent les rapports sexuels. Mais au Soudan la sexualité est un sujet tabou, et l'on n'en parle jamais ouvertement. Ceux qui ont des problèmes sexuels préfèrent les cacher de peur de compromettre leur statut au sein de la communauté. De ce fait, les problèmes sexuels résultant des mutilations génitales restent méconnus, bien qu'ils pèsent lourdement sur la vie de la plupart des familles.

Le planning familial a fait récemment son apparition à Khartoum : en 1978 on organisa un séminaire sur « L'éducation familiale », pour débattre du « problème le plus délicat jamais abordé par une conférence soudanaise : l'éducation sexuelle ». Lors de ce séminaire strictement académique, une seule intervenante, Mme Awatif Bashir, infirmière, se prononça en faveur de l'éducation sexuelle. Elle évoqua le nombre croissant de femmes souffrant de dépressions nerveuses qui devaient être attribuées à des problèmes sexuels.

Au Soudan comme partout ailleurs, l'excision et l'infibulation permettent aux hommes de contrôler la sexualité et la fécondité des femmes. C'est pour cela que les hommes veulent à tout prix maintenir les femmes dans l'ignorance des faits concernant la sexualité. Car, en apprenant la vérité sur leur sexualité, les femmes découvriraient en même temps l'oppression et l'exploitation qu'elles subissent. Au lieu de cela, on leur apprend à croire à des mythes inventés par les hommes pour servir le pouvoir mâle.

Voici l'histoire typique d'une femme soudanaise, un exemple parmi d'autres des cas tragiques qui abondent dans les dossiers médicaux des gynécologues soudanais : « Je fus infibulée à l'âge de cinq ans. Aujourd'hui encore, je n'ai rien oublié — l'horrible souffrance, le fait d'être restée couchée pendant plusieurs semaines, les jambes liées. Je souffrais tellement que je n'ai pas arrêté de pleurer. Je ne pouvais pas comprendre pourquoi on m'avait fait cela. Quand j'ai eu douze ans, mes tantes m'ont examinée. Elles ont décidé que je n'étais pas assez fermée. Elles m'ont amenée chez une sage-femme, à quelques rues de chez nous. Quand j'ai compris où nous allions, j'ai essayé de fuir... Mais elles n'ont pas lâché prise, et elles m'ont traînée jusque chez la sage-femme. J'appelais au secours, je me débattais, mais je n'étais pas assez forte.

« Elles m'ont couchée et m'ont mis un chiffon dans la bouche pour m'empêcher de crier. Puis elles m'ont coupée à nouveau. Et cette fois-ci la sage-femme vérifia que j'étais bien fermée.

« Elles me ramenèrent à la maison. Je souffrais atrocement. J'avais les jambes liées, je ne pouvais pas bouger. Je ne pouvais pas uriner, mon estomac a enflé. J'avais tantôt très chaud, tantôt très froid. C'était pendant la saison sèche, quand tout le monde a du mal à respirer à cause des tempêtes de sable. Je ne sais pas combien de jours je suis restée couchée. Puis la sage-femme revint. Je me suis mise à hurler de toutes mes forces : je croyais qu'elle allait encore une fois me couper. J'ai perdu connaissance. Je me suis réveillée à l'hôpital. J'étais entourée de femmes en train de gémir. J'étais terrorisée. Je ne savais pas où j'étais. Je souffrais atrocement. Mes jambes et mon sexe étaient enflés.

« Plus tard on m'apprit qu'on avait dû rouvrir l'infibulation pour permettre à l'urine et au pus de sortir. Je me sentais très faible, je voulais mourir. Comment ma mère avait-elle pu me faire ça ? Qu'avais-je fait pour mériter toute cette souffrance ?

« Des années ont passé. Les médecins m'ont dit que je ne pourrais jamais avoir d'enfants, à cause de l'infection. Je ne peux donc pas me marier : personne ne veut d'une femme stérile. De toute façon, je ne voulais pas me marier, parce que j'ai toujours peur, toujours mal. Je reste à la maison et je pleure. Je regarde ma mère et mes tantes et je leur pose cette question : " Pourquoi m'avez-vous fait cette chose terrible ? " »

SOUDAN : données économiques et statistiques

Le Soudan est le plus vaste des pays africains. Il est subdivisé en 15 provinces.

Climat : Varié/Chaud. Khartoum : région désertique.
Population : 18,4 millions (1978). Croissance annuelle : 2,8 %.
Espérance de vie : Quarante-sept ans. Mortalité infantile : 141/1000.
Gouvernement : Exécutif : président. Parti politique : Union socialiste soudanaise, Assemblée du peuple. Indépendance : 1er janvier 1956.
Ethnies : arabo-africains, nilo-africains.
Langues : arabe ; anglais.
Religions : islam (70 %), animiste (25 %), chrétienne (5 %).
Alphabétisation : 20 % (moins pour les femmes).
Education : Fréquentation : garçons de six à onze ans (38 %) ; filles de six à onze (20 %).
Revenu annuel par habitant : (1978) 370 dollars U.S.
Economie : Coton, gomme arabique, bétail, produits agricoles. Balance commerciale déficitaire.

La Somalie

Edna Adan Ismail était déléguée de la Somalie lors de la Conférence régionale africaine (Zambie, 6 décembre 1979) pour la préparation de la Conférence mondiale de la Décennie des Nations unies pour la Femme qui devait se tenir à Copenhague en juillet 1980. Edna Adan Ismail, qui a fait ses études de sage-femme à Londres, a dirigé pendant de nombreuses années la formation des sages-femmes au ministère de la Santé.

Voici une partie du discours qu'elle a prononcé à Zambie : « ... Les petites filles sont opérées entre cinq et huit ans. Les opérations peuvent être individuelles ou collectives. La petite fille doit s'accroupir sur un tabouret ou sur une natte. Une femme la tient par-derrière, immobilisant ses bras. Deux autres femmes tiennent ses jambes pour l'empêcher de résister.

« L'opératrice s'assied devant la petite fille et lui coupe le clitoris, les petites lèvres et les parois internes des grandes lèvres à l'aide d'une lame de rasoir.

« A l'aide de trois ou quatre épines elle perce les bords opposés des grandes lèvres, puis elle attache les épines entre elles avec une ficelle ou un bout de chiffon.

« Elle enduit alors la plaie d'un mélange de sucre, de gomme et de myrrhe. Le sang se mélange à cette pâte qui colle au chiffon et aux épines et finit par former une croûte qui enraye le saignement.

« Les jambes de la petite fille sont ensuite attachées, des pieds jusqu'aux hanches. On la fait s'étendre sur le côté. On cautérise la plaie, et on y applique des herbes qui sont censées avoir des vertus hémostatiques et curatives. Pour éviter que la petite fille n'aille trop souvent à la selle, on lui impose un régime alimentaire strict. De même elle n'a le droit de boire que quelques gorgées à la fois.

« On fait de nombreuses fumigations pour chasser aussi bien les mauvais esprits que les mauvaises odeurs. »

Edna Ismail décrit ensuite les problèmes résultant des opérations : « Comme vous pouvez l'imaginer, les complications sont nombreuses : traumatisme provoqué par la peur, la souffrance, l'hémorragie. Importantes déchirures du vagin, de l'urètre et parfois du rectum. L'importance de l'hémorragie impose souvent l'hospitalisation de la petite fille.

« Dans les dix jours qui suivent l'opération, il faut surtout redouter l'infection, éventuellement le tétanos. La rétention urinaire est une complication courante. En effet l'urètre est recouvert par un mélange de peau, d'épines et de caillots sanguins et la plaie elle-même est enflée, obstruant la petite ouverture ménagée pour l'écoulement des urines.

« L'infibulation peut échouer quand les parois des grandes lèvres ne réussissent pas à adhérer. Dans ce cas on recommence en général toute l'opération.

« Au moment du mariage la pénétration violente de la cicatrice peut provoquer des déchirures du périnée, de l'urètre, parfois même du rectum, si le mari se sert d'un couteau.

« A l'accouchement les tissus cicatriciels externes ont perdu toute élasticité. Il faut les inciser pour permettre le passage de l'enfant. Là aussi, il y a risque d'infection. A chaque accouchement la femme devra endurer cette souffrance supplémentaire et inutile.

« Parmi les autres complications citons les fistules recto-vaginales et vésico-vaginales qui provoquent l'incontinence ; les prolapsus de la vessie, du rectum et de l'utérus ; les inflammations pelviennes, dues à la rétention de l'urine et du sang menstruel. Il y a un risque permanent de cystite, de vaginite, et d'autres infections qui peuvent se transformer en une inflammation pelvienne chronique provoquant la dysménorrhée (menstruation douloureuse) et la stérilité.

« L'équilibre mental de la petite fille est compromis pour le restant de ses jours. Bien avant l'opération, on la terrorisait déjà en lui racontant d'horribles histoires liées à l'infibulation. D'autre part, les filles déjà opérées insultent celles qui ne le sont pas encore, et les traitent " d'impures ".

« C'est dans cet état d'esprit, où se mélangent la terreur et le sentiment d'infériorité, que la petite fille se présente à son tour pour être opérée. La plupart de ses blessures physiques finiront par guérir, même si elles continuent à la gêner et à la faire souffrir. Mais ses blessures psychologiques ne feront que s'aggraver tout au long de sa vie.

« Le petit filet d'urine qu'elle expulse à grand-peine est là pour lui rappeler l'opération qu'elle a subie. Quand viennent ses règles avec leurs douleurs et leurs odeurs, elle doit à nouveau se souvenir de son martyre. Quand elle se marie, on doit ouvrir son infibulation pour que l'union puisse être consommée : c'est un véritable supplice. Supplice encore, la naissance du premier enfant. Et la femme sait parfaitement que tous ses autres accouchements seront aussi pénibles [1]. »

Les petites filles somaliennes, presque sans exception, sont toujours soumises à l'opération décrite par Edna Adan Ismail, comme me le confirma lors de ma récente visite à l'hôpital Bénadir pour femmes et enfants de Mogadishu, une religieuse italienne qui y travaille comme sage-femme.

Cependant, à Mogadishu, la capitale, et dans d'autres villes de Somalie, l'opération a été « modernisée ». Des infirmiers somaliens, spécialement formés, la pratiquent dans certains hôpitaux gouvernementaux : les garçons sont circoncis, et les petites filles excisées et infibulées, de façon « hygiénique ». Le Dr Pieters écrit : « Tous les dimanches (le dimanche n'est pas un jour férié pour les musulmans), on pratique à l'hôpital général de Mogadishu une quinzaine de circoncisions de petits garçons et à peu près autant d'infibulations de petites filles. Dans la salle d'opération principale de l'hôpital, une équipe d'infirmiers opère les garçons et une autre équipe, les filles. Les parents accompagnent les petites filles, âgées de quatre à huit ans, jusqu'à la porte du bloc chirurgical. Pendant l'opération, ils attendent dehors. Dans la grande salle d'opération, deux infirmiers portant blouse, masque et gants attachent la petite fille en position gynécologique, les jambes écartées, à l'une des trois tables d'opération. L'enfant est d'abord désinfectée au mercurochrome. On lui fait une anesthésie locale : quatre injections dans les petites lèvres et sous le clitoris. Mais cela ne suffit pas pour supprimer la douleur. Les petites lèvres sont ensuite bridées puis coupées à l'aide de ciseaux chirurgicaux. L'ensemble du clitoris est ensuite excisé. " C'est ce nerf-là qu'il faut enlever ", expliqua l'un des infirmiers.

1. Voir aussi : Jacques Lantier, *La Cité magique*, *op. cit.*, pp. 277-279, et Annie de Villeneuve, « Etude sur une coutume somalie : les femmes cousues », *Journal de la société des africanistes*, tome VI, Paris, 1937, pp. 15-32.

« L'hémorragie est en général limitée et épanchée avec des compresses. Les deux côtés sectionnés sont ensuite mis en contact sur toute leur longueur (2 à 3 cm), suturés avec du catgut, puis cousus avec un fil de soie, en 5 à 8 points. L'infirmier explique qu'il est important de ne pas laisser une ouverture plus grande que la pointe d'un crayon. Après une autre désinfection locale, la petite fille, qui a pleuré et hurlé, est rendue à ses parents qui payent l'opération et la ramènent à la maison. Parfois, l'enfant reçoit une piqûre de pénicilline pendant deux jours de suite. Mais les complications surviennent rarement tout de suite après l'opération. »

Le Dr Pieters ajoute que dans les villes, les familles prospères s'adressent à des médecins privés, qui opèrent leurs petites filles sous anesthésie générale. Ceux qui ont des parents au village font opérer leurs enfants selon les méthodes traditionnelles. Mais dans tous les cas, les opérations n'ont pas d'implications religieuses, et ne sont accompagnées d'aucun rituel. Interrogé sur son expérience en Somalie, le Dr Pieters dit : « Tout ce que je décris dans mon article, je l'ai vu de mes propres yeux. Je peux y ajouter ceci : en Somalie, toutes les petites filles sont infibulées entre quatre et huit ans. Malgré ses conséquences désastreuses sur le plan psychologique, cette coutume séculaire reste universelle. »

Lors de la Conférence des Nations unies sur l'habitat humain qui s'est tenue à Vancouver en juillet 1976, la délégation somalienne avait à sa tête M.A.J. Abdille, directeur de l'Agence somalienne pour le développement de l'habitat. M. Abdille a prononcé un discours enflammé sur les succès de la modernisation entreprise par son gouvernement. Il a évoqué « l'abolition de croyances traditionnelles néfastes », comme le tribalisme qui fut le principal obstacle à l'unité du pays. « Notre révolution d'octobre 1969 veut construire une nouvelle société socialiste, fondée sur la justice sociale, la confiance en soi, l'effort, et surtout l'abolition de l'exploitation de l'homme par l'homme... »

Abdille énuméra ensuite un certain nombre de mesures : la participation populaire, les programmes d'auto-assistance, le rôle des femmes et de la jeunesse, l'abolition de l'analphabétisme et des croyances traditionnelles néfastes. Une campagne nationale d'alphabétisation fut lancée récemment.

Lors d'une entrevue privée, qui a suivi ce discours, j'ai interrogé M. Abdille sur la situation des femmes en Somalie — sa délégation était composée exclusivement d'hommes.

Il m'a dit que la campagne d'alphabétisation avait eu un grand succès et que sa propre femme, mère de six enfants, dont deux filles, venait d'apprendre à lire. Je l'ai aussi interrogé sur d'autres traditions du type de celles dont il parlait dans son discours. « Oui, le gouvernement met l'accent sur la modernisation et le changement », m'a-t-il répondu.

Je l'ai ensuite interrogé sur la santé des femmes et sur l'infibulation. Je lui fis d'abord comprendre que je connaissais parfaitement la question et qu'il perdrait son temps à essayer de me convaincre que ces opérations n'existaient plus, comme de nombreux Africains tentent de le faire. Mais cela ne le gênait pas du tout d'aborder le sujet. « Oui, cela va de soi, toutes les Somaliennes sont infibulées. » Et sa femme ? « Naturellement. Elle a été infibulée quand nous nous sommes mariés. Mais c'était il y a longtemps. » Et ses deux filles ? « Bien sûr. Je les ai fait infibuler. — Pourquoi ? » Ma question l'a pris de court. « Mais tout le monde le fait. Aucun doute là-dessus. Bien sûr qu'on le fait. — Tout le monde ? Tous les responsables du gouvernement ont fait infibuler leurs filles ? — Oui c'est la coutume. »

Alors il voulait en finir avec les coutumes ? A nouveau il fut surpris par ma question. « Oui, mais pas celle-là. C'est une coutume très ancienne. Vous savez comme les gens s'accrochent à leurs traditions. » Je lui ai finalement demandé si l'opération était pratiquée dans les hôpitaux gouvernementaux. Si c'était le cas, ce n'était plus alors une question de coutume. « En effet, répondit-il, mais il vaut beaucoup mieux que l'opération se passe à l'hôpital. — Pourquoi ne pas renoncer à cette tradition ? » De toute évidence, cette idée ne lui était jamais venue à l'esprit. « Peut-être l'O.M.S. et l'UNICEF peuvent-ils vous aider », lui ai-je suggéré, puisqu'on était à une Conférence des Nations unies. « Mais nous ne voulons pas qu'on nous aide ! Personne ne veut qu'on touche à cette coutume-ci. »

Lors de la Conférence des Nations unies pour l'Année internationale de la femme, qui s'est tenue à Mexico en 1975, les progrès de la condition des femmes somaliennes furent décrits en des termes radieux. Mme Marian Haji Elmi, qui dirigeait la délégation somalienne, expliqua quelques-unes des nouvelles mesures : « Dès ses débuts, la révolution somalienne de 1969 comprit le rôle et la contribution des femmes, et commença à appliquer le principe de l'égalité... En 1971, un décret présidentiel a fait de l'Organisation des femmes de Somalie l'une des grandes composantes du bureau politique. Un Comité central comprenant quinze femmes fut créé dans chaque district.

« ... On promulgua également une importante législation de la famille : égalité en matière de mariage, de divorce, d'entretien de la famille, d'héritage. Des dispositions spécifiques limitent la polygamie. L'âge du mariage est fixé à dix-huit ans. La femme et l'homme peuvent tous deux prendre l'initiative d'une procédure de divorce. Depuis janvier 1975, les femmes ont les mêmes droits que les hommes en matière de propriété.

« Entre 1974 et 1975 le gouvernement a lancé une importante campagne pour l'alphabétisation des femmes. » Jusque dans les années 60 il n'y avait aucune école pour filles. Mais les chefs religieux musulmans se mirent à prêcher dans les mosquées contre l'éducation des femmes, en opposition aux décrets gouvernementaux. Après plusieurs avertissements, le gouvernement fit exécuter publiquement cinq cheiks (dix, selon d'autres sources) pour incitation à la désobéissance. Cela se passait en 1975 et, depuis, cette opposittion a cessé.

Le gouvernement a besoin des femmes pour des travaux de secrétariat et d'autres tâches administratives. C'est la raison de cette campagne pour l'éducation. On encourage également les jeunes filles, toujours dans le cadre du programme de modernisation, à faire leur service militaire. Mais les petites filles sont toujours infibulées. C'est la tradition qui l'exige.

Aujourd'hui, les opérations dans les hôpitaux se poursuivent, comme me l'a confirmé M. Abdille en 1976, et M. Abdiraza Haji Hussein, ambassadeur de la République démocratique somalie auprès des Nations unies, en 1978. L'ambassadeur a répondu a mes questions sans aucune hésitation : toutes les petites filles sont infibulées. L'opération a lieu à l'hôpital, chaque fois que c'est possible. Et puisque c'était une interview pour *Win News*, l'ambassadeur a conclu fièrement : « Vous savez, bien entendu, qu'en Somalie, les femmes jouissent de l'égalité des droits. »

En général, les Africains dissimulent soigneusement les mutilations sexuelles et n'en parlent qu'avec réticence. Mais les responsables somaliens abordent volontiers le sujet. J'ai eu l'impression que le fait que ces opérations se déroulent dans les hôpitaux, était pour eux une des grandes conquêtes du programme de développement.

A la suite de cette interview, j'ai envoyé une lettre de remerciement à l'ambassadeur. Voici quelle en était la conclusion : « Nous savons que la Somalie a réussi à abolir d'autres pratiques traditionnelles néfastes... Nous exigeons que vous bannissiez de même les mutilations sexuelles subies par les petites filles de votre pays. Ces mutilations constituent une violation flagrante des droits de l'homme... »

Le témoignage du Dr Pieters montre ce qu'est la vie des femmes somaliennes. Il faut toutefois préciser que seules de rares femmes peuvent consulter un médecin ou se rendre à l'hôpital, dans la mesure où la majorité de la population se déplace en suivant ses troupeaux. Voici un résumé des observations du Dr Pieters : « En général les femmes se marient entre douze et quinze ans. La mère surveille attentivement le début de la menstruation. Mais c'est le père qui dispose de sa fille et c'est lui qui la vend. Le prix, discuté entre les familles, peut être réglé en espèces ; mais chameaux, boucs ou moutons constituent aussi des moyens de payement. Une fois le prix fixé, la mère ou la sœur du futur mari examine la jeune fille pour s'assurer qu'elle est vierge, c'est-à-dire " fermée ".

« Si tout est en ordre, le mari peut prendre possession de la jeune fille. Mais, quelle que soit sa virilité, il ne peut pas franchir l'obstacle : il faut ouvrir la jeune fille d'abord. Cette tâche est réservée à l'une des tantes. On se sert en général d'un " petit couteau ". La dimension de l'ouverture doit tout juste permettre la pénétration. Pour empêcher la blessure de se refermer, les rapports sexuels doivent être fréquents pendant les premières semaines suivant le mariage. Après quelque temps, les bords de l'ouverture se cicatrisent. Les hommes qui ne veulent pas imposer à leur femme cette ouverture brutale au couteau, doivent attendre plusieurs semaines avant de pouvoir consommer le mariage... Il arrive que la jeune fille refuse le mariage : on l'ouvre alors de force... »

Comme le veut la loi musulmane, la polygamie est de règle. Le divorce, à l'initiative de l'un ou de l'autre des conjoints, semble fréquent. Mais, apparemment, la femme divorcée doit être infibulée à nouveau pour que son prochain mari puisse être sûr d'être le père véritable de ses enfants. Elle doit également attendre quelques mois avant de se remarier, le temps de vérifier qu'elle n'est pas enceinte de son ex-mari. La femme divorcée réintègre la famille de son père, qui négocie un nouveau mariage et la revend une fois de plus. Parfois, quand la mariée est très jeune et que le mari a déjà plusieurs femmes, le mariage n'est pas consommé. Selon le Dr Pieters, les femmes peuvent divorcer aussi facilement que les hommes : mais dans ce cas, il faut rembourser une partie de la dot.

De tels arrangements familiaux existent dans toute l'Afrique musulmane. Mais en général les femmes ont énormément de difficultés pour obtenir le divorce. Une des patientes du Dr Pieters en était à son cinquième divorce. Elle avait pris l'initiative de cette dernière séparation parce qu'elle ne s'entendait pas avec la première épouse de son mari. Elle s'est remariée pour la sixième fois, avec un homme qu'elle aimait, mais dont elle n'avait pas d'enfant. Cet homme avait déjà cinq enfants, de ses deux épouses précédentes. De ces cinq enfants, trois étaient morts. Elle était heureuse de ces treize ans de mariage pendant lesquels son mari avait pris cinq autres épouses. Un autre cas : une femme de vingt-cinq ans, venue consulter le docteur pour des problèmes de grossesse, avait été mariée quatre fois et attendait son quatrième enfant.

Avant d'accoucher, la femme doit être ouverte à nouveau : l'ouverture pratiquée pour les rapports sexuels est trop petite pour permettre le passage de l'enfant. Après la naissance, sa vulve est recousue, comme dans l'infibulation originelle. Ses jambes sont à nouveau liées jusqu'à la cicatrisation. Une fois son bébé sevré, elle sera rouverte, avec toujours le même petit couteau, pour pouvoir avoir des rapports sexuels. Et ainsi de suite. Ce petit couteau joue un rôle primordial dans la vie des femmes somaliennes.

Pour une femme somalienne, « faire l'amour » — comme nous disons — représente une souffrance inouïe. Mais elle doit s'y soumettre car elle veut avoir des enfants. Les femmes somaliennes passent leur vie à souffrir : enfants, elles doivent subir l'infibulation. Puis c'est le supplice de l'ouverture et des rapports sexuels et la torture de l'accouchement. Chacun de ses enfants rappelle à la femme cette terrible douleur. Et elle sait que ses filles sont promises aux mêmes souffrances pendant toute leur vie.

Il faut que les hommes de Somalie nous répondent : pourquoi ces tortures, dont ils sont responsables ? L'homme trouve-t-il vraiment son plaisir à imposer ces souffrances absurdes à ses femmes et à ses enfants ? Qu'est-ce que ça lui rapporte ? Et pourquoi la plupart des hommes occidentaux gardent-ils le silence ? Car le Dr Pieters est une exception.

Récemment, par suite d'un changement de la politique

somalienne, les Etats-Unis offrirent leur assistance à la Somalie qui l'accepta. Un des premiers programmes à être mis en route, avec l'assistance de l'U.S./A.I.D., consistait dans la mise en place d'un vaste réseau sanitaire dans les zones rurales, comprenant la formation du personnel médical : « Ce projet a pour but d'aider le ministère de la Santé du gouvernement de la République démocratique de Somalie, à mettre en place un réseau de soins primaires, pour les populations pauvres des zones rurales et pour les populations nomades de Somalie... Dans cinq ans 800 000 personnes dans quatre régions de Somalie devraient pouvoir bénéficier de ces soins. »

Par la suite, ce programme devrait être étendu à l'ensemble du pays. En mars/avril 1979, l'U.S./A.I.D. a envoyé en Somalie un groupe d'experts. Leur rapport fait le point sur les problèmes sanitaires, sur les besoins en ce domaine et sur les institutions concernées. La seconde partie du rapport formule des recommandations. Ce rapport parle aussi des besoins des femmes. Mais il ne dit pas un mot de l'infibulation, qui est pourtant la cause principale de la mortalité maternelle et infantile.

Les experts américains sont restés en Somalie pendant six semaines. Ils ont visité tous les hôpitaux, y compris les maternités. Dans tous ces hôpitaux ils ont pu voir des femmes et des petites filles qui souffraient des conséquences de l'infibulation. Mais leur rapport passe complètement sous silence l'existence des mutilations sexuelles.

Un entretien téléphonique avec le Dr J.S. Prince, qui dirigeait le groupe des experts, nous a appris que le docteur avait passé de nombreuses années en Afrique. Je lui ai demandé pourquoi la rubrique « Problèmes sanitaires » mentionne tout, sauf l'infibulation, qui affecte l'ensemble des femmes somaliennes, soit 50 pour cent de la population. Le Dr Prince m'a répondu : « Oui, on aurait peut-être dû en dire un mot. » Puis il est reparti pour une autre mission. Mais le rapport est resté tel quel.

En refusant de considérer les mutilations sexuelles comme un problème sanitaire, les programmes internationaux d'assistance dans le domaine de la santé et du planning familial permettent à ces mutilations de se perpétuer et de se répandre dans toute l'Afrique. Les omissions de l'U.S./A.I.D. peuvent être facilement interprétées par le gouvernement somalien comme un consentement.

L'U.S./A.I.D. envoya une seconde mission en Somalie, en

1978. Tous les membres de la mission reçurent un dossier préparé par *Win News* sur les mutilations génitales, ainsi qu'un mémorandum : « Ces documents montrent l'étendue et les conséquences de la circoncision féminine en Somalie et dans les pays limitrophes... Nous demandons que dans son rapport, la mission fasse part de ses observations et de ses propositions, si elle en formule, pour une action officielle du gouvernement de la République démocratique de Somalie visant à mettre un terme à ces pratiques. Il serait fort utile que la mission formule des recommandations à l'U.S./A.I.D. et au gouvernement des Etats-Unis, pour leur faire adopter une attitude appropriée et réaliste face à la circoncision féminine... »

Le rapport de cette seconde mission fut publié en janvier 1979. Le budget proposé, plus de 14,5 millions de dollars sur une période de cinq ans, en fait l'un des plus importants programmes d'assistance sanitaire financés par les Etats-Unis sur le continent africain. Voici la réponse au mémorandum figurant dans le projet : « Considérant l'importance du phénomène et les conséquences sanitaires de cette coutume universellement pratiquée, le gouvernement y est officiellement et fermement opposé. Une commission, comprenant les ministères de la Santé, de l'Education, et de la Religion, ainsi que l'Organisation démocratique des femmes de Somalie, étudie le problème. L'Organisation estime qu'il serait prématuré de promulguer des lois prohibant cette coutume et qu'il faut d'abord organiser une campagne d'éducation de masse, condamnant cette pratique, car une loi ne peut être acceptée que si les comportements ont déjà évolué...

« La position officielle du gouvernement, et l'opinion des hommes et des femmes évolués des zones urbaines, condamnent la circoncision. Mais la notion des droits de la femme ne progresse que très lentement dans les zones rurales. L'extension des services et de la formation sanitaires, avec l'assistance de l'U.S./A.I.D. est un premier pas dans le sens d'une évolution des comportements traditionnels par rapport à des coutumes comme la circoncision, qui mettent en danger le bien-être des femmes et des enfants. »

Cependant le rapport ne donne aucune indication sur les mesures concrètes à prendre dans le cadre de ce plan destiné tout spécialement aux zones rurales. Il ne dit pas non plus comment prendre en charge les problèmes sanitaires provoqués par les mutilations, ni comment prévenir la poursuite des opérations dans les régions où le plan sera mis en œuvre, en accord avec les objectifs que s'est fixé la commission pour l'abolition de la circoncision, organisée par le gouvernement somalien.

Les membres de l'Organisation démocratique des femmes de Somalie sont chargés de la coordination des travaux de la commission. Mais ces représentantes ne furent jamais consultées par la mission américaine. Au séminaire de Khartoum en 1979, les élues de l'Organisation ignoraient tout de ce plan. Et elles n'en savaient pas plus lors de la Conférence de Copenhague en 1980. En mettant au point cet important programme d'aide sanitaire l'U.S./A.I.D. a complètement ignoré l'Organisation des femmes. Et aujourd'hui, alors que le programme se met en place, l'équipe sanitaire de l'A.I.D. n'a pas associé l'Organisation des femmes à son application.

En 1979, lors du séminaire de Khartoum, le Dr Warsame, directeur de l'hôpital Bénadir pour femmes et enfants de Mogadishu, a déclaré que son hôpital dépensait à lui seul, plusieurs centaines de milliers de shillings somaliens par an, pour traiter les conséquences des infibulations : aussi bien des complications postopératoires immédiates, que des complications survenant au moment de l'accouchement.

Tout médecin, toute équipe sanitaire travaillant en Somalie connaît ces faits. L'inaction de l'U.S./A.I.D. n'en est que plus surprenante. Ses programmes d'assistance sanitaire ne comprennent aucune mesure préventive appropriée, allant dans le sens des souhaits de la commission gouvernementale pour l'abolition des mutilations.

L'Organisation démocratique des femmes de Somalie est une organisation politique, implantée dans tout le pays. Elle a pour objectif la mobilisation de l'ensemble des femmes.

A Mogadishu l'Organisation dispose de son propre immeuble, où sont préparées les actions d'envergure nationale.

J'y fus chaleureusement accueillie, quand je me suis rendue en Somalie, après le séminaire de Khartoum. L'Organisation, en collaboration avec le Dr Warsame de l'hôpital Bénadir, avait organisée un meeting à l'Ecole de médecine sur la circoncision féminine. Je fus invitée à prendre la parole, pour résumer le contenu de ma communication au séminaire de Khartoum.

Les journaux et la radio avaient annoncé le meeting : la salle était pleine. Outre la vice-présidente de l'Organisation des femmes et le Dr Warsame, un représentant du ministère de la Justice et de la Religion ainsi que plusieurs médecins prirent la parole.

Ces interventions furent suivies de questions posées par le public. Et, malgré la chaleur, la discussion se prolongea tard dans la nuit. Des participants, parmi lesquels se trouvaient beaucoup de sages-femmes et de médecins, ont décrit les difficultés qu'ils rencontraient quand ils essayaient de soustraire leurs propres enfants aux mutilations. Les jeunes filles non opérées sont mises en quarantaine par leurs camarades de classe et leurs amies. On les accable de sarcasmes, de moqueries, on leur reproche de ne pas être propres. En fin de compte, poussées à bout, de nombreuses jeunes filles demandent à leurs parents de les faire opérer.

Une sage-femme a décrit ce dilemme : qu'elle soit ou non opérée, la jeune fille est toujours une victime. « Je ne peux pas sacrifier mon enfant. D'une manière ou d'une autre, elle devra souffrir. Alors qu'est-ce que je peux faire ? demanda-t-elle. En tant que sage-femme je connais les conséquences médicales catastrophiques de ces opérations. Mais en tant que mère je sais que ma fille souffrira d'être moquée, insultée, rejetée par ses amis. Et elle aura à affronter des problèmes encore plus graves quand la famille de son futur mari la rejettera. Comment mettre un terme à ces opérations tant que nous savons, qu'à moins d'être opérées, nos filles ne trouveront pas de maris et que leur vie en sera brisée ? »

Même la plupart de ceux qui vivent et travaillent à Mogadishu, la capitale du pays, restent convaincus de la nécessité des opérations, en dépit de tous les arguments contraires.

Le Dr Warsame a expliqué comment certaines personnes — dont sa propre famille — firent face à ce problème, aggravé par le fait que toutes les jeunes filles de Mogadishu vont désormais à l'école. Il est impossible que les enfants gardent le secret, et la majorité des jeunes filles a été élevée dans l'idée que les mutilations sont essentielles à leur statut et à leur insertion sociale. Pour protéger leurs enfants, un groupe de parents refusant l'opération a constitué une organisation d'entraide. Les jeunes filles sont mises en contact avec d'autres jeunes filles non opérées, pour se soutenir mutuellement. Quand on les provoque, quand on leur reproche leur saleté et leur mauvaise conduite, elles doivent répondre : « Nous valons mieux que vous parce que nous sommes intactes, alors que vous êtes coupées. Nous sommes telles qu'Allah nous a faites. » Ce groupe d'entraide des enfants grandit au fur et à mesure que l'opposition aux mutilations gagne du terrain, notamment parmi les employés du secteur de la santé.

On nous dit que l'éducation est le meilleur moyen de faire évoluer les choses. Mais l'éducation progresse avec une lenteur désespérante, et pose des cas de conscience douloureux aux personnes concernées.

Les dirigeants somaliens ont rejeté les pratiques tribales traditionnelles qui menaçaient l'unité de leur société. Ils doivent prendre également des mesures politiques pour rejeter les pratiques de mutilations sexuelles qui menacent la santé de leur société. La Somalie a récemment accueilli plus d'un million et demi de réfugiés d'Ethiopie, bien que les ressources économiques du pays ne lui permettent même pas de subvenir aux besoins de sa propre population. Ce sont pour la plupart des femmes et des enfants abandonnés par les hommes de leurs familles qui se sont enfuis ou sont restés en Ethiopie pour se battre. Vingt-deux camps ont été installés, avec l'aide du haut-commissariat pour les réfugiés des Nations unies et d'autres organisations internationales. L'Organisation des femmes a été chargée d'apporter son aide aux femmes réfugiées, en particulier pour leur trouver un nouveau foyer dans des familles somaliennes. Selon ses rapports, plus de 800 000 femmes et enfants ont été pris en charge. Lors de la Conférence de Copenhague, Maryan Mohamud, la secrétaire de l'Organisation, déléguée aux Affaires étrangères, a déclaré : « Nous élaborons des plans économiques pour essayer de trouver une solution au problème des réfugiés. »

De ce fait, toute campagne organisée pour mettre fin aux mutilations sexuelles doit être remise à plus tard. Et cela, bien que les réfugiés, qui sont pour la plupart d'ethnies somalies, continuent à mutiler leurs propres enfants, avec les conséquences désastreuses que l'on sait.

SOMALIE : données économiques et sociales

Somalie : République démocratique de Somalie.
Capitale : Mogadiscio.
Climat : chaud et sec, avec vents de mousson saisonniers.
Population : 3,9 millions (1979). Croissance annuelle : 2,3 %.
Gouvernement : Régime militaire depuis octobre 1969. Date de l'Indépendance : 1er juillet 1960. Constitution : août 1979. Président élu. Conseil suprême révolutionnaire.
Ethnies : 98,8 % somalis, 1,2 % arabes.
Langues : somali, arabe, anglais, italien.
Religion : musulmane à 99 %.
Alphabétisation : 5-10 %.
Revenu par habitant : 70 dollars U.S.
Economie : produits agricoles.

Le Kenya

Quand on discute de la circoncision féminine en Afrique, on finit tôt ou tard par parler du Kenya, et des vains efforts faits par les Anglais, depuis les années 20 jusqu'à l'indépendance, pour persuader les Kényens de renoncer à ces pratiques. Les Anglais ont échoué : la plupart des jeunes filles du Kenya continuent à subir des mutilations sexuelles. Depuis l'indépendance toutefois et jusqu'en 1982, il n'y a plus eu de débat public sur cette question. De temps en temps la presse en parle : pour annoncer par exemple qu'une jeune villageoise est morte des suites d'une opération. Mais personne au Kenya n'a envie de s'étendre sur le sujet. Des femmes occupant de hautes fonctions gouvernementales à Nairobi vont jusqu'à nier l'existence même des opérations. Tout prouve cependant qu'*aujourd'hui encore plus des deux tiers des petites filles du Kenya sont excisées.* Et dans les familles appartenant à des ethnies somalies, les filles sont infibulées.

Le débat sur la circoncision féminine au Kenya, qui atteignit son point culminant dans les années 30, eut à l'époque un retentissement mondial. On cite toujours cette controverse. Voilà ce qu'il ne fallait pas faire. Les organisations internationales excusent ainsi leur passivité. Cette référence est absurde : tout cela se passait il y a plus de cinquante ans, et l'ethnie concernée, les Kikuyus, ne représentait qu'à peine vingt pour cent de la population du pays. On n'en tire pas moins argument pour expliquer qu'il est impossible de mettre un terme aux mutilations sexuelles en Afrique.

En se poursuivant devant le Parlement britannique et dans les colonnes de la presse internationale, cette controverse eut un retentissement sans commune mesure avec le nombre de personnes réellement concernées. En fait, des hommes politiques menés par Jomo Kenyatta ont utilisé le problème de la circoncision féminine pour réaliser leurs propres objectifs, à l'époque de la lutte pour l'indépendance. Mais personne n'a posé le problème du point de vue des femmes : elles n'ont été que des pions sur l'échiquier politique des hommes.

Aujourd'hui, il est plus que temps d'analyser cette sordide affaire du point de vue des femmes, et d'en tirer des enseignements pour le présent. Dans son livre *Facing Mount Kenya,* Jomo Kenyatta retrace l'histoire et les mœurs de sa tribu, les Kikuyus. Cet ouvrage, publié pour la première fois en 1930, est tiré de la thèse et des articles que Kenyatta a écrits alors qu'il étudiait l'anthropologie sous la direction de Bronislav Malinovski, à la *London School of Economics.* Le Dr Leonard Bruce-Chwatt commente ainsi le livre : « Malinovski soutenait les thèses de Kenyatta sur le rôle crucial que jouent toutes les pratiques culturelles dans le maintien de l'intégrité de la tribu... Ce livre qui transforme habilement l'anthropologie en arme contre le colonialisme, fut sans aucun doute une des pierres de touche de l'histoire de l'Afrique contemporaine. »

Dans l'introduction, Kenyatta se présente comme le petit fils d'un guérisseur kikuyu. Multipliant les attaques contre les Anglais et surtout contre les missionnaires, l'ouvrage décrit les coutumes des Kikuyus avant l'arrivée des Anglais, au moment où toutes les traditions féodales et patriarcales étaient encore intactes.

Aujourd'hui, les Kikuyus ont abandonné leurs traditions. Après s'être emparés du pouvoir politique, ils se sont faits les champions de la modernisation du pays. Après l'indépendance, leur leader, Kenyatta, fut proclamé président à vie et il resta à la tête du pays jusqu'à sa mort en 1978.

Le livre de Kenyatta décrit la société kikuyu d'un point de vue subjectif et souvent idéalisé. C'est également une proclamation politique dans le contexte de la lutte pour l'indépendance. Mais ce qui nous intéresse ici, c'est la manière dont Kenyatta analyse le statut des femmes.

Kenyatta se pose en défenseur des coutumes tribales et, avant tout, de celles qui régissent la vie des femmes. C'est sur cette défense des traditions africaines, menacées selon lui par le colonialisme britannique, que Kenyatta a bâti son pouvoir politique et le mouvement de la lutte pour l'indépendance. Il insistait sur le rôle primordial joué par les rites d'initiation, dont la clitoridectomie serait l'élément essentiel pour la survie même de sa société.

Il décrit les règles et les traditions tribales des Kikuyus dans toute leur complexité, sans négliger les rituels secrets liés à l'initiation, à la reproduction et à la sexualité. Il s'en prend sans relâche aux Anglais et aux missionnaires qui ont tenté d'abolir les mutilations sexuelles féminines. De toute évidence, son pamphlet est destiné au public britannique. Par une ironie du sort, c'est justement en acceptant l'éducation et les progrès venus d'Occident que les Kikuyus, qui ne représentent qu'un cinquième de la population du Kenya, ont réussi à établir leur suprématie politique sur toutes les autres ethnies du pays. Kenyatta prétend parler au nom de toute l'Afrique, mais son livre ne s'intéresse qu'aux Kikuyus, à l'exclusion de toute autre tribu. Les Luos, par exemple (14 pour cent environ de la population du pays), ne pratiquent aucune forme de mutilation génitale, ni masculine ni féminine. Leur structure sociale ne s'en ressent pourtant pas.

Ceux qui s'opposaient à la clitoridectomie ont bien sûr précisé qu'ils ne condamnaient pas les rites d'initiation en tant que tels, mais uniquement la mutilation physique des petites filles. Un peu partout en Afrique et dans le reste du monde, on trouve des rites d'initiation qui se passent de toute mutilation sexuelle. Mais cela, Kenyatta ne l'admet pas. Il écrit : « Aujourd'hui, un membre de la tribu ne peut pas imaginer une initiation sans clitoridectomie. Par conséquent, abolir la partie chirurgicale de la coutume reviendrait pour les Kikuyus à abolir la coutume elle-même.

« L'*Irua* (mot kikuyu pour désigner l'initiation) marque l'entrée dans les différents groupes de pouvoir de l'administration tribale, dans la mesure où les véritables groupes d'âge commencent à partir du jour de l'opération physique. L'histoire et les légendes du peuple sont expliquées et retenues en fonction des noms donnés à différents groupes d'âge au moment de la cérémonie d'initiation. »

Le Dr Bruce-Chwatt éclaire le contexte dans lequel s'est déroulée cette controverse : « En 1929, la Conférence de Tumutumu, regroupant toutes les églises protestantes installées en pays kikuyu, décida d'agir fermement contre la circoncision féminine, en suspendant ou en excluant de l'Eglise tous ceux qui pratiquaient ou qui approuvaient cette coutume.

« Quatre médecins travaillant au Kenya — les Drs John Arthur, J. Irvin, M.W. Brown, et E.L. Davis — ont signé un mémorandum de l'Eglise d'Ecosse, rédigé en termes non médicaux, de façon à lui assurer l'impact le plus large. »

Dans ce mémorandum préparé par le Concile des missions de l'Eglise d'Ecosse, la description de la circoncision féminine ne laisse aucun doute sur les préjudices physiques et les souffrances causés par l'opération : « L'opération consiste à couper les parties tendres externes et internes entourant la matrice. Dans sa forme la plus extrême, la coupure s'étend jusqu'au pubis et dans la matrice elle-même... Ces parties sont extrêmement sensibles et l'opération provoque d'énormes souffrances.

« Les conséquences suivantes de l'opération furent constatées par l'un ou l'autre des signataires dans la province kikuyu : infection de la vessie pouvant atteindre les reins, stérilité par suite d'impossibilité d'avoir des rapports sexuels... l'anneau dur et fibreux résultant de la circoncision, fait obstacle à l'accouchement et provoque des retards qui, surtout quand il s'agit d'une première naissance, peuvent entraîner la mort du nouveau-né... Pour y remédier, on incise dans certaines régions la femme en travail. Ces incisions atteignent parfois les intestins... Les plaies s'infectent et accroissent le danger d'une infection interne qui peut entraîner la mort de la femme ou du moins sa stérilité... Nous avons traité de nombreux cas, où, par suite de la circoncision de la femme, l'enfant ne pouvait naître sans déchirures ou incisions... »

Le rapport de ces quatre médecins mérite d'être comparé à la description toute romantique que fait Kenyatta de l'*Irua :* « Une peau de vache propre... est étendue à même le sol... Les jeunes filles s'asseyent sur la peau, tandis que leurs parentes et amies forment une sorte de cercle autour d'elles... Aucun homme n'est admis... Tout homme surpris ici serait sévèrement châtié... Chaque jeune fille s'assied, les jambes écartées... Sa marraine est assise derrière elle, passant ses jambes sur les jambes de la jeune fille pour les maintenir écartées. La jeune fille doit cacher sa peur, elle ne doit montrer aucune émotion, elle ne doit même pas cligner des yeux, ce serait faire montre de lâcheté, et toutes ses compagnes se moqueraient d'elle... Une femme... appelée *moruithia,* le visage peint d'ocre blanc et noir... de façon à inspirer la terreur... sort de sa poche le rasoir kikuyu, et opère la jeune fille d'un geste vif... »

Kenyatta, qui n'a jamais assisté à l'opération, prétend que seule la pointe du clitoris est coupée. Mais il est contredit par le rapport des médecins, témoins oculaires de l'opération. « Après l'opération on applique certaines herbes sur la blessure, puis la jeune fille est enfermée dans une case jusqu'à sa guérison », ou sa mort. Kenyatta va jusqu'à affirmer qu'au « moment de l'opération, la jeune fille ne souffre pratiquement pas. »

Il faut ajouter à cela, que tout le rituel complexe entourant l'Irua fut réduit à sa plus simple expression avant d'être totalement abandonné, et cela du vivant même de Kenyatta. Seules, les opérations mutilantes sont restées. Chaque année des milliers de jeunes filles kikuyus, sans parler des autres ethnies, subissent encore l'opération.

Bruce-Chwatt évoque la dimension politique que prit le problème à l'époque, tant au Kenya qu'en Angleterre : « Un groupe parlementaire avec, à sa tête, la duchesse d'Atholl, exigea du gouvernement des mesures énergiques pour abolir cette coutume. Au Kenya, on essaya de la réglementer : l'opération ne serait pratiquée que par des femmes expérimentées, et se limiterait à l'ablation du clitoris. Cette tentative se solda par un échec total. »

Jomo Kenyatta devint le secrétaire de la *Kikuyu Central Association,* fondée en 1920. Il se consacrait de plus en plus à la politique et passait l'essentiel de son temps à Londres. C'est après la première interdiction de la circoncision qu'il publia son livre, fondé sur ses études d'anthropologie, pour défendre et expliquer les traditions kikuyus.

En attirant sur le Kenya l'attention du monde entier, cette polémique a consolidé le pouvoir des Kikuyus sur les autres tribus du Kenya. Kenyatta, politicien retors, en avait parfaitement conscience. Il avait appris en Angleterre de quel poids pouvait peser la presse internationale, et il s'en est servi pour imposer son pouvoir dans son pays.

Curieusement, les missionnaires et les fonctionnaires britanniques qui luttaient contre la circoncision féminine n'ont jamais donné en exemple les Luos qui y étaient traditionnellement opposés. La cohésion sociale des Luos, leur identité étaient tout aussi affirmées que celles des Kikuyus — malgré la thèse, maintes fois répétée par Kenyatta, selon laquelle la mutilation des petites filles jouait un rôle essentiel pour la société africaine. L'exemple des Luos démontrait parfaitement le contraire.

Cela n'est qu'une des nombreuses contradictions de cet

épisode historique qui continue à marquer aujourd'hui encore la vie du Kenya. En se faisant le champion des mutilations sexuelles féminines, Kenyatta est responsable du martyre subi chaque année par des milliers de petites filles. Personne ne sait combien d'entre elles meurent des suites des opérations. Il est étrange de voir un homme comme Kenyatta, qui a longtemps vécu à Londres et qui a fait ses études dans les meilleures universités, à ce point indifférent à la santé et au bien-être des petites filles de son propre peuple.

Aux contradictions entre les différents groupes ethniques correspondent les contradictions internes de chaque groupe. La position de la *Kikuyu Central Association* (K.C.A.), que Kenyatta dirigea et dont il fit l'instrument de son pouvoir, était pour le moins ambiguë. La position des médecins missionnaires était elle aussi pleine de contradictions. Ils s'opposaient à la clitoridectomie, tout en acceptant d'autres pratiques traditionnelles tout aussi préjudiciables à la santé.

La position politique de la K.C.A. était que « l'abolition (de la circoncision féminine) menaçait l'essence même de la vie kikuyu. La K.C.A. fit savoir qu'elle résisterait aux pressions du Dr Arthur (chef de file des abolitionnistes) et des missions protestantes ».

Les jeunes progressistes de la communauté kikuyu furent les premiers à lutter contre l'abolition des mutilations sexuelles. Cela amena le gouvernement à abandonner sa politique en faveur de l'abolition : « J. Pease, le doyen des délégués de la province kikuyu, exprima clairement sa position. Il écrivit au secrétaire à Nairobi : " Je pense qu'en matière de circoncision féminine le gouvernement devrait adopter la *politique des bras croisés.* " » Tout au long de ce débat, aucune des deux parties ne prit la peine de consulter les femmes. Comme toujours, elles n'étaient que des pions, victimes des combines politiques que les hommes échafaudaient sur leurs corps mutilés.

Au moment critique, le gouvernement britannique au Kenya s'est dérobé, en se cantonnant dans un rôle d'observateur tandis que les Kikuyus, décidés à obtenir le pouvoir politique, bafouaient les droits des femmes. Ces hommes réclamaient la liberté pour eux-mêmes, tout en se battant pour que leurs sœurs, leurs femmes, leurs mères et leurs filles restent asservies aux mutilations sexuelles.

Kenyatta ne s'est pas contenté de prendre la défense des mutilations. Il a rendu les missionnaires de l'Eglise d'Ecosse responsables de l'agitation politique qu'il avait lui-même attisée, car c'est lui qui avait le plus à y gagner : « C'est l'Eglise qui a pris l'initiative d'exciter les gens de ce pays a-t-il déclaré. C'est l'Eglise qui a créé le problème et qui est la cause de cette agitation au sein de la population. »

Kenyatta était un habile politicien, connaissant bien les mœurs politiques britanniques. A Londres, il a pu voir agir les suffragettes. Il a compris qu'à la première occasion les femmes du Kenya essayeraient de s'affranchir du fardeau de la loi patriarcale. Il savait que dès que le pays aurait conquis son indépendance, les femmes réclameraient la leur, et qu'elles se battraient avant tout contre la polygamie. Dans son livre, Kenyatta défend la polygamie avec la plus grande vigueur, tout comme il l'a pratiquée tout au long de sa vie. Pour lui, c'était un droit absolu des hommes africains, et l'ordre « naturel » des Kikuyus. Il allait plus loin que les musulmans qui n'ont droit qu'à quatre femmes : il était partisan d'un nombre illimité de femmes, et sa vie d'homme marié fut en parfaite conformité avec ses théories.

La Constitution du Kenya, comme toutes les Constitutions africaines, proclame l'égalité des droits pour tous les citoyens. Mais les politiciens africains continuent à faire l'apologie de la tradition, le moyen le plus efficace de garder les femmes asservies. On comprend mieux, dès lors, les contradictions de la politique suivie par la *Kikuyu Central Association :* défendre la modernisation quand elle sert les intérêts des hommes kikuyus ; défendre la tradition quand il s'agit de garder les femmes sous la domination des hommes. Et pour cela, la K.C.A. n'a pas hésité à s'allier avec les forces les plus réactionnaires du pays.

Le mémorandum du Concile des missions de l'Eglise d'Ecosse couvre tous les événements qui se sont déroulés au Kenya à cette époque où les missions jouaient un rôle clé.

Le document explique le contexte dans lequel ce débat a eu lieu, jusqu'à la crise politique de 1929 qui a fait suite à l'interdiction officielle des mutilations, d'abord par l'Eglise d'Ecosse, puis par l'Administration britannique.

L'origine de cette interdiction remonte au tout début du siècle. C'est en 1906, à la suite d'observations faites par les médecins missionnaires dans les hôpitaux des missions que l'Eglise d'Ecosse s'est lancée dans une propagande systématique contre les mutilations.

En 1916, plusieurs sociétés de missions européennes et

africaines, travaillant de concert dans la région kikuyu, essayèrent d'arriver à une résolution commune. Mais à cause de la Première Guerre mondiale, il fallut attendre 1919 pour que soit faite « une recommandation unanime pour l'abolition de cette pratique et pour des mesures disciplinaires contre tous les chrétiens qui continueraient à s'y livrer ». Plus tard on rédigea un pamphlet qui fut largement diffusé parmi les chrétiens africains de toutes les missions. A partir de 1920 une série de conférences fut consacrée à ce problème. En 1929, lors d'une réunion spéciale de la *All Kikuyu Native Conférence,* les anciens — les leaders de l'Eglise africaine — réclamèrent l'abolition de cette coutume et affirmèrent ne pas y avoir été contraints par les Européens.

Après 1929, on prit diverses mesures pour permettre aux jeunes filles qui le souhaitaient de se soustraire à l'opération. Les mariages, de plus en plus nombreux, de femmes non circoncises, montrèrent que non seulement elles pouvaient avoir des enfants, mais qu'elles étaient tout aussi fécondes que les femmes circoncises.

Pendant ce temps, la K.C.A. organisait la résistance contre les missions. Lors d'un meeting qui s'est tenu en 1929 à Nyeri, les représentants de l'Association se sont déclarés pour la défense de toutes les coutumes tribales, circoncision féminine y comprise. Et ils ont exigé que toutes les jeunes filles kikuyus s'y soumettent, au mépris des missions et de l'Eglise africaine. Le maintien de la coutume devint ainsi un problème politique de plus en plus important du fait de l'opposition des jeunes aux anciens de l'Eglise africaine.

La polémique se poursuivit dans la presse, jusqu'à ce que le *Progressive Kikuyu Party,* soutenu par plusieurs chefs, publie une lettre proclamant son extrême aversion pour la circoncision féminine. Le problème fut également abordé par la *East African Women's League Convention* qui vota deux résolutions pour la protection des jeunes filles et demanda des mesures législatives immédiates.

En 1930, le père d'une fillette de quatorze ans, qu'il avait fait circoncire de force, fut condamné à deux semaines de prison et la circonciseuse dut payer une amende. Dans un autre cas, une fillette de treize ans fut enlevée par ses frères, emmenée jusqu'à une rivière proche et gravement mutilée, malgré une résistance farouche. La jeune fille porta plainte contre ses deux frères, impliquant cinq autres personnes qui avaient participé à l'agression pour des raisons politiques.

Le problème de la circoncision était politisé et habilement exploité par la K.C.A. Les tensions entre la population et les missionnaires s'aggravèrent. En fin de compte, une femme missionnaire fut sauvagement assassinée. On ne retrouva jamais son meurtrier. D'autres personnes, liées aux écoles des missions reçurent des menaces.

La position de l'Administration britannique était, elle aussi, pleine de contradictions et d'incohérences. Pendant longtemps, l'Administration s'abstint de prendre parti, en disant que c'était à la population de décider de ce qu'elle voulait.

Cela ne fit qu'augmenter la confusion, et finit par provoquer la démission du Dr Arthur du Conseil exécutif du gouvernement. Le Dr Arthur étant l'opposant le plus virulent à la circoncision, sa démission fut interprétée par la K.C.A. comme une victoire.

Le problème finit par être évoqué devant le Parlement britannique à Londres. En 1930, Londres s'adressa par dépêches à l'Administration britannique au Kenya pour demander des mesures visant à l'amélioration du sort des femmes et des enfants et notamment à l'abolition de la circoncision féminine. « Nous serions heureux si le gouverneur du Kenya pouvait envisager des mesures permettant à la jeune fille d'éviter l'opération en lui donnant la possibilité d'exprimer sa propre volonté en ce domaine. » (Dépêche du 10 avril 1930.)

On recommandait également l'extension des services sanitaires, et la formation de jeunes filles issues des écoles des missions pour travailler dans ces services ainsi que l'organisation de dispensaires itinérants qui, outre les soins, propageraient l'information sur les dangers de la circoncision féminine.

Les missionnaires et l'Administration britannique se préoccupaient réellement du sort des femmes africaines. Mais cette préoccupation n'était nullement partagée par la K.C.A. ou par les politiciens africains. En prenant position sur ce problème, dont les ramifications émotionnelles sont énormes, Kenyatta a habilement exploité l'argument anthropologique que lui avait fourni son maître Malinovski. Kenyatta était assuré du soutien de la fraternité des anthropologues, qui savait se faire entendre des politiciens du monde entier. Il sut aussi rallier à sa cause les hommes et les femmes du

Kenya, unis dans la lutte contre l'Administration britannique. En posant le problème du contrôle sexuel de la femme, Kenyatta a également réussi à toucher la corde sensible de la fraternité universelle des hommes, tous attachés à leurs idées de supériorité et à leurs droits patriarcaux.

Les femmes ignoraient, pour la plupart, les faits et leurs implications politiques, n'ayant pas eu la chance de faire, comme Kenyatta, des études supérieures à Londres. Les anciens, à qui appartenait le pouvoir local, étaient par définition, des hommes. Les femmes n'avaient aucun moyen de comprendre ni de se faire comprendre. Kenyatta réussit également à consolider le pouvoir des hommes, en tant que groupe, sur les femmes de son pays.

Le rôle économique des femmes est essentiel : elles produisent la nourriture en se livrant à l'agriculture de subsistance. Elles produisent aussi les enfants, sources de prospérité dans les sociétés traditionnelles. Kenyatta a tout fait pour étouffer dans l'œuf la volonté d'émancipation des femmes. Il fallait qu'elles restent asservies, qu'elles continuent à travailler pour les hommes. C'est pour cela qu'il insistait sur le respect absolu de toutes les traditions. En se posant comme champion de l'indépendance et de la liberté dans la lutte contre les Britanniques, Kenyatta a réussi à s'imposer comme leader charismatique à des femmes illettrées et sans contact avec le monde extérieur. En faisant l'amalgame entre le problème des mutilations sexuelles, le respect des traditions, et la lutte pour l'indépendance, Kenyatta a forcé la main aux femmes, sans même qu'elles se rendent compte de ce que cela signifiait pour elles. Aujourd'hui encore, le puissant sentiment nationaliste, encouragé par les politiciens, empêche les femmes du Kenya d'y voir clair.

Comme dans tant d'autres combats pour la liberté, les femmes ont été manipulées par des politiciens ambitieux, qui avaient besoin de leur appui. Mais une fois atteints les objectifs politiques, on renvoie les femmes à leur cuisine, tandis que les hommes se partagent le butin.

En quoi consistent ces traditions que Kenyatta défendait si fermement ? Quel est le statut des femmes dans la société traditionnelle ? En analysant le texte de Kenyatta on arrive à mieux comprendre le pourquoi de sa position. « Dès leur enfance, écrit-il, on apprend aux garçons kikuyus, qu'être un homme c'est être capable... d'entretenir autant de femmes que possible dans son foyer... On leur apprend à offrir leur amour à plusieurs femmes... On insiste sur la notion de partage. La coutume kikuyu veut que le mari aille voir chacune de ses femmes à certains jours en fonction des phases de la lune, et surtout pendant les trois jours qui suivent la menstruation. Les femmes savent que c'est la période la plus propice à la fécondation, et elles font tout pour que le mari ne néglige pas ses devoirs... Ce système est le seul qui assure l'harmonie d'un foyer polygamique... »

Bien entendu, Kenyatta se trompe complètement sur les phases de la fécondité féminine. Et la nombreuse descendance des hommes kikuyus prouve que ces règles n'étaient pas respectées. Quant à cette notion de partage, elle est à sens unique puisque les femmes n'ont pas le droit de fréquenter d'autre homme que leur mari.

Kenyatta nous explique que lorsque des amis viennent rendre visite au mari, les femmes doivent venir les rejoindre dans la case de leur époux. Le mari les distribue ensuite à ses amis, le temps d'une nuit. En fait il les oblige à se prostituer. Kenyatta tient à préciser que la femme n'a pas le droit de refuser cette marque d'hospitalité. Mais si une femme décide de coucher avec un autre homme, elle et son amant sont sévèrement châtiés. Pour la femme, toute relation sexuelle, en dehors de son foyer, est tabou.

Ce partage dont Kenyatta fait une des grandes traditions kikuyus signifie tout simplement que l'homme peut avoir autant de femmes qu'il peut en acheter. Les biens de sa femme lui appartiennent, et il s'en sert pour acheter d'autres femmes. Les chefs de village répartissent la terre entre les hommes en fonction du nombre de leurs épouses. Plus il y a de femmes dans une famille, plus la famille a de terres, cultivées par les femmes. Plus de femmes, cela veut dire aussi plus d'enfants, plus de nourriture : c'est ainsi que le chef de famille prospère. Les musulmans s'en tiennent à quatre épouses ; pour le Kikuyu débrouillard, ce genre de limites n'existe pas. Ester Boserup décrit ce système dans son ouvrage *Women's Role in Economic Development*. La polygamie, c'est l'exploitation de la force productive et reproductive des femmes, au bénéfice des hommes.

Les « devoirs de la femme », tels que Kenyatta les décrit, comprennent toutes les activités relatives à la vie rurale. L'homme, toujours selon Kenyatta, n'a qu'un devoir et un seul : avoir des rapports sexuels avec chacune de ses femmes. En cas de divorce, après l'échec de toutes les tentatives de réconciliation, les parents de la femme « infidèle » doivent rembourser le montant de la dot, augmenté d'intérêts, et c'est le mari qui garde les enfants.

Un Kikuyu qui se laisse marquer par l'influence européenne est rejeté par sa famille. Kenyatta semble oublier qu'il a fait ses universités à Londres, et que les missionnaires qu'il condamne dans son livre lui ont appris à lire et à écrire. « Un Kikuyu qui se respecte n'imaginerait jamais de prendre pour femme une fille non circoncise. » Voilà l'idée force de Kenyatta qui précise : « La circoncision féminine est un élément essentiel de la morale kikuyu. »

En pensant toujours à ses lecteurs anglais, Kenyatta prétend que « c'est la femme elle-même qui demande à son mari de prendre une seconde épouse, après un an de mariage ». Et, fier de lui, Kenyatta poursuit : « Si la famille est prospère, l'homme peut avoir jusqu'à cinquante femmes et plus... » Kenyatta, qui était extrêment riche, a su appliquer ces conceptions dans sa propre vie.

Au début de son livre, Kenyatta rapporte une légende sur les origines des Kikuyus, qui en dit long sur les véritables raisons du comportement des hommes africains. D'après cette légende, les femmes étaient les chefs originels de la famille et le matriarcat était alors la règle. Mais les hommes, par une manœuvre rusée, réussirent à renverser le pouvoir des femmes. Ils étaient mécontents parce que : « Les femmes étaient des guerrières implacables et tyranniques... Elles pratiquaient la polyandrie... De nombreux hommes furent mis à mort pour avoir commis l'adultère... Les hommes voulaient se révolter, mais les femmes étaient plus fortes, plus aguerries qu'eux. Les hommes ont donc " entrepris une campagne amoureuse ". Les femmes se sont laissé prendre au piège de leurs flatteries, et six mois plus tard elles étaient toutes enceintes. Elles ne pouvaient plus se battre, le plan avait réussi. Les hommes prirent le pouvoir " et leur première mesure fut d'instaurer la polygamie ". »

Cette légende est tout entière imprégnée de la peur que les femmes inspirent aux hommes. Kenyatta répète ensuite que « le père est le chef suprême du foyer... on lui doit respect et obéissance... Tout lui appartient... il est le dépositaire des biens de la famille... ».

Cette insistance sur le pouvoir mâle est suspecte : de quoi Kenyatta a-t-il peur ? Il prétend aussi, pour justifier l'excision, que les femmes sont incapables de contrôler leur sexualité. Cette peur de la sexualité des femmes n'est-elle pas la vraie raison des agressions commises par les hommes africains contre les organes sexuels de la femme ?

Dans son analyse de la controverse entre les Kikuyus et l'Eglise d'Ecosse, Kenyatta travestit les faits : « Une grande partie de la population s'est détournée du christianisme. » En réalité, comme le montrent les propres statistiques du gouvernement kényen, plus de la moitié de la population est toujours chrétienne.

Le gouvernement britannique ne s'est engagé que bien après les missionnaires. Mais c'était la première fois qu'on prenait la défense des femmes africaines. Sur le plan politique, ce fut une initiative désastreuse, tant pour les missions que pour l'Administration britannique. Les administrateurs coloniaux savaient dans quel piège ils s'engageaient. Mais certains d'entre eux n'ont pas renoncé à défendre les droits des femmes : une décision courageuse, unique dans les annales de la politique internationale. Pour la première fois, la liberté de conscience des femmes africaines était au centre d'un débat politique.

Dans sa thèse sur la *Controverse de la circoncision féminine au Kenya,* Jocelyn Margaret Murray décrit en détail le contexte et l'évolution de ce conflit politique. Jocelyn Murray est la seule à avoir parlé avec compassion des jeunes filles et des femmes prises dans la tourmente de cette controverse.

Elle raconte comment de jeunes adolescentes furent enlevées puis réenlevées, comment des familles furent brisées ; elle évoque l'action de la police contre les parents, les écoles des missions transformées en sanctuaires pour les jeunes filles refusant les mutilations. Ces jeunes filles étaient déchirées entre les menaces de leurs parents, et les pressions des écoles des missions qui voulaient « les sauver et les protéger ».

Contre ceux qui continuaient à circoncire leurs filles, on prononça une série d'interdictions, dont celle de recevoir la communion. Mais il fallait de plus protéger les jeunes filles « de ces cérémonies barbares » et des violences auxquelles leur refus les exposait.

Les partisans de la circoncision accablaient les jeunes filles d'insultes, se moquaient d'elles par des chansons. On transféra sur elles la haine contre les Européens et les missionnaires, symboles de l'oppression coloniale. On oublia complètement, dans cette mêlée politique, que l'interdiction de la circoncision s'appuyait sur les avis de médecins expérimentés, et que la décision avait été prise dans l'intérêt des générations futures du peuple kikuyu.

Murray montre que les hésitations de l'Administration britannique et de certains membres influents de l'Eglise d'Ecosse furent la raison principale de l'échec de l'interdiction légale, et favorisèrent le mécontentement populaire : « La politique officielle du gouvernement consistait désormais à encourager une forme d'opération moins radicale. Dans certaines régions, on autorisa la " circoncision chrétienne ". Ce qui veut dire qu'on pratiquait l'opération physique, mais sans l'entourer de rituels " barbares ", de fêtes et de cérémonies. Comme l'a fait remarquer un missionnaire, la circoncision chrétienne était bien plus pénible pour les jeunes filles que la circoncision traditionnelle entourée d'un rituel riche en émotions. » Murray précise : « Il semble que la circoncision chrétienne ait en réalité permis de maintenir la coutume. »

L'agitation causée par ce problème se poursuivit dans les années 30 et 40. De temps à autre on engageait des poursuites dans des cas de circoncision illégale, mais les rares condamnations se traduisaient seulement par quelques mois de prison et des amendes. En 1952, l'état d'urgence fut proclamé, l'agitation pour l'indépendance prenant de l'ampleur. Il y eut encore une tentative avortée pour abolir la circoncision féminine : le dernier document de ce dossier est daté de janvier 1959.

Les missionnaires s'opposaient à la sexualité et à la polygamie (qui était pour eux de « l'incontinence sexuelle »). Leur hypocrisie et leur puritanisme ont desservi leur cause auprès des Kikuyus, qui accordent une très grande importance à la sexualité. *Le problème le plus important* de cette lutte contre les mutilations, *le problème sanitaire, fut complètement occulté* par la morale chrétienne, totalement opposée à la morale kikuyu.

Jocelyn Murray est retournée au Kenya en 1972. Elle était fille de missionnaires et membre elle-même de l'Eglise d'Ecosse, et elle avait passé son enfance au Kenya. Elle s'est rendue dans les régions sur lesquelles la controverse des années 20 et 30 avait particulièrement attiré l'attention. Les jeunes filles dont les missionnaires avaient autrefois pris la défense étaient devenues grand-mères.

Elle obtint la permission de mener son enquête dans sept écoles secondaires : cinq dans la province centrale, le foyer des Kikuyus, et deux dans le district d'Embu de la province orientale. Ces écoles offraient un échantillonnage satisfaisant de régions, d'ethnies et d'affiliations religieuses. 385 jeunes filles répondirent au questionnaire : « 41 pour cent des jeunes filles se sont qualifiées de circoncises contre 59 pour cent de non circoncises. » C'est à Kiambu, où les contacts avec Nairobi sont fréquents, que le pourcentage de jeunes filles circoncises est le plus bas. La proximité d'un centre urbain et l'influence de la culture occidentale jouent fortement contre la circoncision. Murray ajoute : « Les chiffres obtenus reflètent de façon frappante la situation historique de chaque district. »

Ses résultats montrent également que deux tiers des jeunes filles catholiques romaines sont circoncises. C'est la conséquence de l'attitude de non-ingérence adoptée par l'Eglise catholique. Comme l'écrit Murray : « L'Eglise catholique romaine n'a jamais exercé la moindre pression sur ses adeptes pour les amener à renoncer à la circoncision. Les statistiques tirées du questionnaire montrent clairement les résultats de cette position. 68 pour cent des jeunes filles catholiques déclarent être circoncises. »

Il apparaît également que les opérations ont lieu plus tôt qu'autrefois, et qu'une moitié seulement des jeunes filles a reçu l'enseignement qui, traditionnellement, fait partie intégrante du rite d'initiation. Un quart des jeunes circoncises furent opérées sans aucun rituel ni aucun enseignement.

Murray a demandé aux jeunes filles non circoncises pourquoi elles avaient renoncé à cette coutume. Plus de la moitié ont répondu que c'était à cause de l'influence de l'Eglise. D'autres raisons furent avancées : les risques pour la santé (un tiers des réponses) et des raisons d'ordre familial. En général, la coutume était rejetée par l'ensemble de la famille. Presque toutes les jeunes filles circoncises savaient que leur mère l'était également. Les jeunes filles non circoncises ne savaient pas vraiment ce qu'il en était de leur mère. « L'influence du mode de vie occidental a joué un certain rôle dans l'abandon de la coutume, mais c'est l'enseignement de l'Eglise qui constitue la raison majeure. »

Après l'indépendance, les mutilations sexuelles féminines sont devenues un sujet tabou à Nairobi. Tout le monde se tait, même les fonctionnaires des organisations internationales concernées par les problèmes de santé. Le tourisme est désormais l'une des principales ressources du pays, mais le visiteur étranger ne peut pas imaginer la réalité des faits, tant elle est bien cachée.

En 1975, dans le cadre de l'Année internationale de la femme, j'ai interrogé le ministère de la Santé au sujet des soins maternels et de la circoncision. C'est l'infirmière en chef, Mme E.M. Kiereini qui a répondu à ma lettre : « Nous n'avons fait aucune étude sur cette question car nous estimons que, sur le plan de la santé, ce n'est pas un problème prioritaire. »

Le département de sociologie de l'université de Nairobi, et l'Ecole de médecine, n'ont pas pu m'en dire plus : « Personne ici ne croit que ce problème mérite de faire l'objet d'un travail de recherche », précisait l'une des réponses. Plusieurs lettres ont affirmé : « C'est une pratique qui a disparu sauf dans quelques zones rurales. » Le représentant régional de l'UNESCO m'a écrit : « Je n'ai pas trouvé de textes récents sur ce sujet. La pratique semble avoir disparu d'elle-même, mais on entend parler de cas isolés dans différentes régions du pays. »

Ces lettres ne mentionnaient aucun fait, mais elles étaient prodigues en conseils gratuits : respecter « les valeurs culturelles », « les croyances populaires », comprendre « l'importance des traditions ». La *Child Welfare Society of Kenya,* une des organisations charitables les plus réputées, dirigée par Mama Ngina, veuve de l'ancien président, m'a écrit : « Plusieurs personnes nous ont interrogés sur ce sujet (les circoncisions féminines)... Cette pratique qui, de toute façon, ne concernait pas toutes les tribus de ce pays, s'est éteinte d'elle-même. Il y a peut-être encore quelques cas de petites filles circoncises mais uniquement dans les régions les plus reculées du Kenya... »

Mais au printemps de 1975, une sage-femme travaillant en zone rurale m'a écrit : « Dans les zones rurales, on continue à pratiquer la circoncision féminine surtout parmi les familles qui défendent les traditions et les coutumes culturelles. C'est le cas des tribus comme les Kurias, les Kisii, les Masaïs, les Suks, les Nandis, les Kipsigis et les Kambas... » Elle rappelle ensuite les raisons (toujours les mêmes) pour lesquelles on pratique la circoncision et les conséquences médicales désastreuses des opérations qu'elle a pu constater elle-même dans son travail.

Le tableau que trace cette sage-femme d'après son expérience ne confirme guère les propos rassurants que l'on entend habituellement. En mars 1977, lors de mon séjour à Nairobi, j'ai visité le département d'obstétrique et de gynécologie de l'hôpital Kenyatta. Je me suis entretenue avec le Pr J.K.G. Mati, directeur du département. Je voulais connaître l'incidence des circoncisions sur les patientes traitées à l'hôpital. Le professeur Mati m'a répondu que la circoncision n'était pas un problème important. Mais je pouvais lui rendre un grand service, en tant que rédactrice en chef de *Win News,* en attirant l'attention sur un autre problème auquel l'hôpital devait faire face — celui des fistules.

D'après le Pr Mati, l'hôpital avait une liste d'attente de trois cents patientes qui devaient être opérées pour cette raison : une opération délicate mobilisant un personnel spécialisé et entraînant plusieurs semaines d'hospitalisation. L'hôpital n'avait ni les lits ni le personnel nécessaire : il était en train de chercher dans le monde entier, avec l'assistance de la Fondation africaine pour la médecine et la recherche, les subventions permettant de créer une unité de quarante lits, réservée aux cas de fistules. C'était le problème prioritaire. Mais il ne lui semblait pas important de s'attaquer aux mutilations sexuelles, qui sont la cause principale de la formation de ces fistules.

Quand j'ai visité la Fondation pour la recherche, le directeur de l'information m'a dit : « La misère dans laquelle vivent ces pauvres femmes est difficile à imaginer. » Mais quand je lui ai demandé s'il existait des programmes d'éducation préventive contre les mutilations sexuelles, il a fait venir son anthropologue de service qui m'a fait la leçon sur l'importance des traditions africaines et sur la nécessité de les sauvegarder.

Ni le ministère de la Santé ou ses écoles de médecine et de formation des infirmières, ni l'université de Nairobi, ni les organisations privées n'ont essayé de mener une enquête rassemblant les données de base comme celle menée au Soudan. Au Kenya, non seulement il n'en est pas question, mais en plus on dissimule délibérément la vérité. De temps à autre, les journaux de Nairobi font état d'un tragique accident, relié à la circoncision féminine. Parfois, un groupe de personnes influentes font des déclarations pour demander l'abolition de la coutume. Mais ces mots ne sont jamais suivis d'actes.

En mai 1978, *The Nation,* le principal journal du pays, publia un grand article qui, sous le titre *Circoncision ou mutilation ?* faisait le point sur les problèmes sanitaires posés par la circoncision, en s'appuyant sur la documentation publiée par *Win News.* Un « journal du Kenya » accompagnait l'article, recensant les informations locales sur les opérations, tirées des archives du journal, dont voici quelques exemples : « Janvier 1967. La secrétaire nationale générale de la Y.W.C.A. et la présidente de la Maendeleo ya Wanawake (Le progrès des femmes, la plus grande organisation des femmes des zones rurales) plaident pour la création d'une commission d'enquête sur la circoncision féminine. Elles souhaitent la coopération du gouvernement, des autorités religieuses et des organisations de femmes.

« Avril 1970 : une femme de Kapenguiria est accusée d'avoir provoqué la mort d'une jeune fille après une opération de circoncision.

« Septembre 1977 : après une circoncision, une jeune fille meru est hospitalisée d'urgence à l'hôpital de district d'Embu, pour y subir une transfusion sanguine.

« Décembre 1977 : Le médecin chef d'Embu, le Dr Omondi exige un arrêt immédiat des circoncisions qui causent de graves souffrances et sont sources de complications médicales. » Les journaux continuent à publier ces informations, mais les responsables ne font rien : la prévention est pourtant possible et surtout urgente : à cause de la croissance démographique le nombre des victimes des mutilations augmente chaque année.

Dans un article intitulé « L'Oppression culturelle », *Viva*, le magazine des femmes du Kenya, aborde le problème de la circoncision : « A l'âge de la puberté, la jeune fille subit une opération qui la fait atrocement souffrir. Sans aucun souci d'hygiène, sans aucune anesthésie, on modifie ses organes sexuels de façon à diminuer son plaisir. Chez elle, on la considère comme un avoir qu'on vendra au moment du mariage. Une fois mariée elle devient la propriété de son mari, qui peut en user et en abuser à volonté.

« Certains aspects de notre culture nous semblent intolérables. La circoncision féminine, par exemple, l'infibulation, la façon musulmane de traiter les femmes, le mariage, le régime de la propriété et de la succession... Les hommes ont pris l'habitude d'excuser toutes ces injustices en disant que "c'est un comportement africain". Mais il n'y a rien d'africain dans l'injustice. »

Le numéro d'août 1978 de *Viva* portait en grosses lettres sur sa page de couverture : LA QUESTION OCCULTÉE DE LA CIRCONCISION FÉMININE. Le titre de l'article publié dans la revue était : « Le silence qui entoure la circoncision féminine au Kenya. » L'article explique que cinquante ans après la controverse, le problème de la circoncision féminine reste un important problème politique. « La véritable question est de savoir quels sont les effets de la circoncision sur la femme qui la subit. Ces effets sont-ils compatibles avec les mesures prises pour améliorer le statut des femmes ? » *Viva* poursuit : « Certains hommes ne se lassent pas de répéter que l'opposition à la circoncision s'appuie sur des idées importées d'Occident. C'est faux. Cette opposition est fondée sur une certitude médicale : ces opérations menacent la santé des femmes... La population accepte volontiers ces " notions occidentales " que sont la médecine ou la technologie. On ne peut pas rejeter une idée pour le seul motif qu'elle nous vient de l'Occident. »

Mais la plupart des femmes du Kenya sont illettrées, ce qui les empêche de lire les articles de *Viva*. La situation des élites sophistiquées de la capitale n'est pas du tout représentative. Elle n'a rien de commun avec les réalités de la vie villageoise. Une infirmière travaillant dans les zones rurales du Kenya occidental écrit : « Dans la région centrale, la pratique de l'excision est en régression. Mais dans la Rift Valley et dans certains districts de la région de Nyassa, elle est toujours aussi populaire. Les petites filles sont circoncises entre huit et dix ans, à un âge où elles doivent se plier aux décisions de leurs parents. Autrefois l'opération avait lieu entre seize et dix-huit ans. Mais de plus en plus de jeunes filles vont à l'école et les parents avancent l'âge de l'opération de peur que la jeune fille scolarisée ne sache leur dire non. »

L'infirmière continue : « Oui, les jeunes filles font des fugues, mais les parents les retrouvent et les ramènent pour les faire circoncire. » Certaines jeunes filles cependant souhaitent être opérées, à cause de la pression de leurs camarades, et de peur qu'on ne se moque d'elles. Les filles non circoncises sont en butte aux railleries de toute la communauté, et, dans un village, on ne peut rien cacher de sa vie privée.

Les réponses au questionnaire de Jocelyn Murray fournissent des indications sur ces attitudes. Deux tiers des jeunes filles circoncises se montrent hostiles envers celles qui ne le sont pas. Elles les décrivent comme manquant de discipline, de manières, de maturité. Une jeune fille non circoncise n'est pas sérieuse et elle a beaucoup de mal à trouver un mari.

Une sage-femme travaillant au Kenya occidental, raconte :

« Dans certains endroits, par exemple chez les Kisii, les Masaïs, les Kurias, les Kalenjins, la circoncision est faite par des femmes, à la maison. Dans les zones urbaines c'est également une "cérémonie privée". Parfois, une jeune femme qui travaille en ville, où même à Nairobi, retourne dans son village pour se faire circoncire en même temps que ses compagnes. »

Voici les résultats d'une étude récente concernant une classe terminale (seize à vingt et un ans) de 97 élèves d'une école secondaire de la région de Tharaka (à l'est du mont Kenya) : *a.* Nombre de jeunes filles circoncises : 97 sur 97 ; *b.* Pensez-vous que votre fille sera circoncise ? : 78 oui sur 97 ; *c.* Pensez-vous que votre petite-fille sera circoncise ? : 93 non sur 97.

Cette étude, entreprise par un professeur de l'école poursuit : « A Meru, sur le versant occidental du mont Kenya, les jeunes filles sont circoncises à 90-95 pour cent. Ici à Tharaka, elles le sont toutes, sans exception.

« L'opération a lieu entre onze et quinze ans. Elle se déroule souvent pendant les vacances scolaires (avril, août, décembre) pour que les jeunes filles puissent se reposer trois à quatre semaines. Théoriquement, la circoncision féminine est illégale.

« En général, on coupe le clitoris puis on évide la chair des parois intérieures du vagin. Dans certains districts, on introduit dans le vagin un objet en forme d'entonnoir pour empêcher les parois de se resserrer...

« Cette opération est censée élargir l'utérus pour faciliter l'accouchement... Ce rituel doit aider la jeune fille à devenir une femme (c'est-à-dire avoir des enfants) et à prendre sa place dans la communauté... Mais il a d'autres significations sociales : préparation aux difficultés de la vie adulte, entrée dans le clan, préparation au mariage, etc. Chez les Masaïs par exemple, les jeunes filles ne sont circoncises que dans la nuit qui précède le mariage... »

Le rapport conclut sur cette phrase : « Si une fille pense qu'on se moquera d'elle, aucune personne ni aucune loi ne pourra l'empêcher de se faire circoncire. » Cette description sans fard confirme que les opérations décrites par les médecins dans le rapport du Conseil des missions de l'Eglise d'Ecosse se poursuivent de nos jours.

La circoncision est une affaire lucrative. Voici ce qu'en dit une sage-femme du Kenya : « La circoncision est faite par les spécialistes, connus dans leur communauté. Le métier se transmet de mère en fille, ou de père en fils pour la circoncision masculine. Les circonciseurs considèrent qu'ils rendent un important service à la communauté et que celle-ci leur doit le respect. Leur salaire est en proportion. Actuellement, on paye 6 shillings pour une fille, et en période de circoncision, une opératrice peut circoncire jusqu'à quarante jeunes filles par jour. Pour un garçon, le prix est de 12 shillings. Ces prix sont affectés par l'inflation et augmentent d'année en année. »

Les revenus d'un circonciseur sont considérables. Au village aucun autre métier ne pourrait rapporter autant. Une circonciseuse qui opère quarante filles par jour peut gagner 240 shillings soit environ 30 dollars U.S. Et la circoncision masculine, pratiquée uniquement par des hommes, peut rapporter le double.

Partout en Afrique la natalité est considérée comme une priorité. Pourtant, l'information concrète sur la reproduction et la sexualité reste un des secrets les mieux gardés. Voici ce qu'en dit un éducateur qui s'occupe d'une école de jeunes filles dans le centre du Kenya : « L'éducation sexuelle reste malheureusement très négligée dans les écoles, malgré les efforts du ministère de l'Education, surtout dans les dernières classes de l'école primaire. De nombreuses écoles ont eu pour fondateurs des missionnaires, ou des groupes d'inspiration religieuse ; ce qui explique que l'éducation sexuelle reste absente des programmes... »

L'Institut pour les études du développement de l'université de Nairobi a publié une étude sur les connaissances et les pratiques sexuelles des jeunes au Kenya. 320 jeunes gens d'écoles d'instituteurs, de secrétariat et de commerce de Naïrobi, furent interrogés. J. Mugo Gachuhi écrit : « Les personnes interrogées ont témoigné d'une très grande ignorance... Nous en tirons la conclusion que la jeunesse, qu'elle soit ou non scolarisée, a besoin d'une éducation sexuelle et démographique. Le besoin s'en fait d'autant plus sentir que les jeunes gens de moins de vingt ans, qui constituent la moitié de la population du pays, ont des idées erronées tant sur leur sexualité que sur leur rôle social. Et le fait que leurs parents n'en sachent pas plus qu'eux, aggrave encore la situation. »

Ce sont ces mêmes parents qui imposent la circoncision à leurs filles, par fidélité à un passé qui n'existe plus. En mars 1977 j'ai rencontré Eddah Gachukia, qui dirige le *National Council of Women of Kenya* (N.C.W.K.) rassemblant toutes les organisations de femmes du pays. Eddah Gachukia est également membre du Parlement, et chargée par le président Kenyatta de représenter les femmes au gouvernement. Elle a insisté sur le problème des grossesses précoces : « Les adolescentes enceintes sont chassées de l'école, quels que soient leurs dons. Dans les classes les plus élevées, cela donne un très haut pourcentage de scolarités interrompues. Actuellement, nous nous battons pour que ces jeunes filles restent à l'école. »

Quand je l'ai interrogée sur la circoncision, elle m'a dit que certaines mères faisaient exciser leurs filles pour empêcher une grossesse pré-maritale. Mais l'organisation qu'elle dirige n'a jamais enquêté sur les circoncisions : sa position officielle est que la pratique est en voie de disparition. Il y a au Kenya plusieurs organisations de femmes, toutes très actives, regroupées au sein du *National Council of Women of Kenya.* Ainsi l'organisation *Maendeleo ya Wanawake,* (« Le progrès des femmes ») est implantée dans tous les villages du pays. Mais ni Maendeleo, ni le N.C.W.K., ni aucune autre organisation de femmes ne se sont jamais prononcées sur le problème de la circoncision féminine, sujet tabou pour des raisons politiques. Tant que Kenyatta était vivant, personne n'osait dire un mot.

Avec le renouvellement de l'équipe dirigeante, la situation peut désormais évoluer, surtout si la presse continue à rendre public le débat en cours. Le Kenya a participé au séminaire de Khartoum. Les recommandations du séminaire offrent la possibilité d'une action concrète, mais, trois ans après le séminaire, rien n'avait encore été fait.

La Conférence mondiale pour les femmes, organisée par les Nations unies en juillet 1980 à Copenhague, a permis à la communauté internationale de prendre conscience du problème des mutilations sexuelles. La délégation envoyée par le Kenya était une des plus importantes et comprenait de nombreuses responsables des organisations de femmes.

Parallèlement à la Conférence, les organisations non gouvernementales accréditées auprès des Nations unies ont organisé un forum, qui permit la tenue de plusieurs groupes de travail sur les mutilations génitales. Un débat sur la circoncision féminine fut organisé dans une des plus grandes salles du forum. Le débat était mené par les représentantes de l'Egypte, du Soudan, de la Somalie et du Kenya. Eddah Gachukia représentait le Kenya. « On ne sait pas, dit-elle, dans quelle mesure la circoncision féminine reste pratiquée dans mon pays. » D'après elle, aucune enquête n'avait été faite, et avant d'entreprendre quoi que ce soit, il convenait de faire des recherches.

Wangari M. Maathai, la présidente du N.C.W.K., suivait le débat depuis la salle. Elle s'empressa d'intervenir pour dire que « le Kenya était parfaitement capable de mener cette enquête sans l'aide de personne ». Les Africains ayant souvent accusé d'ingérence quiconque prétendait s'occuper de la circoncision féminine, ses propos furent compris comme un avertissement. « Faire une enquête » c'est la dernière excuse que trouvent les organisations et les gouvernements africains pour ne rien faire. Lors du débat du forum, il était impossible de nier l'existence de la circoncision féminine au Kenya : trop de femmes connaissaient les faits. Alors, à défaut de pouvoir nier, l'on prétend ne pas en savoir assez et l'on propose de faire une enquête... Mais on ne la fait jamais, il y a toujours d'autres priorités. Quelle honte pour ces femmes intelligentes qui n'ont pas le courage de dire la vérité et de prendre la défense des jeunes filles de leur pays.

Si la délégation du Kenya l'avait voulu, elle aurait pu obtenir, lors de cette conférence mondiale, l'aide d'organisations internationales pour un programme d'éducation sanitaire et de prévention des mutilations sexuelles. Mais les femmes de cette délégation ont gardé le silence, fuyant la discussion, dissuadant toute initiative.

Les documents préparatoires de la Conférence parlaient explicitement de la circoncision féminine. Mais toute mention de ce sujet a disparu des documents officiels, soigneusement expurgés à la demande des délégations africaines.

C'est pourquoi l'interdiction des opérations promulguée par le président Arap Moi en juillet 1982 survint comme une bienheureuse surprise. Dans un discours tenu dans la province de la Rift Valley (région où l'excision est largement pratiquée), après avoir appris que quatorze jeunes filles étaient mortes des suites de l'opération, il déclara : « Je ne permettrai pas qu'on laisse mourir des enfants tant que je dirigerai ce pays. » Il donna l'ordre à la police d'inculper les responsables des excisions et interdit les opérations sur la totalité du territoire, comme le rapporte la presse de Nairobi.

Il est à déplorer, néanmoins, qu'aucune des organisations

de femmes au Kenya n'ait pris note de ces nouvelles données, ni n'ait mis en route des campagnes d'action sanitaire préventive malgré de multiples interventions de la presse kényenne les pressant de le faire.

KENYA : données économiques et sociales

Kenya : Contraste frappant entre le développement de Nairobi et les conditions de vie en zone rurale.
Climat : Le Kenya est à cheval sur l'Equateur. Mais grâce à l'altitude, il jouit d'un des climats les plus agréables du continent.
Capitale : Nairobi, environ 1 million d'habitants.
Population : 15,8 millions (1980). Taux de croissance : plus de 4 % (un des plus élevés du monde. 8 enfants viables par femme).
Espérance de vie : 51,2 pour les hommes ; 55,2 pour les femmes. Mortalité infantile : 83/1000.
Gouvernement : Constitution, Président, Parlement (une Chambre). Indépendance : 1963.
Ethnies : Kikuyu (20 %), Luo (14 %), Lukya (14 %), Kamba (11 %), Kisii (7 %), Meru (5 %), non africains (asiatiques, européens, arabes, 2 %).
Langues : anglais, swahili, nombreuses langues tribales.
Religions : animiste (38 %), chrétienne protestante (37 %), chrétienne catholique (22 %), musulmane (3 %).
Taux d'alphabétisation : 15-20 % (beaucoup moins chez les femmes).
Education : Facultative. Gratuite pendant sept ans dans le primaire. Payante ensuite.
Revenu par habitant : 217 dollars. Inflation moyenne : 12,5 %.
Economie : Café, produits pétroliers, thé, cuirs, bœufs, produits agricoles, tourisme. Déséquilibre de la balance commerciale (exportation déficitaire).

L'Éthiopie

L'Ethiopie, connue autrefois comme le royaume chrétien d'Abyssinie, a derrière elle une longue et fascinante histoire. L'historien grec Hérodote (Ve siècle av. J.-C.) en parle dans ses écrits : les maîtres de l'Abyssinie étaient, selon la légende, les descendants du roi Salomon et de la reine de Saba.

Le dernier empereur, et le dernier monarque absolu que le monde ait connu, Hailé Sélassié, s'est rendu célèbre dans les années 30 par sa résistance à Mussolini et à l'occupation italienne. Il a également tenté d'introduire une certaine modernisation dans ce royaume médiéval et isolé du monde. Addis-Abeba, la capitale, est située sur les hauts plateaux du centre du pays à plus de 2 500 mètres. Grâce aux efforts de Hailé Sélassié, Addis-Abeba est devenue le siège de l'O.U.A. et de la Commission économique africaine. L'empereur a tout fait pour transformer sa capitale en centre international.

Le régime socialiste actuel qui s'est donné pour but de prendre en main l'avenir de son peuple et de moderniser le pays, doit faire face à d'énormes difficultés. L'une des principales est le manque de routes, de moyens de transport et de communication. Une autre difficulté est le statut des femmes : la majorité de la population vit encore comme au Moyen Age dans des zones rurales à l'écart du progrès. Les femmes sont exploitées sans merci par un patriarcat oppressif, et ne sont là que pour satisfaire aux appétits sexuels des hommes.

Il faut ajouter qu'elles sont presque toutes mutilées : excision chez les chrétiens Amharas des hautes terres, maîtres du pays jusqu'à la révolution ; infibulation chez les populations musulmanes. Tout au long de la mer Rouge, en Erythrée, dans les régions frontalières de la Somalie et dans la plus grande partie de l'Ogaden, les jeunes filles sont infibulées.

Ici, les opérations sont encore mieux cachées qu'ailleurs. Les voyageurs étrangers, les admirateurs et les partisans de l'empereur, par exemple, n'ont rien su de l'existence des mutilations sexuelles. Même des Européens qui sont restés de nombreuses années dans le pays, ignoraient que les familles aristocratiques dirigeantes (pour la plupart des Amharas) faisaient mutiler leurs petites filles, quarante jours après la naissance.

Selon le Dr Alfons Huber en Ethiopie les mutilations n'ont pas d'implications religieuses. C'est une coutume populaire comme les tatouages et les cicatrices rituelles. Les émissaires dépêchés par le pape à la cour de l'empereur Claudius, au XVIe siècle, s'élevèrent contre cette pratique qu'ils assimilaient à la circoncision masculine juive. Mais l'empereur les rassura : la circoncision féminine n'a pas de signification religieuse. La pratique fut ainsi entérinée par l'Eglise catholique.

Au début de l'année 1977, je fus invitée, alors que je me trouvais à Addis-Abeba, à une réunion de plusieurs jeunes femmes, épouses d'hommes du gouvernement, toutes mères de jeunes enfants. Elles discutaient du statut des femmes en Ethiopie. Elles ont décrit leur système familial complexe, et la coutume qui veut que les filles se marient très jeunes, souvent à quatorze ans. Aussitôt mariées elles ont des enfants et ne peuvent plus recevoir l'éducation qu'elles auraient souhaitée. Celles-ci appartenaient évidemment à l'élite. La plupart des femmes vivent dans les zones rurales, 95 pour cent sont analphabètes et doivent travailler aux champs très jeunes. Dans les campagnes, il n'y a pratiquement pas d'écoles.

Ces jeunes femmes m'ont expliqué que le planning familial venait d'être introduit dans le pays, dans le cadre d'un « programme d'éducation à la vie familiale ». Les rapports sexuels avant le mariage sont absolument interdits, et pour une femme c'est un désastre d'avoir un enfant en dehors du mariage. Cependant, si elle donne le nom du père, le père en général accepte l'enfant. Chaque famille veut des héritiers mâles.

Après une franche discussion sur le système familial, j'ai abordé le problème de la circoncision féminine. « Tout le monde circoncit sa fille, bien sûr, il faut le faire, m'ont-elles expliqué. C'est notre tradition. Une femme non circoncise est considérée comme une femme de mauvaises mœurs. On opère les petites filles avant leur quarantième jour. »

Et les problèmes de santé ? « L'opération ne présente aucun risque, m'a répondu rapidement l'une des femmes. Toutes les femmes de ma famille sont circoncises. Ma famille est très grande et je n'ai jamais entendu parler de problèmes de santé. Et nous ne vivons pas isolés de nos proches, comme vous le faites en Europe ou aux U.S.A. S'il y avait eu des problèmes dans ma famille, je le saurais. »

Une autre femme m'a dit que le ministère de la Santé envoie actuellement à tous les parents d'élèves des documents d'information sur la vaccination. Le ministère envoie aussi des avertissements aux gens, leur expliquant les dangers de l'ablation de la luette [1]. Comme le ministère n'envoie aucun avertissement au sujet de la circoncision c'est qu'elle ne présente pas de danger, a conclu une des femmes.

« J'ai une petite fille, ajouta une autre femme, mais mon mari m'a dit qu'il ne fallait pas la circoncire. Il y est absolument opposé. Ma mère est furieuse. Elle dit qu'on prend un risque énorme, et que quand la petite grandira, nous le regretterons terriblement. Mais mon mari l'a interdit. Je ne sais pas vraiment pourquoi.

« L'hôpital du Lion-Noir est un des plus grands hôpitaux d'Addis-Abeba. Au cours d'une visite, un des pédiatres de l'hôpital m'a dit : " Nous recevons souvent des petites filles en bas âge qui souffrent de complications à la suite d'une opération génitale. Certaines sont en train de saigner quand on nous les amène, et l'hémorragie ne s'arrête pas. "

« Il ajouta : " Quand la circonciseuse coupe un vaisseau sanguin, les enfants meurent si elles ne sont pas soignées par un médecin. Dans d'autres cas, l'obstruction du méat urinaire, résultat de la cicatrisation, provoque de nombreuses infections... Ici à Addis-Abeba, les filles sont opérées très jeunes. C'est comme ça dans toutes les hautes terres. L'opération intervient souvent avant que le bébé ait dix jours. Dans d'autres régions, on attend quelques années. Mais les opérations ont lieu dans tout le pays à l'exception de la région de Gojam, où la circoncision féminine n'est pas pratiquée. "

1. L'ablation de la luette est une coutume très répandue en Ethiopie. L'opération est pratiquée sur les nouveau-nés, à l'aide d'un crin de cheval. De nombreux bébés meurent des suites de l'opération ou d'infection.

« Et le médecin ajouta : " Ici à l'hôpital nous expliquons aux gens que c'est une pratique néfaste. La circoncision décroît là où l'alphabétisation fait des progrès et dans le secteur moderne. " Mais le taux d'alphabétisation en Ethiopie est un des plus bas du monde : environ 8 pour cent. »

Après l'Année internationale des femmes en 1975, l'organisation municipale des femmes fut créée par un petit noyau de femmes évoluées d'Addis-Abeba. J'ai interrogé ces femmes sur leurs pratiques traditionnelles et sur la circoncision. « C'est une coutume sociale néfaste, nous sommes en train de nous en rendre compte. Pour l'instant, nous n'avons encore rien fait, mais aujourd'hui les femmes remettent en question toutes les traditions et nous allons décider ce qu'il faut faire. » Une organisation de femmes au niveau national, l'Association révolutionnaire des femmes d'Ethiopie, vient de voir le jour.

La plupart des femmes éthiopiennes ignorent que la circoncision n'existe que dans certaines régions du monde. Pendant des siècles, cette pratique a fait partie de la vie du pays. Une jeune étudiante éthiopienne qui venait d'arriver dans une université américaine, a discuté des coutumes de son pays avec ses nouvelles amies. Quand elle a mentionné la circoncision féminine, les étudiants américains n'ont pas compris de quoi elle parlait. Elle, de son côté, n'arrivait pas à croire que ses amies américaines n'étaient pas circoncises. « Tout le monde est circoncis, ce n'est pas possible autrement. Les gens évolués font faire les opérations par des médecins. Si une fille n'est pas circoncise, elle devient complètement folle en grandissant, personne ne peut plus la contrôler. La circoncision la calme, la dompte. Tout le monde sait ça. »

L'Ethiopie vient de connaître de profonds changements, notamment une réforme agraire. Cependant, comme me l'ont dit les femmes de l'Organisation municipale : « Quand nous avons parlé des droits de la femme, les hommes nous ont ri au nez. Mais maintenant ils commencent à nous écouter. »

Un médecin d'Afrique orientale, travaillant pour une organisation internationale de planning familial, m'a fourni ces informations : « Presque tous les groupes ethniques d'Ethiopie pratiquent la circoncision féminine. A ma connaissance seuls les fidèles de la secte chrétienne Kebat, dans la région de Gojam, ne la pratiquent pas.

« L'opération, l'ablation du clitoris, est effectuée par des médecins locaux. Selon ses défenseurs, cette opération diminue la sensibilité sexuelle de la femme, permettant à l'homme de garder le dessus. Elle a aussi une autre implication psychologique : la soumission totale à l'homme non seulement sur le plan sexuel, mais sur tous les plans.

« Certaines ethnies, comme les Essas du Harrar et les Somalis de l'est du pays, pratiquent l'infibulation, pour préserver la virginité de la jeune fille jusqu'à son mariage. L'opération est pratiquée par de vieilles femmes de la communauté, alors que les petites filles sont encore dans leur première enfance. La vulve est rouverte au couteau juste avant le mariage... Quand la jeune fille va accoucher, elle est ouverte encore une fois, pour faciliter l'accouchement. Dans ce cas, on a souvent recours aux services de la médecine moderne... »

Malheureusement, le médecin ne nous a pas dit ce qui arrive à la grande majorité des femmes qui n'a pas accès aux services de la médecine moderne. Addis-Abeba possède le seul hôpital d'Afrique orientale spécialisé dans le traitement des fistules[1]. Cette unité de quarante lits fut créée par un couple de médecins, les Drs Catherine et Reginald Hamlin. Le mari est australien, la femme néo-zélandaise. Ils ont eux-mêmes trouvé les fonds nécessaires à la construction de l'hôpital dans les faubourgs d'Addis-Abeba. Les quarante lits de l'hôpital sont occupés en permanence. Certaines de ces femmes ont parcouru des kilomètres pour venir se faire soigner ici. La renommée de l'hôpital s'étend dans toutes les hautes terres d'Ethiopie. Au moment de l'accouchement, la plupart des patientes ont perdu non seulement leur bébé, mais aussi leur santé et leur famille.

En Ethiopie, une fille se marie alors qu'elle n'est encore qu'une enfant : c'est une des causes des fistules, car elle est enceinte avant que son corps ne soit complètement développé. Les cicatrices des mutilations sexuelles qui entravent le travail sont elles aussi responsables des fistules. Les patientes doivent faire l'objet de soins spécialisés, et elles doivent garder le lit pendant trois semaines après l'opération. C'est le temps qu'il faut pour que la blessure guérisse, sinon la cicatrice peut s'ouvrir à nouveau.

Au début des années 70, la commission économique pour l'Afrique, dépendant des Nations unies et siégeant à Addis-Abeba lança un Programme pour les femmes. Le Centre de

1. Addis-Abeba, Fistula Hospital, P.O. Box 3609, A.A., Ethiopie.

formation et de recherche pour les femmes africaines entra en fonctionnement en 1975, après l'Année internationale des femmes. La plupart des pays membres de la commission économique pratiquent les mutilations sexuelles. Mais ce programme pour les femmes ne mentionne même pas l'existence de ces mutilations, qui affectent la santé de plus de 80 millions d'Africaines.

Quand j'étais à Addis-Abeba, en 1977, je me suis rendue à l'Association du conseil familial, qui s'occupe du planning familial à travers tout le pays. Voici ce que m'a dit le directeur : « Les gens disent qu'une fille non circoncise sera une femme de mauvaise vie. La circoncision mate les filles, elle les calme, les rend gentilles. Si une famille ne fait pas circoncire ses filles, on trouve ça louche. Alors tout le monde le fait, même les Ethiopiens les plus évolués. »

Comme le montrent les documents historiques, les opérations ne correspondent à aucun rituel, à aucune croyance religieuse. La seule ethnie juive du pays, les Falashas, qui habitent les hautes terres depuis des siècles, pratique aussi la circoncision féminine. Déjà en 1896, Zaborowski écrivait dans un article que les juifs Falashas opèrent les petites filles quand elles ont huit ans — à l'instar des autres ethnies des hautes terres. Quelle que soit leur religion, chrétienne, musulmane, juive ou animiste, tous les Ethiopiens mutilent leurs filles.

D'après Zaborowski, les Gallas aussi pratiquent l'excision, et même l'infibulation dans les régions où ils sont en contact avec leurs voisins somalis. « Tous les Danakils sur la côte nord de la mer Rouge pratiquent l'infibulation de même que les Massaouahs et les Bedja. Nulle part au monde on n'accorde une telle importance à la circoncision des garçons et à l'infibulation des filles... » Zaborowski nous apprend également que l'explorateur écossais James Bruce a découvert l'existence des opérations lors de son premier voyage en Ethiopie, vers 1760, et qu'il en fut scandalisé.

Gynécologue et obstétricien, le Dr Alfons Huber a travaillé en Ethiopie dans les années 60, pour le compte d'un programme autrichien d'assistance au développement. Il a exercé dans tout le pays et a pu constater que l'infibulation était pratiquée dans les régions d'influence arabe ou musulmane, comme l'Erythrée, et par les habitants musulmans de Massaoua. « Chez les Danakils, les petites filles sont opérées à l'âge de trois ans, chez les Somalis à sept ans. Les Gallas, qui vivent dans la région du Harrar n'ont adopté l'infibulation qu'assez tard, lors de l'occupation égyptienne de la province en 1875. Ils opèrent les fillettes à l'âge de huit ans... »

Outre l'infibulation proprement dite, la défibulation entraîne de nombreuses complications. La mariée est ouverte juste avant d'être remise à son mari, qui use aussitôt de son « droit », provoquant ainsi non seulement de grandes souffrances mais aussi d'importantes hémorragies. Les chants et les danses qui entourent la noce recouvrent les hurlements de douleur de la jeune mariée.

Selon le Dr Huber, les jeunes mariées, encore dans leur première adolescence, sont souvent grièvement blessées : déchirures du vagin ou du rectum provoquées par la violence sexuelle du mari. Au moment de l'accouchement, d'autres incisions doivent être pratiquées, « les cicatrices sont rouvertes d'avant en arrière à l'aide de ciseaux », précise le Dr Huber qui ajoute : « La circoncision féminine et surtout l'infibulation sont des interventions sur la personnalité de la femme qui ne sont possibles que là où elle est totalement méprisée et utilisée uniquement comme un objet sexuel... Aucune justification rituelle ou hygiénique ne peut excuser la perpétuation de cette tradition absurde. »

Un observateur attentif ne peut qu'être frappé par la froideur des relations entre hommes et femmes en Ethiopie et ailleurs en Afrique, à l'exception des grandes villes où prévaut un mode de vie à l'occidentale. Tout se passe comme si une barrière invisible, faite de peurs et de soupçons, séparait les deux sexes. La violence sexuelle, « droit traditionnel » des hommes africains, détruit toute possibilité d'une relation humaine, d'un respect mutuel.

L'idéal musulman de la ségrégation des sexes se répand dans toute l'Afrique dans le sillage de l'islamisation. La ségrégation engendre le soupçon, la peur, le mépris, et encourage une vision totalement aberrante de la sexualité. La violence rend tout rapport sexuel inhumain. Et pourtant, dans ce contexte de ségrégation, le rapport sexuel reste la seule activité que femmes et hommes aient encore en commun.

Les conditions de vie en Afrique sont souvent très dures : maladies, sécheresses, privations. Mais au lieu de mettre en commun leurs dons, de s'entraider, de coopérer pour l'avenir de leurs enfants, hommes et femmes vivent séparés les uns des autres par des traditions destructrices.

En 1977, durant la saison des pluies, j'ai survolé les hautes terres, pour aller d'Addis-Abeba à Gondar, la capitale historique. Nous n'étions qu'à une centaine de mètres au-dessus des pentes couvertes de pâturages, des falaises, des cañons et des ravins. Ce paysage bucolique était parsemé de petites huttes rondes aux toits de chaume, regroupées en petits hameaux de cinq à dix habitations. Pas de villages, pas de routes, pas de villes, pas de fleuve, et certainement pas d'électricité. Chaque hameau semblait vivre totalement replié sur lui-même. On ne pouvait voir aucun signe d'activité ou de contact avec le monde extérieur. Rien ne reliait ces centaines de hameaux au présent. Il ne semblait même pas y avoir de sentiers permettant aux habitants des hameaux de se rencontrer les uns les autres.

L'Ethiopie, avec sa longue histoire, est un des pays les plus traditionalistes de l'Afrique. Mais la réalité de ce passé ne ressemble pas à l'imagerie romantique des historiens et des anthropologues. Pour les Ethiopiens ce passé, qui est toujours leur présent, signifie une vie de misère, de privations, de maladies, de famine et de terreur. Que les pluies ne viennent pas, ou qu'elles viennent trop tard, et tout est perdu. Les femmes en plus de cela doivent porter leurs propres fardeaux ; ce sont elles qui souffrent le plus. Dans un contexte d'agriculture de subsistance ou d'élevage, la force physique est un atout très important : mutilées, handicapées par des grossesses continuelles, les femmes sont incapables de se défendre. Ces femmes des hautes terres éthiopiennes n'imaginent même pas qu'elles pourraient vivre autrement.

ETHIOPIE : données économiques et sociales

Nom officiel : Ethiopie socialiste. Excepté cinq années d'occupation italienne (dans les années 30), l'Ethiopie a toujours été indépendante.

Ethiopie : à l'exception de la région du Sud-Est (Ogaden) et de l'Erythrée, l'Ethiopie est un haut plateau quasi inaccessible. Les routes, les moyens de transport et de communication sont rares. Une longue guerre civile se poursuit en Erythrée en lutte pour son indépendance.

Climat : tempéré dans les hautes terres. Chaud et sec dans les basses plaines.

Capitale : Addis-Abeba (environ 1,2 million d'habitants).

Population : 31 millions (1980) ; croissance annuelle : 2,6 % (1977).

Espérance de vie : trente-huit ans. Mortalité infantile : 155/1000.

Gouvernement : gouvernement militaire provisoire ; ni élections ni Constitution.

Ethnies : Oromo : 40 %, Amhara : 25 %, Tigre : 12 %, Sidama : 9 %.

Langues : amharique (officielle), tigrina, oroninga, arabe, anglais.

Religions : musulmane : 40-45 %, chrétienne orthodoxe d'Ethiopie : 15-25 %, animiste.

Taux d'alphabétisation : 8 % (beaucoup moins pour les femmes).

Education : facultative. Fréquentation : 23 % (des jeunes en âge scolaire). Une campagne d'alphabétisation est en cours.

Revenu par habitant : 117 dollars U.S.

Economie : produits agricoles : café, céréales, légumes, oléagineux, viande, peaux et cuirs. Industrie (14 % du P.N.B.) : textile, alimentaire, ciment, énergie hydroélectrique. Taux d'inflation : 14 % (moyenne). Balance commerciale déficitaire.

Le Nigeria

Grâce à son pétrole, le Nigeria connaît une fantastique expansion économique qui se traduit dans tout le pays par la construction de nouvelles infrastructures : autoroutes, routes, écoles, universités, stades, etc.

La capitale fédérale est Lagos, le plus grand port du pays, qui s'étend sur une série d'îlots surpeuplés. A Lagos on voit s'élever des immeubles de luxe et des bureaux, entourés d'autoroutes à plusieurs voies. Mais la ville n'a pas de réseau d'égouts. Elle baigne littéralement dans ses propres déchets. La distribution d'électricité et d'eau ne fonctionne que par intermittence ; quant au téléphone, il vaut mieux ne pas y compter du tout. L'expansion économique du pays s'accompagne d'une montée de l'inflation et de la corruption.

Le pays compte environ 100 millions d'habitants, appartenant à plusieurs ethnies. C'est une fédération d'Etats, qui jouissent tous d'une grande autonomie. Après de nombreux changements, ce système fédéral vient, une fois de plus, d'être modifié. Dans sa dernière mouture il se rapproche du système américain.

La poussée démographique est forte : chaque homme veut avoir autant d'enfants que possible. La polygamie est largement répandue surtout parmi la majorité musulmane. Nulle part ailleurs en Afrique je n'ai vu autant de femmes enceintes que dans les rues de Lagos et des autres villes nigérianes. A Lagos, et dans le sud du pays, les femmes prennent une part active à la vie politique et aux activités commerciales, dans le secteur des marchés. Le port de Lagos est le principal foyer de l'expansion nigériane, tandis que le nord du pays, habité par les Haoussas, est le fief des traditions musulmanes.

Les trois principales ethnies du Nigeria sont les Haoussas au Nord, les Yorubas au Sud-Ouest et les Ibos au Sud-Est. Toutes pratiquent les mutilations sexuelles : excision et clitoridectomie. Les Yorubas opèrent les bébés nouveau-nés. Ailleurs, l'excision est un rite d'initiation à l'âge adulte. Dans le Nord musulman, on pratique également l'infibulation.

Récemment, une étude du ministère fédéral de la Santé a fait le point de la situation. Ce document officiel, signé par le Dr (Mme) O.A. Adelaja, date de mars 1981 : « La plupart des Etats du pays ont répondu à nos questionnaires. Nous pouvons conclure de leurs réponses que la circoncision féminine reste pratiquée dans l'ensemble du pays. Chez les chrétiens et les musulmans, on opère surtout les bébés et les petites filles. Mais dans certaines tribus, la cérémonie a lieu quand la femme est prête à se marier ou quand elle est déjà enceinte de sept mois. Dans quelques rares cas, la cérémonie n'a lieu qu'après le mariage, et c'est au mari qu'incombe le devoir d'exciser sa femme. »

Le rapport décrit ensuite les différentes façons de procéder. « On opère en général les jeunes filles par groupes. Mais dans certains cas l'opération est individuelle et se déroule dans la maison de l'opérée. L'opérateur reçoit entre deux et dix nairas.[1]

« L'opérateur peut être un homme ou une femme. Pour l'homme, c'est en général un métier, et il pratique également la circoncision masculine. Les instruments varient : petits couteaux, lames affilées ou rasoirs.

« Les soins postopératoires varient également : application de charbon chaud, de bave d'escargot ou d'huile de palmier. Une autre tribu utilise un savon de fabrication locale et des procédés de guérisseurs traditionnels. »

Le rapport énumère ensuite les complications médicales. Quant aux raisons énoncées pour justifier l'opération, ce sont les mêmes qu'ailleurs : coutumes ancestrales, moralité, superstition : « Certains croient que si la tête du bébé touche le clitoris lors de l'accouchement, le bébé meurt. » En 1976, *Win News* a envoyé un questionnaire au ministère fédéral de la Santé. Les réponses des ministères de la Santé

1. Unité monétaire nigériane.

de l'Etat de Bendel et de l'Etat de Cross River, donnent de nombreux détails sur les pratiques locales.

Selon le premier, toute la population de l'Etat continue à observer la coutume. Mais l'opération est en régression dans les zones urbaines. On opère l'enfant dans les huit jours qui suivent sa naissance. Les guérisseurs recommandent également l'opération aux femmes adultes non circoncises, comme remède à la stérilité. L'opération ayant fait de nombreuses victimes, on se contente désormais dans certaines régions d'entailler le clitoris au lieu de le couper.

La réponse du ministère de la Santé de l'Etat de Cross River nous apprend que « la circoncision féminine y est très répandue », et nous donne des détails sur les pratiques de la tribu Efik, qui rassemble près d'un demi-million d'habitants dans la région de la ville de Calabar.

Chez les Efiks, « on considère une jeune fille non circoncise comme un véritable monstre, car selon la croyance elle a des organes sexuels femelle et mâle à la fois... » Voici comment se déroule une circoncision traditionnelle : « Dès l'aube, la circonciseuse locale recouvre de feuilles de plantain le sol de l'arrière-cour... Seule la mère de la jeune fille et une ou deux femmes âgées, appartenant à la famille, assistent à l'opération.

« On étend la jeune fille sur les feuilles. Une femme se tient de chaque côté pour tenir ses jambes et découvrir la région de l'opération. La circonciseuse tire sur le clitoris et le masse avec de la cendre, pour l'assouplir et l'allonger. Puis on ligature le clitoris à la base avec un fil de raphia (en général de couleur blanche). On le coupe ensuite à la racine à l'aide d'un rasoir affilé.

« On nettoie la blessure avec de l'eau chaude. Pour enrayer le saignement on utilise des extraits de plantes ou encore du gin local. Lorsque la blessure s'assèche, on l'enduit d'huile de palmier... »

Constate-t-on une évolution de la situation ? « La pratique ne disparaît pas aussi vite qu'on le souhaiterait », nous a-t-on répondu, en nous citant un cas récent : une jeune femme de trente ans fut hospitalisée d'urgence. Elle était en état de choc. Pour guérir sa stérilité, elle s'était fait exciser le clitoris. Elle avait perdu beaucoup de sang. On a dû lui faire plusieurs transfusions.

Bien entendu dans les zones rurales, qui ne disposent pas d'hôpitaux, ce genre de complication entraîne la mort de la victime. De 1959 à 1962 le Dr Lawrence Longo a travaillé comme gynécologue et médecin chez les Yorubas : ceux-ci pratiquent la circoncision environ six jours après la naissance de l'enfant. C'est à cette occasion que le bébé reçoit son nom. Le Dr Longo décrit l'opération : « C'est le guérisseur local qui opère, juste après le lever du soleil. Pour couper la partie antérieure des petites lèvres et le clitoris, on utilise des ciseaux ou deux morceaux de bambou. Dans certains cas les petits et grandes lèvres sont entièrement coupées. Il n'y a pas d'anesthésie. Pour enrayer le saignement, on place un coton humecté à l'endroit de l'excision et on maintient serrées les jambes de la petite fille. Les cas d'hémorragie, d'infection, ou de tétanos sont fréquents. Les cas de fistules aussi. »

Dans son numéro de novembre 1977, la revue *Drum*, qui jouit d'une audience nationale, fit paraître un article d'Esther Ogunmodede, journaliste nigériane : « La circoncision féminine : pendant combien de temps nos filles vont-elles encore souffrir de ces traitements barbares ? Personne n'a su m'expliquer le pourquoi de cette coutume. La plupart du temps on s'abrite derrière la tradition, pour excuser cette pratique aussi hideuse qu'incompréhensible. Mais en fait tout le monde connaît la vraie raison. Nos ancêtres n'étaient pas des hommes de science, mais ils savaient très bien où était le siège du plaisir sexuel de la femme, et ils l'ont extirpé à la racine. Tout ce qui touche à la sexualité et aux organes sexuels, n'est pas en Afrique un " sujet de conversation " : de ce fait, on a pu ignorer pendant des générations les effets néfastes des mutilations sexuelles féminines. »

Esther Ogunmodede décrit ensuite les façons de procéder des Haoussas, musulmans du Nord. Chez les Haoussas, ce sont les barbiers qui opèrent, surtout en ville. On ne retrouve cette situation qu'en Egypte : partout ailleurs l'excision est une activité presque exclusivement féminine. Ce sont sans doute leurs pèlerinages à La Mecque qui ont familiarisé les musulmans Haoussas avec la coutume égyptienne. « Lors de l'opération, la plupart des petites filles sont prises d'une panique incontrôlable. Elles se débattent tellement qu'elles subissent de très graves dommages. Pourquoi imposer à nos filles de pareilles horreurs ? poursuit Esther Ogunmodede. Nous avons rejeté la tradition des cicatrices faciales qui faisaient office de marques tribales. Les jeunes filles avaient honte de ces marques qui les défiguraient à jamais. Mais les traumatismes provoqués par la circoncision ne sont-ils pas mille fois pires ? »

Voici deux témoignages de jeunes femmes, opérées dans leur enfance. L'histoire de Jumai : « Je me demandais pourquoi on faisait bouillir de l'eau. Personne ne m'avait rien dit. A six heures du matin, le barbier est venu. Les anciens de la famille se sont rassemblés. Je n'avais que dix ans, et j'avais peur. La plus âgée de mes tantes m'a déshabillée, et m'a mis un bandeau sur les yeux. On m'a couchée et on m'a ouvert les jambes de force. Le barbier a fait son travail. Je hurlais de toutes mes forces et j'ai fini par m'évanouir. Quand je suis revenue à moi, je ne pouvais plus uriner. Cela a duré des heures. Quand j'ai pu uriner à nouveau, la douleur était atroce... »

L'autre témoignage est celui d'une jeune étudiante en droit, qui s'est juré qu'elle ne laissera jamais mutiler ses filles : « Je n'avais que huit ans, mais il a fallu cinq personnes pour me tenir. Tous les voisins étaient là. Ils criaient des encouragements à l'Olola [1], et se moquaient de mon manque de courage. Dans la bagarre, l'Olola a coupé là où il ne devait pas. Je suis mutilée à vie, c'est un cauchemar qui ne me quittera jamais... »

Esther Ogunmodede pose enfin cette question : « A qui incombe la responsabilité de diffuser le message dans toutes les familles ? A vous, organisations de femmes, hôpitaux, centres de soins, ministères de la Santé, Eglises, mosquées. Tous ensemble, organisons une campagne contre ce fléau qui détruit la santé de nos femmes, qui met en danger leurs vies et celles de leurs enfants. » L'article fit beaucoup de bruit au Nigeria, provoquant un débat national sur les mutilations dans les colonnes de *Drum*.

Voici quelques exemples de lettres reçues par la revue : *Miss Nigeria, 1977, Toyin Monney :* « Sur le plan biologique, le clitoris est l'organe le plus sensible de la femme. C'est pour cela que les parents faisaient autrefois exciser leurs filles : ils croyaient que ça les rendrait moins volages. C'est une pratique cruelle qu'il ne faut pas encourager. En ce qui me concerne je ne ferai jamais exciser mes filles. »

« Pourquoi Esther se trompe-t-elle », par D. Iriogbe, Calabar : « Le but ultime d'une jeune fille est de devenir adulte, de servir son mari et la société à laquelle elle appartient.

1. Les familles « Olola » ont le monopole des opérations chez les Yorubas.

Regardez ce qui se passe aux U.S.A. Les femmes y sont déchaînées, et leurs besoins effrénés de satisfactions sexuelles font grand tort à leurs maris. Même chez nous, au Nigeria, les rares femmes non circoncises traitent leurs maris de façon brutale et perverse. »

Le circonciseur Alhaji Jimoh Ala Bede : « Je suis d'une famille de circonciseurs. Avec l'argent que m'ont rapporté les circoncisions, j'ai pu me construire deux maisons et j'ai plusieurs enfants, qui fréquentent différentes écoles. Je circoncis aussi bien les hommes que les femmes et, quand on me le demande, je fais aussi des marques tribales. J'ai exercé mon métier dans toutes les ethnies du Nigeria. En ce qui concerne la circoncision féminine : nos ancêtres y croyaient et il faut toujours respecter la tradition. Les organes sexuels de la femme subissent-ils un dommage ? En ce qui me concerne, je n'en vois aucun. Même le Coran est en faveur de la circoncision des hommes et des femmes. »

« Une tradition archaïque et malsaine », par Jenyo Aladejeibi : « En lisant les lettres que vous avez reçues au sujet de la circoncision, on se dit que la plupart des gens ignorent ou ne comprennent pas les conséquences néfastes de ces opérations. Non seulement les femmes souffrent sous le couteau brutal du circonciseur indigène, mais elles souffrent en plus un véritable martyre chaque fois qu'elles veulent étreindre celui qu'elles aiment. Il en résulte une vie sexuelle et maritale frustrée. Je n'arrive pas à comprendre comment on peut dénier à la femme son plaisir sexuel, car c'est de cela qu'il s'agit quand on dit que la femme est trop " sexy " et qu'il faut lui couper le clitoris. Je ne répondrai qu'une chose aux chauvinistes mâles, qui prétendent que seul l'homme a droit au plaisir sexuel : ce qui est bon pour l'un, est aussi bon pour l'autre. Que diraient les hommes si la situation était inversée, si des circonciseurs indigènes les castraient pour les empêcher d'être trop " sexy " et de courir après les femmes ?... »

Il est à regretter que ni les autorités fédérales ni celles des Etats n'aient profité de l'ampleur de ce débat, pour lancer des campagnes d'information sanitaire.

Le Dr Bertha Johnson de l'hôpital neuropsychiatrique de Yaba, Lagos, faisait partie de la délégation nigériane au séminaire de l'O.M.S. à Khartoum. Les documents qu'elle a rassemblés pour cette réunion permettent de mieux comprendre le paradoxe de cette société archipatriarcale, qui voue à la fécondité un véritable culte, et méprise en même temps les femmes, source de toute vie : « En tant que psychiatre je sais qu'ici, au Nigeria, les gens sont littéralement obsédés par les enfants. La stérilité est pour une femme un problème terrible : si elle ne peut pas avoir d'enfants elle sombre dans la dépression. Elle n'est plus bonne à rien. Dans sa vie, la femme n'a qu'un seul but : avoir le plus possible d'enfants... L'homme africain ne permet pas qu'on doute de sa virilité, et surtout de sa capacité à procréer. Il est préoccupé par sa virilité, il lui en faut des preuves tangibles. Il accepte rarement de reconnaître qu'il peut être responsable de la " stérilité " de sa femme. »

Une femme qui n'a pas d'enfants peut se voir accusée de tous les maux, de l'adultère à la sorcellerie. Les mariages au Nigeria sont arrangés entre les familles, et la dot représente une source de revenus appréciable pour le père. Malgré cela, on préfère avoir des fils. « La dot que touchent les parents de la mariée garantit à l'époux, et à son clan, le droit de garde des enfants issus de cette union. Dans certaines régions, la femme qui ne donne pas d'enfants est renvoyée à ses parents, qui remboursent alors la dot... Dans certaines sociétés, on accueille la naissance d'une fille avec des sentiments mitigés. Cela peut aller jusqu'à un rejet pur et simple de l'enfant et de la mère, qui a failli à son devoir, en ne produisant pas un héritier mâle. »

La polygamie, très répandue au Nigeria, est aussi une source de traumatismes pour les femmes et leurs familles : « Les hommes ont rarement les moyens de subvenir aux besoins d'une seule femme et de ses enfants. Or, ils ont trois ou quatre épouses. Les femmes doivent donc se débrouiller toutes seules. Et elles doivent s'occuper non seulement des enfants, mais aussi du mari et des invités. La malnutrition des femmes et des enfants est la conséquence naturelle de cette situation... »

On pourrait croire qu'après cette vie faite de grossesses à répétition et de labeur perpétuel, la femme accueillerait avec soulagement la venue de la ménopause. Mais, pour les Africains, passé la ménopause, une femme cesse d'être une femme. Tout rapport sexuel lui est interdit. Chez une femme sans enfants, ou qui n'a eu que des filles, cette situation peut provoquer la dépression.

Une pédiatre de l'université de Lagos, le Dr Nike O. Grange a enquêté sur les pratiques traditionnelles affectant les enfants nigérians. L'ensemble de ces pratiques relève, selon elle, du « rituel du couteau » : « La communauté voue au couteau un véritable culte, et nous en voyons les résultats dans les hôpitaux. Les corps des bébés et des jeunes enfants sont recouverts de cicatrices rituelles de toutes sortes, censées les " protéger contre les mauvais esprits ". La cautérisation (au fer rouge) destinée à chasser la maladie en est un exemple. La circoncision féminine est pratiquée sur des enfants très jeunes, parfois quelques jours seulement après leur naissance. On fait appel aux pédiatres pour soigner les conséquences de l'opération — mais c'est en général déjà trop tard. La plupart des pratiques de la médecine traditionnelle ont des résultats déplorables sur la santé des mères et des enfants. L'absence d'une éducation sanitaire permet à ces traditions de se perpétuer, avec leur cortège de souffrances et de morts inutiles. »

Lors de notre entretien, le Dr Grange a insisté sur ce point : « Il faut apprendre aux adolescents à s'occuper de leur santé et de leur corps. Les filles doivent apprendre à se connaître elles-mêmes, dès leur plus jeune âge. Mais il faut aussi éduquer les hommes, car ils contrôlent toujours la vie des femmes. Même si ce contrôle n'a plus de base légale, les femmes restent en réalité toujours aussi soumises. Elles ne sont pas agressives, partout elles se laissent exploiter. Bien sûr, la condition des femmes à la campagne et celle des femmes éduquées des villes sont très différentes. Les femmes qui ont reçu une formation professionnelle ont une conscience sociale qui leur permet de comprendre l'injustice de leur situation.

« Nous avons une Constitution maintenant, et des lois qui définissent nos droits... comme le divorce ou la pension alimentaire. Encore faudrait-il que les femmes les connaissent. Dans les zones urbaines, les femmes vivent au contact du monde et il n'y a pas trop de problèmes. Mais dans les zones rurales elles vivent coupées du monde extérieur, et continuent à se soumettre à l'exploitation des hommes... »

J'ai quitté Lagos, au climat chaud et humide, pour me rendre à Kano, dans le nord du pays, un plateau sec du Savannah africain. Il n'avait pas plu depuis six mois, la chaleur était étouffante, l'air saturé de poussière.

Les rues de Lagos sont encombrées de voitures, de Mercedes flambant neuves. Dans celles de Kano, on voit des motos, des mobylettes, des vélos. Les hommes roulent à toute vitesse, dans un nuage de poussière, leur robe traditionnelle flottant derrière eux, leur pittoresque couvre-chef surmonté d'un casque de motocycliste.

La maternité de l'hôpital de la ville de Kano déborde d'activité. Les jeunes mères ne peuvent y rester que quelques heures après leur accouchement — pas plus. Les Haoussas musulmans de cette région ont pour coutume de marier leurs filles très tôt. En visitant la maternité j'ai pu constater l'extrême jeunesse de presque toutes les accouchées.

J'ai interrogé les médecins et les sages-femmes sur les mutilations sexuelles. Ils m'ont dit qu'ils ne voyaient pas beaucoup de cas d'excision, mais qu'une autre opération était pratiquée dans la région. Beaucoup de petites filles mutilées, souvent très jeunes — de dix à douze ans — venaient à l'hôpital avec le vagin incisé. Outre les infections, ces incisions provoquent l'incontinence. Selon les médecins, c'est une conséquence des mariages précoces : les petites filles sont trop étroites pour avoir des rapports sexuels, on les incise pour permettre la pénétration. Cette intervention, appelée *gishri* est effectuée par des opérateurs locaux : elle est censée également préparer la petite fille à l'enfantement.

Quand on amène la petite fille mutilée à l'hôpital, l'infection est déjà généralisée, et souvent, on ne peut plus rien pour elle. Mais dans la plupart des cas, on ne les amène même pas à l'hôpital : les gens se méfient énormément de la médecine moderne. Les médecins constatent toutes sortes de blessures infligées aux organes sexuels : mais les gens refusent de leur parler des pratiques traditionnelles, et les petites filles ne savent pas ce qu'on leur a fait, ni pourquoi.

A la maternité de Kano, j'ai vu un groupe de très jeunes femmes qui avaient accouché la veille. Elles avaient leurs bébés sur leurs genoux. C'était tôt le matin. Elles attendaient que leurs parents viennent les chercher pour les ramener à la maison. Elles étaient toutes exténuées, le visage incroyablement triste. Aucune n'avait un regard pour son bébé. Elles étaient assises sur un grand banc tout près d'une salle pleine de lits de fer (sans draps), où d'autres femmes étaient en plein travail. Seuls quelques écrans les séparaient des femmes qui étaient dans la phase finale de l'accouchement.

Toujours à Kano j'ai visité la clinique privée du Dr A. Iman. Il m'a confirmé ce que j'avais appris à l'hôpital municipal : les incisions gishri sont pratiquées dans toute la région pour rendre la petite fille « mariable » et pour permettre à son père d'empocher la dot. Il m'a également confirmé ce que m'avaient dit les médecins de Lagos : le lendemain de sa nuit de noces, la jeune fille se retrouvait souvent avec ses organes sexuels déchirés.

L'élite intellectuelle et politique du Nigeria n'a jamais condamné les mutilations sexuelles féminines. Malgré les nouvelles universités, les instituts de recherche, les ordinateurs, les automobiles, les gadgets de toute sorte, la majorité des hommes nigérians continue à voir dans la castration sexuelle de la femme, la garantie de la virilité de l'homme.

Après avoir visité les universités et les écoles de médecine du Nigeria, un médecin européen, qui doit rester anonyme, m'a écrit ceci : « J'ai interrogé mes collègues au sujet de la circoncision féminine. Ils m'ont invité à assister à une opération pratiquée ce jour-là à l'hôpital universitaire. Le chirurgien de service opérait une petite fille de trois ans. Sur le plan médical, l'opération s'est déroulée sans problème. L'habileté du chirurgien montrait qu'il n'en était pas à sa première excision. La mère de la petite fille attendait à l'extérieur de la salle d'opération. J'ai essayé de lui parler des conséquences de l'excision. Cela n'a pas plu à mes collègues, qui m'ont demandé de quitter les lieux. »

Pour impressionner le reste du monde, le Nigeria a organisé des festivals internationaux et des événements sportifs, qui ont attiré les touristes par milliers, et les dollars par millions. Mais à l'ombre des gratte-ciel, dans les ruelles de Lagos, on continue à violer et à mutiler des milliers de petites filles, au vu et au su de l'élite intellectuelle, médicale et politique du pays.

L'exemple du Nigeria montre que la pauvreté et le manque d'éducation n'expliquent pas, à eux seuls, la perpétuation de ces pratiques.

NIGERIA : données économiques et satistiques

Nigeria : la région la plus peuplée d'Afrique occidentale, et aussi la plus prospère, grâce à ses gisements de pétrole.
Climat : chaud et humide sur la côte. Chaud et sec dans la savane du nord du pays.
Population : estimée à 80-100 millions d'habitants. Certains l'évaluent à plus de 120 millions, mais il n'y a pas eu de recensement depuis la guerre du Biafra.
Taux de croissance : 2,5-3 %.
Espérance de vie : quarante et un ans.
Gouvernement : République fédérale regroupant 19 Etats. Sénat et Chambre des députés, Indépendance : 1960, Constitution : 1979.
Ethnies : Haoussas (Fulani), Ibos, Yorubas, 250 groupes tribaux.
Religions : musulmane (Haoussas, Nord) : 50 %, chrétienne : 34 %, animiste : 19 %.
Taux d'alphabétisation : 25 % (moins pour les femmes).
Education : Obligatoire pendant six ans. Fréquentation : 6 %. De nombreuses universités nouvelles.
Capitale : Lagos. Nouvelle capitale en construction dans un district fédéral au centre du pays.
Revenu par habitant : 750 dollars U.S. Taux de croissance : 10,6 % (1980). Inflation : 11 % (1980/1981).
Economie : Pétrole, étain, fer, colombium, etc. Produits agricoles : cacao, caoutchouc, huile et noix de palme, le tabac, les arachides, etc. Membre de l'OPEC.

Le Mali

Dans son ouvrage, *Femmes du Mali,* Danielle Bazin-Tardieu qui a vécu de nombreuses années à Bamako, la capitale du pays, analyse la situation des femmes maliennes. Mais son étude s'applique en fait à l'ensemble de l'Afrique occidentale francophone. Dans cette région, l'influence française et musulmane s'est superposée aux traditions africaines. La polygamie, tradition africaine aussi bien que musulmane, y est de règle. « Une Malienne a de nombreux devoirs, mais elle a aussi des droits. Son premier devoir est d'obéir à son mari et de respecter la première épouse (quand ce n'est pas elle). » Elle doit aussi vivre en harmonie avec les autres épouses, respecter les coutumes des ancêtres du mari, et faire sa part des travaux domestiques. En échange, elle a droit à une certaine indépendance ; la plupart du temps, elle a son propre logement, où elle garde ses possessions, et où elle élève ses enfants jusqu'à la puberté. La case ou la maison appartient au mari, la femme n'en étant qu'usagère. Mais dans certaines ethnies, la femme bâtit sa propre maison, et cette maison lui appartient.

Danielle Bazin-Tardieu explique que chaque épouse à droit aux faveurs du mari, en fonction d'un calendrier précis. Le mari doit consacrer une nuit à chacune de ses épouses. Il prend son repas en compagnie de celle avec laquelle il passe la nuit. Celle qui doit bénéficier de ses faveurs, doit donc également le nourrir.

Là où les femmes sont propriétaires de leurs maisons, comme chez les Sonrhaïs, le mari n'a pas de maison à lui puisqu'il passe ses nuits dans les maisons de ses épouses. Dans d'autres ethnies, le mari a sa propre maison.

En ville, le manque d'espace oblige les gens à inventer

d'autres solutions, mais le principe reste le même. Parfois les maisons des femmes entourent une cour commune, ou bien chaque femme a sa pièce à l'intérieur d'une même maison.

Les enfants n'appartiennent pas à la mère mais à la famille du mari. En cas de divorce, c'est le mari ou sa famille qui en ont la garde. C'est le mari qui prend toutes les décisions importantes concernant les enfants : éducation, domicile, mariage, quand il s'agit de filles.

En général, les enfants restent avec leur mère jusqu'à l'âge de sept ans, même en cas de divorce — mais dans ce cas il arrive que seules les filles soient autorisées à rester avec elle.

Dans *La parole aux négresses* (p. 56) Awa Thiam rapporte des points de vue de femmes sur le fonctionnement de ce système. Voici le récit de la première épouse d'un homme prospère et influent :

Mouna (mariée à un chef religieux musulman) : « Je suis mariée depuis l'âge de seize ans. Aujourd'hui j'en ai quarante-trois. J'ai eu de mon époux douze enfants dont deux sont décédés en bas âge. Je suis la première épouse de mon mari. J'ai eu treize coépouses dont neuf divorcées, toutes d'âges différents. La plus jeune a vingt ans alors que mon mari a dépassé la cinquantaine. Nous n'habitions pas toujours dans une même concession ni dans une même ville. Aujourd'hui nous sommes quatre et demeurons toutes selon le désir de mon mari dans une seule et même maison. Notre mari voyage souvent. Nous le voyons très peu. Première épouse, j'ai été témoin de tout ce qui s'est passé dans notre demeure. Nouvelle venue, l'épouse est dorlotée, cajolée. Quelque temps plus tard, elle se trouve détrônée au profit d'une nouvelle coépouse, ou d'un nouveau voyage que notre mari doit effectuer. L'existence conjugale paraît, sous cet aspect, insupportable. Quels que soient nos efforts, nous finissons toujours par être délaissées au profit d'une nouvelle épouse... » Ni l'homme ni la femme ne font un mariage d'amour. Le mariage est une association qui apporte à l'homme des enfants, une alliance avantageuse avec une autre famille, et la satisfaction de ses besoins sexuels et alimentaires.

Le statut légal des femmes maliennes dépend en grande partie de leur ethnie. Dans certains cas, elles ne peuvent ni posséder ni hériter. Dans d'autres cas, elles peuvent conserver le revenu tiré de la vente de produits au marché.

Chez les musulmans la part qui revient aux héritiers mâles représente, en général, le double de celle des héritières. La législation islamique des droits de succession représente un progrès par rapport aux coutumes de l'Afrique animiste toujours en vigueur dans de nombreuses régions d'Afrique occidentale.

Dans certaines sociétés traditionnelles africaines, non seulement la femme n'hérite pas de son mari, mais elle devient elle-même une partie de l'héritage, revenant au frère du mari défunt ou à un autre homme de sa famille.

En 1962, après l'indépendance, le gouvernement socialiste du Mali a promulgué une nouvelle législation de la famille. Comme l'explique Bazin-Tardieu, c'était une véritable révolution au sein de cette société ultra-traditionaliste. Mais on a préservé la polygamie et la dot, les deux institutions traditionnelles les plus néfastes, du point de vue des femmes.

Le premier article du Code du mariage proclame que le mariage est un acte civil et que l'union ne peut être légale que si les deux partenaires sont consentants. Aucun interdit traditionnel de religion ou de caste n'est reconnu. L'homme doit avoir au moins dix-huit ans et la femme quinze. Les interdictions relatives au mariage, stipulées par le Coran, sont reconnues. Le système de la dot est réglementé « parce que la dot est devenue aujourd'hui le simple prix de vente d'une femme, et qu'elle fournit au chef de famille l'occasion de se livrer à des spéculations scandaleuses ».

Un article publié en mars 1979 dans *Sunjata,* revue mensuelle des Services d'information maliens, évoque le problème de l'augmentation du « coût de la femme ». L'article montre que dix-sept ans après la nouvelle législation de la famille, très peu de progrès ont été accomplis dans les faits : « Si l'on veut l'égalité entre les hommes et les femmes, il faut abolir l'institution de la dot. Le prix de la femme ne cesse d'augmenter, faisant diminuer le nombre de mariages. La dot qui n'a plus aucune signification sociale ou culturelle permet aux parents de s'enrichir, mais menace notre jeunesse. »

Autrefois, la dot était une compensation versée aux parents de la mariée, qui n'allait plus travailler pour eux aux champs. Grâce à la polygamie, l'homme disposait de plus de main-d'œuvre, tant aux champs qu'au foyer.

Selon l'article 3 du Code du mariage la dot ne peut pas dépasser 20 000 francs pour une jeune fille et 40 000 francs pour une femme (tous les cadeaux étant inclus dans ce prix). Les contrevenants peuvent être punis de trois mois à deux ans de prison, et d'amendes allant de 20 000 à 40 000 francs. Mais les infractions à la loi n'ont jamais été poursuivies. On gaspille des sommes folles « pour la cérémonie du mariage. Certains parents, au lieu de se soucier du bonheur de leur fille, cherchent uniquement à améliorer leur situation financière en se trouvant pour gendre le marchand le plus riche possible. La jeune fille n'a pas le choix. On lui dit que si elle n'obéit pas, elle sera maudite et chassée de sa maison. »

Même s'ils ne sont pas appliqués, de nombreux articles de ce nouveau Code du mariage sont importants parce qu'ils définissent la situation coutumière, et qu'ils la rejettent. Pour la première fois, les femmes jouissent de leurs pleins droits civiques. Une autre innovation unique : lors de son premier mariage, l'homme doit choisir entre la monogamie et la polygamie ; seul un homme sur trois opte pour la monogamie. L'épouse toutefois n'est pas consultée. Selon la loi, l'homme adultère doit être puni au même titre que la femme. Le mariage ne peut plus être répudié unilatéralement, et le divorce doit être décidé par une cour civile.

Une législation du travail, réglementant les congés de maternité et la Sécurité sociale, fut également promulguée. Mais seule une minorité de femmes travaille dans le secteur moderne. Par tradition, il y a très peu de femmes salariées. D. Bazin-Tardieu s'interroge sur la pertinence d'une telle législation dans un pays où plus de 90 pour cent de la population pratique l'agriculture de subsistance.

Comme dans les autres sociétés africaines ou musulmanes, les femmes et les hommes vivent dans deux mondes séparés. Le gouvernement a essayé, par des lois et des proclamations, d'abolir la barrière qui sépare ces deux mondes, et de garantir les droits individuels de chacun, qu'il soit homme ou femme.

Bazin-Tardieu a interrogé des hommes et des femmes de l'élite évoluée de Bamako sur les rapports entre les sexes et sur la vie familiale. La plupart des hommes ne veulent pas de changement dans leurs relations avec les femmes. Ils sont très satisfaits d'avoir conquis leurs propres libertés individuelles, mais ils ne veulent pas les partager avec les femmes. La plupart d'entre eux préfèrent la polygamie. Ils estiment que donner la parole aux femmes met toute la famille en danger.

Un des changements que l'on peut constater dans le secteur moderne, c'est que désormais les hommes et les femmes mangent et parlent ensemble de même qu'il leur arrive de travailler ensemble. Les hommes interrogés par Bazin-Tardieu constatent que les femmes ont changé, mais ils pensent que c'est pour le pire : « Elles manquent de respect envers leurs maris. La femme doit être à genoux devant son mari. C'est la place que Dieu lui a assignée. » Les femmes reprochent aux hommes de ne pas subvenir aux besoins de leurs familles, et de ne pas assumer leurs responsabilités vis-à-vis de leurs enfants. « Les hommes mentent, ne respectent pas le mariage. Ils boivent trop, et courent après d'autres femmes. »

Comme les autres sociologues, Bazin-Tardieu ne mentionne qu'en passant l'existence de l'excision au Mali. Et elle ne dit rien des raisons des mutilations, ni de leurs conséquences.

La majorité des petites filles du Mali est excisée et parfois infibulée. Seules deux ethnies de la région de Tombouctou et du nord du pays s'abstiennent de ces pratiques. Même à Bamako, plus de 95 pour cent des femmes qui viennent accoucher à la maternité de l'hôpital Gabriel-Touré, sont mutilées.

La situation de la femme excisée dans le secteur moderne devient particulièrement tragique quand elle prend conscience de ce qu'on a fait d'elle alors qu'elle n'était encore qu'une enfant. Voici le témoignage du Dr Jean G. Taoko : « La frigidité est l'une des conséquences les plus dramatiques et les plus cruelles de l'excision... La souffrance empêche la plupart des femmes d'avoir des rapports sexuels normaux... Sur le plan psychologique et sur le plan social, les résultats sont tout aussi catastrophiques. La femme qui a reçu une éducation et qui commence à s'émanciper, ressent l'excision comme une terrible humiliation... C'est la marque tangible de son infériorité... La blessure psychologique est encore plus profonde que la blessure physique... Il faut absolument mettre un terme à cette pratique... »

A la suite de cet article paru dans *Famille et développement*, la revue a publié la lettre d'un éducateur malien. Ce lecteur estimait que l'excision était une mesure de protection indispensable pour la société. Voici son argument : puisque la polygamie est de règle au Mali, si l'homme devait satisfaire régulièrement toutes ses femmes, il y laisserait sa santé. L'excision est la réponse à ce problème. Le lecteur ajoute que les pays monogames, Europe et U.S.A. notamment, sont ravagés par la prostitution, la débauche et les maladies vénériennes. Il ignore apparemment que la prostitution est la plaie de toutes les cités africaines, et que les maladies vénériennes commencent à se répandre dans les campagnes, propagées par les hommes qui travaillent en ville et viennent en visite au village. Selon l'O.M.S., ce phénomène a pris les proportions d'une véritable épidémie.

Dans *La parole aux négresses,* Awa Thiam rapporte le témoignage de plusieurs Maliennes, villageoises victimes des mutilations sexuelles. Mais les enfants des parents évolués ne sont pas à l'abri. Les vieilles générations, les grand-mères surtout, continuent à être favorables aux opérations et à les imposer à leurs petites-filles.

Les Bambaras pratiquent l'excision et l'infibulation. « Les chefs religieux que j'ai interrogés, explique Awa Thiam, m'ont tous déclaré que l'excision est un commandement du Coran. » Le Dr Pascal James Imperato, qui a passé de nombreuses années au Mali et dans les pays limitrophes, décrit l'opération chez les Bambaras et les Malinkés : « ... Chez les Bambaras, les opératrices appartiennent à la caste des forgerons et exercent par ailleurs le métier de potier. L'opération se déroule à l'orée du village, en présence des parents adultes des opérées. On installe les jeunes filles sur des jarres de terre renversées. Trois de leurs parentes se tiennent derrière elles pour les soutenir. Les jeunes filles écartent les jambes, l'opératrice prend le clitoris et le coupe d'un geste rapide, à l'aide d'un couteau ou d'un rasoir. Le clitoris est enterré ou jeté dans un trou de rat...

« ... on recouvre souvent la blessure d'excréments d'animaux, ce qui provoque de graves infections secondaires et le tétanos... Tétanos, gangrène, infections locales, hémorragie : de telles complications sont fréquentes. Certaines enfants meurent des suites de l'opération, mais on ne dispose pas de statistiques précises. Je crois que la plupart des morts sont provoquées par l'hémorragie...

« Chez les Malinkés du Mali les cérémonies de circoncision et d'excision ont lieu tous les trois ans environ... Chez les animistes, l'âge moyen des opérées est de seize ans. Chez les populations islamisées on opère les petites filles entre huit et douze ans...

« Les petites filles sont opérées dans la maison de leur mère ou celle de la femme du forgeron... parfois dans l'enclos entourant les latrines familiales. La fillette est assise sur une pierre plate, les jambes écartées. Elle est assistée de sa mère et de ses sœurs aînées tandis qu'une femme chante les louanges de la famille. Aujourd'hui le rasoir remplace de plus en plus souvent le couteau. La circonciseuse prend le clitoris entre son pouce et son index. Pour le mieux saisir, elle le stimule avec ses doigts. Puis elle tire dessus et le coupe à sa racine. »

Le Dr Imperato travaillait pour un programme de lutte contre la variole organisé par l'O.M.S. L'équipe de l'O.M.S. a tout fait pour convaincre les populations nomades de se laisser vacciner. La plupart des nomades, n'ayant jamais eu de contacts avec la médecine moderne, se montraient très méfiants. Cette campagne préventive a pourtant parfaitement réussi puisque la variole a disparu du Mali. Mais rien n'a été fait pour persuader ces mêmes populations de renoncer aux mutilations sexuelles, qui font pourtant plus de victimes que la variole.

En 1978, Assitan Diallo, étudiante à l'école des enseignants de Bamako, a consacré une thèse à *L'Excision chez les Bambaras*. Elle explique que chez les Bambaras les excisions ont lieu pendant la saison froide (de novembre à février). Les Bambaras, convertis à l'islam, considèrent qu'une femme non excisée est « impure ». Mais, avant leur islamisation, ils pratiquaient déjà l'excision des filles et la circoncision des garçons : l'opération avait pour but de confirmer le sexe de l'individu afin de le faire entrer dans le monde adulte. Les Bambaras croient également que le clitoris et le prépuce sont le siège d'un démon dangereux appelé *Wanzo*. Celui qui a le Wanzo ne peut pas avoir de rapports avec un membre du sexe opposé, d'où la nécessité de l'opération.

Les jeunes filles sont excisées juste avant la puberté, entre huit et treize ans. Chaque fille est déjà promise à un mari. La description qu'Assistan Diallo fait de l'opération ressemble à celle du Dr Imperato et d'autres témoins. Diallo nous apprend que, pendant leur convalescence, les jeunes filles restent ensemble dans une pièce sous la surveillance d'une vieille femme qui a le pouvoir de tenir à distance les mauvais esprits. La vieille femme apprend aux jeunes filles toutes sortes de chants, et soigne leurs blessures en y appliquant du beurre. Pour finir, on fait un grand feu, à une croisée de chemins, où l'on fait brûler tous les objets que les jeunes filles excisées ont touché. On croit ainsi détruire le « Wanzo ».

Cette réclusion dure environ trois mois. La jeune fille en sort avec une nouvelle personnalité. Pendant cette retraite, on lui a appris tout ce qu'elle devait savoir sur le mariage et sur son rôle d'épouse. On lui explique qu'elle doit à son mari une obéissance aveugle, on lui enseigne ses devoirs vis-à-vis de ses beaux-parents. Dans le foyer traditionnel, elle est inférieure à tous les hommes, y compris ses propres fils. Quand le chef de famille s'absente, c'est le fils aîné qui le remplace et qui prend les décisions pour l'ensemble de la famille.

« L'excision garde-t-elle encore sa fonction d'initiation et d'éducation sociale ? Est-elle aussi largement pratiquée qu'autrefois ? » Pour tenter de répondre à ces questions Diallo a mis au point un questionnaire qu'elle a soumis à des hommes et à des femmes de Bamako.

Voici ce qu'elle a appris : plus de 30 pour cent des personnes interrogées ont fait exciser leurs enfants avant qu'elles aient un an. Dans la plupart des autres cas, l'excision a eu lieu bien avant la puberté. Il ne s'agit donc plus, comme autrefois, d'une initiation. Les réponses montrent d'autre part que les rituels d'initiation proprement dits, qui entouraient l'excision, sont aujourd'hui abandonnés.

La plupart des personnes interrogées à Bamako ont été incapables d'expliquer le sens des opérations sur le plan social. Elles sont de plus en plus conscientes des dangers que ces opérations représentent, mais continuent à les justifier au nom de la tradition ou de la religion.

Beaucoup plus d'hommes que de femmes continuent à croire que les opérations jouent un rôle social important. La majorité des deux sexes confondus pense que les opérations sont pratiquées pour des « raisons d'hygiène ». 70 pour cent des femmes du secteur moderne sont convaincues que l'excision permet un accouchement plus facile, ce qui montre les énormes lacunes de l'éducation sanitaire et sexuelle au Mali. Selon Diallo, « l'excision en milieu urbain n'est plus qu'une caricature. Elle a perdu son sens social et éducatif, et l'opération elle-même se déroule souvent à l'hôpital ».

En mars 1979, j'ai rencontré les sages-femmes de l'hôpital Gabriel-Touré de Bamako. Les médecins ne s'occupent pas des accouchements. Comme dans tous les pays musulmans on ne fait appel à eux qu'en cas de complications. En moyenne, chaque femme a neuf enfants, mais la mortalité infantile est ici l'une des plus élevées du monde.

Les sages-femmes m'ont invitée à assister à un accouchement. Une chaleur étouffante régnait dans la salle d'accouchement : pas d'air conditionné, pas de draps, pas de linge, même pas des serviettes en papier, pas d'instruments. Et, pour l'accouchée, pas d'anesthésie. La jeune femme n'avait plus d'organes génitaux externes : ni clitoris ni petites lèvres, seule lui restait la partie antérieure des grandes lèvres. C'était un accouchement prématuré, le fœtus était tout petit, malformé. La femme était couchée sur le dos, sur une table couverte de plastique noir, revêtue de ses vêtements de tous les jours. On a placé une bassine ronde sous son sexe pour recueillir le produit de son travail. Une sage-femme, portant des gants de caoutchouc, lui disait quand elle devait pousser.

Toutes celles qui viennent ici sont comme ça, m'ont dit les sages-femmes, en me montrant le sexe de la jeune femme. L'exciseuse ne leur laisse presque rien. Dans les zones rurales, les jeunes filles sont opérées en groupe, vers quatorze-quinze ans. On les marie, en général, un mois après la fin de la période de réclusion. Dans certaines régions, on ne les opère qu'après leur premier enfant, pour qu'elles restent fidèles à leur mari. « Les forgerons forgent les couteaux pour les opérations : c'est eux qui circoncisent les garçons, et c'est leurs femmes qui excisent les filles », m'ont dit les sages-femmes.

Je leur ai posé des questions sur l'infibulation. Selon elles, l'infibulation ne résulte pas d'une suture. C'est la cicatrisation des plaies causées par une excision trop radicale qui ferme l'entrée du vagin. Pour favoriser ce processus on lie parfois les jambes de la jeune fille. Dans certaines régions, l'excision s'accompagne d'incisions du vagin.

A Bamako, et dans les villes, on pratique l'opération sur les nouveau-nés parce que, selon les sages-femmes, « plus la petite fille est jeune, plus elle guérit facilement », ou encore « chez l'enfant tout jeune, il y a moins de risques d'hémorragie ». Mais une de leurs collègues avait perdu deux filles par suite des opérations.

Les femmes qui viennent accoucher à l'hôpital font exciser leurs filles par des opératrices traditionnelles, sitôt rentrées chez elles. Les accidents sont fréquents. L'hôpital a désormais sa propre exciseuse traditionnelle, qui opère les bébés dont les parents le demandent. Les risques d'infection sont ainsi réduits, et en cas de complications, l'enfant peut être secourue.

Les chefs religieux musulmans du Mali disent que l'excision est un devoir religieux : une femme qui garde son clitoris est impure et Allah rejette ses prières. Avant la prière, il faut se laver, « faire ses ablutions ». Selon les sages-femmes l'excision est l'équivalent de ces ablutions.

Pour les animistes, l'opération est une méthode pour refréner le désir sexuel de la fille, pour lui éviter de « fauter ». La femme excisée est plus « sage ». Si une fille n'est pas opérée avant son mariage son mari lui dira « qu'elle n'est pas une femme convenable ». Dans les foyers polygames, les épouses excisées prennent pour souffre-douleur leurs coépouses qui ne le sont pas jusqu'à ce que celles-ci se fassent opérer. Les jeunes filles qui vont à l'école sont opérées pendant les vacances scolaires.

Selon les sages-femmes, certaines circonciseuses ont des pouvoirs exceptionnels : elles peuvent opérer sans aucun saignement. Elles sont très demandées. « Au nord du pays, les filles ne sont pas excisées. Les Sonrhaïs, les Maures, et les gens d'origine arabe ou berbère ne pratiquent pas l'excision. Les Maures, les Peuls et les Sarakollés marient leurs filles très jeunes. On voit venir ici des femmes qui ont à peine quatorze ans et qui ont déjà plusieurs enfants. »

Les viols et les cas de femmes battues sont très fréquents. L'hôpital reçoit beaucoup de fillettes violées qui n'ont que sept ou huit ans, et parfois même moins. Quand une victime de viol vient à l'hôpital (la plupart ne viennent pas), les parents peuvent avertir la police et porter plainte. Mais en général on étouffe l'affaire, sauf si la fillette est très gravement blessée.

La maternité traite aussi de nombreux cas de femmes battues. Elles sont souvent enceintes et elles ont été tellement maltraitées par leur mari qu'il faut les hospitaliser. Mais la femme ne veut pas porter plainte, par peur du divorce. Sur le plan économique, les femmes vivent dans une situation de dépendance totale. « Nous gagnons nous-mêmes notre vie, m'ont dit les sages-femmes, nous n'acceptons pas de nous laisser battre. » On a coutume de dire au Mali qu'une femme battue et maltraitée donnera le jour à « de grands hommes ». Plus elle souffrira, meilleurs seront ses enfants. Et si elle meurt en couches, elle est censée aller tout droit au paradis.

Dans toutes les maternités, les femmes reçoivent des produits contraceptifs et une information sur le contrôle des naissances. « Tous les hommes sont contre le planning familial, m'ont dit les sages-femmes. Pour eux, c'est un scandale. Les femmes sont là pour faire des enfants. Si elles ne sont pas enceintes, elles chercheront des aventures. Pour que les choses changent, il faut d'abord rééduquer les hommes, estiment-elles. Il faut qu'ils prennent conscience de l'importance des femmes, de leur contribution, de leur vrai rôle. Les femmes sont le fondement de l'Etat et d'un gouvernement stable. Un homme ne devrait avoir qu'une seule femme. Aujourd'hui, si on n'est pas mariée, on n'est pas respectée, du moins c'est les hommes qui le disent, parce qu'ils veulent continuer à nous dominer. Pour faire quoi que ce soit, une femme doit d'abord demander la permission de son mari. Tant que les femmes ne participeront pas à toutes les décisions, rien ne changera chez nous. »

Nulle part ailleurs en Afrique, je n'ai entendu un appel aussi pressant en faveur du changement. Nulle part ailleurs, je n'ai rencontré des femmes aussi critiques, aussi conscientes des besoins de leur société.

MALI : données économiques et statistiques

La moitié nord du pays est désertique et très peu peuplée.

Climat : chaud et aride ; savane et désert.

Population : 6,7 millions (1980), taux de croissance : 2,5 %, Bamako (capitale) : 620 000 habitants.

Espérance de vie : quarante-deux ans.

Gouvernement : Président, Assemblée nationale. Indépendance : 1960. Constitution : 1974.

Ethnies : Mandé (Bambara, Malinké, Sarakollé) : 50 %, Peul : 17 %. Voltaïque : 12 %, Sonraï : 6 %, Touareg et Maure : 5 %.

Langues : français (officielle), bambara (80 % de la population).

Religion : musulmane : 90 %, animiste indigène : 9 %, chrétienne : 1 %.

Alphabétisation : 10 % (moins pour les femmes).

Education : Taux de fréquentation de 20 % pour les enfants de moins de quinze ans.

Revenu par habitant : 140 dollars U.S. (1981).

Economie : Agriculture : viande, bétail, coton, poissons, arachides, etc. Balance commerciale déficitaire. Augmentation des importations de céréales et de nourriture. Jusqu'en 1965, le Mali subvenait à ses besoins. Inflation : 15 % (moyenne).

La Haute-Volta

La majorité des habitants de la Haute-Volta vit de cultures de subsistance. Dans les années 70, ce pays pauvre, privé d'accès à la mer, fut dévasté par la sécheresse : les troupeaux furent décimés, les cultures détruites. L'avancée du désert saharien grignote le nord du pays. Même à Ouagadougou, la capitale située au centre du pays, les nuages de poussière et de sable rendent l'atmosphère irrespirable pendant la saison sèche. Celle-ci commence en novembre et l'hamadan — le vent chaud du désert — souffle à partir de mars. Si les pluies ne viennent pas pendant les quatre mois de la saison humide, à la fin de l'été, tout est perdu.

Les femmes des villages travaillent aux champs. La plupart des hommes valides quittent le pays pour trouver du travail en Côte-d'Ivoire ou au Ghana. Ils laissent derrière eux leurs familles, avec pour toute ressource les cultures traditionnelles des femmes. Certains groupes nomades continuent à suivre leurs troupeaux comme autrefois, sans aucun contact avec le reste du monde.

Dès leur plus jeune âge les filles doivent travailler à la maison ou aux champs. Très peu d'entre elles vont à l'école. Plus de 95 pour cent de la population sont illettrés, et dans le domaine de l'éducation l'écart entre les hommes et les femmes ne cesse de se creuser. Les experts en développement ne tiennent pas compte du rôle que jouent les femmes dans l'agriculture de subsistance, pas plus qu'ils ne tiennent compte de leurs besoins.

Les taux de mortalité infantile et maternelle (lors des accouchements) sont parmi les plus élevés du monde : 260 pour 1 000 ! Les mutilations sexuelles subies par toutes les femmes du pays sont en grande partie responsables de cette situation. Mais personne ne le dit.

Un programme pour « L'Egalité d'accès à l'éducation des femmes et des jeunes filles » fut lancé en 1967 avec l'aide de l'UNESCO. C'était la première fois qu'on essayait de remédier à la triste condition des femmes dans cette société ultratraditionaliste. Actuellement, le programme se poursuit sous la direction du ministère des Affaires sociales et de la Condition féminine, récemment créé.

D'autres programmes pour la formation des femmes ont été récemment lancés avec l'assistance internationale. Il semble que l'on ait enfin compris que nul progrès ne saurait intervenir sans la participation des femmes. Mais il faudrait également reconnaître que de nombreuses pratiques traditionnelles, et notamment l'excision, s'opposent à toute évolution des femmes et à toute amélioration de la qualité de la vie.

En Haute-Volta, les jeunes filles sont excisées à différents âge : on les opère dès que les poils apparaissent sur leur pubis. Aucune ne peut refuser. Pour prévenir « les accidents », il faut suivre certains rites : on sacrifie des animaux, des poulets par exemple, et on chasse les esprits du mal à coups d'incantations. Si la patiente meurt, c'est l'œuvre de la fatalité, ou des esprits du mal. On dit que le rituel n'a pas été scrupuleusement respecté. Mais la responsabilité de l'opératrice n'est jamais mise en cause.

Dans une société traditionaliste, l'unique fonction des femmes est d'avoir et d'élever des enfants. On marie les jeunes filles aussi tôt que possible et on les promet en mariage bien avant la puberté, en échange d'une dot dont le montant est fixé par les deux chefs de famille. Les mutilations génitales rendent les rapports sexuels très pénibles pour la jeune mariée. Elle espère être enceinte le plus vite possible pour échapper à cette torture. Mais l'accouchement lui-même est un véritable martyre. De temps en temps, une jeune femme se suicide. D'autres deviennent dépressives ou psychotiques, comme en témoignent les dossiers médicaux.

En 1977, lors de ma première visite à Ouagadougou j'ai rencontré le Dr Joseph Kabore, responsable du service d'obstétrique de la maternité de l'hôpital Yalgado, qui m'a invitée à lui poser toutes les questions que je voulais.

F H. « Voici ma première question : quelle est la situation des femmes sur le plan de la santé, et quelle est votre position concernant l'excision ?

Dr Kabore. — L'excision est universellement pratiquée parce que c'est la coutume. Toutes les femmes qui viennent ici sont excisées : on leur a coupé pratiquement tous les organes génitaux externes. Les cicatrices qui obturent l'entrée du vagin provoquent de nombreuses complications.

« L'année dernière, la Radio rurale a lancé sur ses ondes une campagne contre l'excision. J'y ai moi-même parlé de l'aspect médical et sanitaire du problème. Lale Naba, le chef de la province est intervenu en mossi, pour parler des coutumes. Un prêtre catholique a évoqué le point de vue religieux. Nous avons expliqué les dangers de cette coutume et les raisons pour lesquelles il fallait y renoncer. Nous avons reçu beaucoup de lettres. Vous pouvez les consulter, la station de radio les a conservées.

F H. — Et les chefs religieux musulmans ? Ont-ils participé à vos débats ? Après tout, une grande partie de la population est musulmane.

Dr Kabore. — Non. Les chefs religieux musulmans sont en faveur des excisions. De nombreux marabouts disent que l'excision est un devoir religieux.

F H. — A quel âge les jeunes filles sont-elles opérées ?

Dr Kabore. — En ville, et surtout ici à Ouagadougou, on les opère très jeunes, parfois à peine âgées de quelques mois. Les parents savent que s'ils attendent que la jeune fille soit pubère, elle refusera de se laisser opérer. Dans la brousse, on opère au moment de la puberté. C'est un rite d'initiation. Après l'opération, on recouvre la blessure de terre et de poussière pour enrayer l'hémorragie. On n'enraye rien du tout, mais l'infection est garantie. Récemment on m'a amené une jeune fille qui avait perdu tellement de sang qu'il a fallu lui faire plusieurs transfusions.

« Les opératrices sont surtout de vieilles femmes. Elles insistent pour opérer, même si le père de l'enfant s'y oppose. Les complications sont nombreuses. J'ai traité des filles qui ne pouvaient pas uriner. Les cicatrices posent des problèmes au moment de l'accouchement. Il ne s'agit pas d'infibulations délibérées, mais, en se refermant, les blessures condamnent souvent l'entrée du vagin. Certaines femmes ne peuvent pas avoir de rapports sexuels. Un mari m'a amené son épouse qui en était à son troisième mariage : il ne pouvait pas avoir de rapports sexuels avec elle, parce qu'elle était complètement fermée. Ses deux précédents maris l'avaient renvoyée à sa famille.

F H. — Quelles sont les conséquences sur les accouchements ?
Dr Kabore. — Malgré l'étroitesse de l'ouverture, beaucoup de femmes parviennent à avoir des rapports sexuels. Mais elles ne peuvent pas accoucher. Il faut pratiquer deux épisiotémies, c'est-à-dire deux incisions sur la partie antérieure et postérieure du vagin, qui ne peut pas se dilater. Sans cette intervention, la mère meurt en couches, ainsi que son enfant. On constate aussi de nombreuses fistules vaginales. »

La sage-femme de service nous a interrompus. Une femme en travail était arrivée la nuit précédente. Elle n'avait pas encore accouché. Le Dr m'a proposé d'aller la voir. C'était son premier accouchement, elle était très jeune. Elle était couchée sur le dos, complètement nue, avec un ventre énorme. La jeune femme ne semblait pas souffrir, mais elle était terrorisée. La raison pour laquelle elle ne pouvait pas accoucher était évidente : son vagin était fermé. Elle n'avait plus d'organes génitaux externes. Elle avait entre les jambes un solide pont de peau. La petite incision qu'on venait de pratiquer n'était pas suffisante pour le passage de l'enfant. Le docteur m'a dit qu'il serait peut-être obligé de lui faire une césarienne.

De retour dans le bureau, j'ai demandé au docteur ce qu'il suggérait pour persuader les gens de renoncer à ces opérations.
Dr Kabore. « Le problème c'est que les gens sont complètement imprégnés de leurs traditions. Mais nous commençons à avoir des écoles, même dans la brousse. Après notre débat radiophonique, j'ai reçu des lettres de menaces. Il faudrait une loi pour que nous puissions agir sans courir de dangers. Si nous avons la loi pour nous, alors ça change tout. Une campagne faite de débats radiophoniques ne sert pas à grand-chose. Il faudrait un effort systématique d'éducation sanitaire.

« Un exemple : il y a une loi qui interdit les marques tribales sur le visage. Ces marques sont des cicatrices, elles représentent une autre forme de mutilation. Aujourd'hui, grâce à la loi, cette coutume a disparu. Il nous faudrait une loi semblable pour interdire l'excision, puis une campagne d'information sanitaire, s'appuyant sur des moyens visuels, parce que la plupart des gens sont illettrés. Avec des images, on peut visualiser le problème et montrer à tout le monde les résultats des opérations. Il faudrait enfin la participation du ministère de la Santé et du ministère des Affaires sociales pour développer la législation. »

Dans un article consacré à l'excision (paru dans *Famille et développement*) le Dr Jean Taoke, de l'hôpital Yalgado de Ouagadougou, décrit la situation en Haute-Volta et apporte des éclaircissements sur les coutumes et les croyances locales.

Les Mossis, l'ethnie la plus importante de la Haute-Volta, croient qu'une femme non excisée ne peut pas avoir d'enfants et que le clitoris est un organe dangereux qui tue le bébé à sa naissance. Ils croient également que le clitoris rend les hommes impuissants.

Selon le Dr Taoke, les Bambaras croient également que la femme non excisée peut tuer l'homme avec qui elle a des rapports sexuels : son clitoris est comme un dard, avec lequel elle piquera l'homme. Ce sont les femmes qui opèrent : quand pour la première fois, un circonciseur a opéré une femme, il en est devenu aveugle. Depuis, seules les femmes peuvent opérer les jeunes filles.

Ce sont les « puissances surnaturelles » qui fixent, par la bouche du chef du village, la date et l'heure de l'opération. Pour prévenir les accidents et combattre les mauvais sorts jetés par les ennemis, on fait des sacrifices. En général le samedi est le jour le plus propice aux opérations. « Les opérations se déroulent sous un arbre en dehors du village. On utilise toutes sortes d'instruments, y compris des couteaux et des rasoirs. On coupe le clitoris et les petites lèvres. Parfois les opérations sont extrêmement radicales et ont de terribles conséquences pour la jeune fille. » Les femmes qui assistent les exciseuses doivent être elles-mêmes excisées. Les victimes sont censées supporter leur torture sans un murmure, mais les assistantes hurlent pour couvrir les cris.

J'ai posé quelques questions au Dr Taoko.

F H. « Pourquoi continue-t-on à pratiquer ces opérations ?

Dr Taoko. — Le respect de la tradition est la raison la plus fréquemment avancée. On donne aussi des raisons objectives : les opérations permettent de contrôler la sexualité des femmes. Il y a une corrélation entre les opérations et la polygamie. Une autre raison qui intéresse aussi bien les parents que le futur mari : l'opération préserve la virginité de la jeune fille jusqu'à son mariage.

F H. — D'après votre expérience, quelles sont les conséquences des opérations sur la santé des femmes ?

Dr Taoko. — Outre les nombreux dommages physiques, les

jeunes filles subissent également un dommage psychologique et social. Quand elles découvrent le monde moderne elles réalisent qu'elles ont été victimes d'une mutilation atroce, et que tout le monde le sait...

F H. — Que fait le ministère de la Santé ? Prend-il des initiatives dans le domaine de l'éducation familiale, sanitaire et sexuelle ?

Dr Taoko. — Le ministère de la Santé suit ces problèmes, mais il a d'autres priorités. Des organisations, comme l'Organisation des femmes voltaïques, font campagne contre les mutilations. Mais je suis pessimiste : à elles seules elles ne peuvent pas entreprendre une campagne d'éducation dans les zones rurales. Il faudrait que les hommes leur apportent une aide active.

F H. — D'après vous, que faudrait-il faire ?

Dr Taoko. — Je crois qu'une campagne d'information et d'éducation sanitaire s'impose. La suppression de l'excision s'inscrit dans le cadre d'une action sanitaire préventive. Ce sont les femmes qui opèrent mais on ne peut négliger la responsabilité des hommes. C'est à cause de leur jalousie et de leur attachement aux traditions qu'on perpétue ces coutumes.

F H. — Le gouvernement tente-t-il quoi que ce soit pour interdire les opérations ?

Dr Taoko. — Une interdiction légale ne pourrait être acceptée qu'après une vaste campagne d'information et d'éducation. Il faudrait donner un maximum de publicité aux accidents résultant des opérations. Tous ceux qui luttent contre ces pratiques — le gouvernement, l'Organisation des femmes voltaïques, et les professionnels de la santé — pensent qu'une campagne d'éducation est indispensable.

« Il faut dire que l'éducation sexuelle chez nous est très limitée. On manque d'éducateurs et de matériel pédagogique. Il y a très peu de gens capables de s'occuper de cela. Le processus de développement pose tellement de problèmes, qu'il y a toujours d'autres priorités.

F H. — Quelle est la situation en ville et dans les familles évoluées ?

Dr Taoko. — L'excision existe aussi en ville... Le rituel d'initiation proprement dit a été abandonné, mais les opérations elles-mêmes sont toujours pratiquées. Les parents évolués prennent rarement la responsabilité directe de faire exciser leurs filles. Mais ils ne s'y opposent pas. En fait ce sont souvent eux qui suggèrent l'opération. Cette pratique est entourée d'hypocrisie. Aucune personne évoluée n'élève la voix pour condamner l'excision ni pour demander son interdiction.

« En ce qui concerne les enfants des membres du gouvernement je ne peux pas vous répondre... parce qu'en Haute-Volta, beaucoup de gens d'origines et de milieux divers participent à la vie politique. Dans le secteur de la santé et dans les hôpitaux, les gens s'opposent à l'excision. Mais ce n'est pas leur souci prioritaire.

« J'insiste sur le fait que l'excision n'est qu'un des nombreux problèmes auxquels nous devons faire face, tant sur le plan sanitaire que sur le plan politique... Dans notre hôpital nous traitons chaque année plusieurs centaines de cas de complications dues à l'excision. Mais nous avons beaucoup d'autres maladies à soigner, nous devons nous occuper de la malnutrition, des parasites, etc. »

Beaucoup de responsables bien intentionnés m'ont fait cette même réponse. Mais pourquoi ajouter délibérément des problèmes supplémentaires aux innombrables risques sanitaires qui abondent dans l'environnement africain ? Pourquoi ne pas abolir ces mutilations qui sont le fait de l'homme, et dont tout le monde sait qu'elles constituent un obstacle à toute tentative de développement ? Oui, c'est une question de priorité. Mais il faut donner la priorité à la santé de la famille.

Les femmes voltaïques — l'Organisation nationale des femmes de la Haute-Volta — ont participé à la Conférence des Nations unies pour les Femmes à Mexico en 1975, puis à Copenhague en 1980. Leur présidente d'alors Mme Tiendregeogon, a participé au séminaire de l'O.M.S. à Khartoum. Elle a évoqué la campagne dont nous avons déjà parlé. Mais, selon elle, cette campagne, à peine commencée, fut brutalement interrompue à cause de l'opposition virulente qu'elle provoquait. En participant au séminaire, Mme Alice Tiendregeogon espérait trouver de nouvelles méthodes, de nouvelles approches dans la lutte contre l'excision.

En 1979, après le séminaire de Khartoum, je me suis à nouveau rendue en Haute-Volta où j'ai rencontré Mme Fatimata Traore, ministre des Affaires sociales, et Mme Sanfo, directrice du département de la Condition féminine, qui venait juste d'être créé. Je leur ai fait part des Recommandations du séminaire de Khartoum visant à abolir les mutilations sexuelles.

Ensuite, je me suis rendue au ministère de la Santé où j'ai

rencontré le représentant de l'O.M.S. Je l'ai mis au courant des Recommandations du séminaire, qu'il n'avait pas encore reçues par la voie bureaucratique. Le représentant de l'O.M.S., le Dr Martin Samos a demandé à son assistant local de participer à notre réunion. M. Paul Halidou Ouedraogo, un Mossi, m'a expliqué que tout le monde dans son ethnie pratiquait l'excision. Mais lui-même, et d'autres jeunes gens travaillant comme lui pour le gouvernement, refusaient de faire exciser leurs enfants. « Nous ne voulons pas faire exciser nos filles. Le problème ce sont les grands-parents. Eux, ils ne changeront jamais. Beaucoup de filles sont excisées quand elles vont rendre visite à leur grands-parents au village. C'est arrivé à certains de mes amis. Moi j'ai réglé le problème. Ici, en Haute-Volta, c'est l'homme qui décide. J'ai dit à ma femme ce qu'elle devait faire. » M. Ouedraogo a averti sa femme qu'il la tiendrait pour responsable si quoi que ce soit arrivait à ses filles à l'occasion d'une visite en famille. « Je lui ai dit que si elle ne faisait pas attention et qu'on coupait mes filles, je ne voulais plus jamais la revoir, ni elle ni les enfants. »

Grâce à cette menace, M. Ouedraogo a réglé son problème personnel, mais certainement pas les problèmes de sa société. Les responsables de la santé que j'ai rencontrés ont dressé un tableau précis de la situation actuelle : rien n'a changé dans les villages. L'éducation n'y a pas fait de progrès. Par ignorance, les gens continuent à suivre aveuglément leurs traditions. Accablés par les tâches quotidiennes, ils n'ont pas le temps de réfléchir à leur propre condition et ne peuvent rien faire pour la changer. Les vieilles femmes, qui ont survécu au martyre de l'enfantement et à des années de pénible labeur, se sentent menacées dès qu'on parle du moindre changement. Elles ont peur de perdre leur position d'arbitre des traditions et elles ne voient pas pourquoi les jeunes n'endureraient pas ce qu'elles ont enduré elles-mêmes.

Dans les écoles des villes, on commence à se poser des questions sur l'éducation sexuelle et sur des coutumes comme l'excision. Certains enseignants ont organisé des débats avec des responsables de la santé. Mais le taux de scolarisation reste très faible.

Seule conséquence du « développement » : l'excision est désormais pratiquée dans les cliniques et dans les hôpitaux. On utilise des instruments stérilisés et après l'opération, la blessure est soignée convenablement. Les jeunes filles reçoivent des injections antitétaniques et des antibiotiques. Privées de tout rituel et de tout mystère, ces opérations ne sont plus que de simples castrations sexuelles. Mais c'est exactement ce que veulent les hommes, comme l'explique Gérard Zwang : « En Afrique et dans la plupart des pays musulmans on considère que le clitoris est un organe honteux qui permet à la femme de prendre son plaisir, soit avec un autre homme que son mari, soit sans l'aide d'aucun homme. Le clitoris déshonore l'homme et menace l'ensemble de la société. L'excision du clitoris garantit la santé et la tranquillité. Le mari est assuré de ne jamais être trompé. Les femmes sont saines, en paix avec leur corps, ce qui leur permet de consacrer toute leur énergie au service des hommes. C'est le clitoris qui donne aux femmes occidentales cette liberté d'action et de comportement, qui scandalise les fidèles de l'islam et les adeptes de l'animisme africain. »

LA HAUTE-VOLTA : données économiques et statistiques

Ce pays, qui n'a pas d'accès à la mer, est l'un des plus pauvres du monde.

Climat : typique du Sahel ; savane ; quatre mois de saison des pluies. Le nord du pays est désertique (Sahara).

Capitale : Ouagadougou : 250 000 habitants.

Population : 6,9 millions (1981) ; taux de croissance : 2 %. La population est concentrée dans le sud du pays ; rurale à 90 %. Espérance de vie : quarante-deux ans. Mortalité infantile : 260/1 000.

Gouvernement : République, Constitution en novembre 1977, abolie en 1980, indépendance en 1960, gouvernement militaire.

Ethnies : Voltaïque/Mossi (deux tiers de la population. La cour du Moro Naba, l'empereur traditionnel des Mossis, se tient à Ouagadougou), Bobo (à l'ouest), Mandé, Fulani.

Langues : français (officielle), mossi.

Religions : animiste : 70 %, musulmane : 25 %, chrétienne : 5 %. Progrès de l'islamisation.

Taux d'alphabétisation : 5-10 %, études obligatoires pendant six ans. Taux de fréquentation : 8 %.

Revenu par habitant : 160 dollars U.S.

Economie : Agriculture, élevage, millet, sorgho, riz, arachides. Inflation moyenne : 15 %. Important déséquilibre de la balance commerciale.

La Sierra Leone

Les femmes de la Sierra Leone ont traditionnellement pris part à la vie politique, jouissant dans le passé d'un pouvoir certain, surtout au niveau local. Cette position traditionnelle d'influence politique s'érode cependant avec les progrès de la modernisation. C'est pour cette raison, entre autres, que les femmes de la Sierra Leone, défendent avec acharnement les traditions, dans les réunions internationales par exemple. Elles ressentent tout changement comme une menace, remettant en cause le statut dont elles ont joui jusqu'à nos jours.

« Dans la région Mende/Sherbro, écrit Carol Hoffer, il y a 81 clans, dont 10 ont des femmes pour chefs. » Hoffer explique que les femmes sont les chefs de lignées et qu'elles sont à la tête des sociétés secrètes. Les membres de ces sociétés sont liés par des cérémonies d'initiation secrètes, dont nulle participante n'a le droit de révéler le contenu sous peine d'être chassée de la communauté. Nous savons toutefois que l'excision fait partie de ces rites d'initiation des femmes, auxquels nul homme n'a le droit d'assister. C'est de ces sociétés secrètes, où la magie joue un grand rôle, que les femmes tirent leur considérable pouvoir politique.

La plus grande partie rurale du continent africain reste soumise à un strict régime féodal et hiérarchique, qui repose sur le pouvoir personnel et l'habileté politique des chefs. Les chefs et les anciens sont par définition des hommes. Seules certaines ethnies du Ghana et de la Sierra Leone font exception à cette règle. Dans ces ethnies les femmes participent à la vie politique et rivalisent avec les hommes pour la conquête du pouvoir.

Les femmes chefs, comme tout chef, exercent un contrôle absolu sur leurs sujets. Récemment encore, elles percevaient un tribut. Aujourd'hui, les chefs sont salariés par le pouvoir central, et n'ont plus le droit d'imposer la corvée à leurs sujets. Voici ce qu'écrit Hoffer : « Les femmes qui ont un statut élevé s'allient souvent, par mariage, à des chefs ou à des fonctionnaires importants. Dès le début de leur carrière, elles se créent un réseau d'alliances politiques, fondé sur des familles riches ou influentes, comprenant parents, clients, et invités...

« Dans la région de Mende/Sherbro, la polygamie est de règle. Dans un foyer polygame, la première épouse, appelée " la grande épouse " est un personnage redoutable. C'est elle qui forme les épouses les plus jeunes, c'est elle qui organise le travail aux champs des autres épouses, des enfants aînés, des pupilles et des clients. La prospérité du foyer dépend en grande partie d'elle. Dans la société Mende/Sherbro, tout le monde reconnaît le pouvoir de la première épouse et, dans certains cas, c'est par elle qu'il faut passer pour avoir l'oreille du chef. Il arrive souvent que la veuve d'un chef assume les fonctions de son mari défunt, même si généalogiquement elle n'a pas le droit d'exercer le pouvoir sur les villages de la lignée de son mari. »

Dans une certaine mesure, les « Bundu », les sociétés secrètes de femmes, permettent aux femmes de dépasser les rivalités qui les opposent traditionnellement dans un foyer polygame. « Au moment de la puberté, les initiées sont séparées du reste de la communauté : elles se retirent dans la brousse bundu, c'est-à-dire une clairière dans un bosquet sacré. Là, elles sont initiées à leurs responsabilités de femmes, par leurs aînées Bundu. On leur fait prendre conscience de leur féminité naissante, et de leur valeur pour la société tout entière... »

Hoffer explique ensuite que les femmes Bundu habitant dans les villes de province forment des associations de voisinage, et qu'elles peuvent regagner la brousse bundu, soit pour participer aux cérémonies d'initiation, soit pour y accoucher avec l'aide de tout le groupe. La femme profite de son appartenance au groupe : elle y acquiert un savoir-faire politique, et elle bénéficie de l'autorité des chefs. Cette solidarité permet aux femmes de renforcer leur statut, et leur donne dans leur société une position unique, tout à fait exceptionnelle sur le continent africain. Les femmes Bundu jouent évidemment un rôle important dans toutes les élections politiques, car elles soutiennent leurs candidats avec une totale loyauté.

Selon Hoffer, « aujourd'hui dans la Sierra Leone, 95 pour cent environ des femmes des provinces sont des femmes Bundu... Elles représentent une masse électorale et une force politique formidables. » Les hommes ont eux aussi leurs sociétés secrètes initiatiques, appelées « Poro ». Les Poro révèrent les lois ancestrales, et veillent à leur application.

Ainsi, en Sierra Leone, les femmes tirent leur pouvoir politique des sociétés secrètes dont l'influence repose sur les rites initiatiques. L'excision fait partie de ces rites, mais on n'en parle jamais. Le contenu des cérémonies d'initiation est pour toute femme de la Sierra Leone un sujet absolument tabou. Si, dans une réunion internationale, on aborde le problème de l'excision en présence d'une femme de la Sierra Leone, elle coupera court aussitôt à toute discussion. La simple mention de l'excision sera pour elle une attaque dirigée contre son statut politique.

Le secret qui entoure les rites d'initiation, fait qu'on ne parle jamais de leurs conséquences médicales et qu'en cas de complication, on ne demande jamais l'assistance d'un médecin. Les créoles, descendants d'esclaves affranchis établis en Sierra Leone, ne pratiquent pas l'excision. Mais, pour des raisons politiques, ils refusent d'aborder le problème. Ils sont minoritaires dans le pays (environ 2 pour cent de la population), et on les méprise parce que leurs enfants ne sont pas excisées. Ils sont exclus des sociétés secrètes et n'ont pas d'influence politique.

Un rapport réalisé par « Kankaylay », l'Association des hommes et des femmes musulmans de la Sierra Leone, confirme l'existence des opérations dans l'ensemble du pays. « Kankaylay » a rédigé ce rapport en réponse à un questionnaire envoyé par *Win News* à tous les pays africains, en 1976. « Dès qu'elles sont pubères et en âge d'être mariées, les jeunes filles doivent subir les cérémonies d'initiation de la société. La clitoridectomie fait partie de ces rites. Quant aux garçons, dès qu'ils atteignent l'âge de raison, ils sont circoncis...

« Il n'y a pas de justification spécifique de la circoncision masculine ou féminine. Mais selon la coutume, une jeune fille qui manque son initiation devient un poids mort pour la communauté : les lieux consacrés aux cérémonies Bundu lui sont interdits, et les initiées la traitent comme un paria.

Toutes les ethnies indigènes de la République de la Sierra Leone pratiquent ces rites : les Temnés, les Mende, les Limba, les Konos, les Kurankos, les Susus, les Fullahs, et les Mandongos. Seuls les créoles font exception. Malgré les influences occidentales, ces rites sont de plus en plus répandus. Même les enfants de l'élite du pays commencent à reconnaître l'importance et la nécessité de la circoncision. Les rites d'initiation sont d'ailleurs accompagnés de grandes fêtes et réjouissances... »

Dans un livre publié à Paris en 1957, le Dr Ruth, qui, en tant que femme, a pu assister au rituel secret Bundu en donne une description détaillée :

« On prépare les jeunes filles plusieurs jours avant la cérémonie... Elles sont parées des bijoux de la famille. Leurs jupes sont ornées de rubans multicolores et de ceintures auxquelles sont accrochés les fétiches et les amulettes...

« Au matin de ce jour tant attendu, on voit arriver la chef de la société Bundu, annoncée par la sonnerie prolongée d'une grande trompe. La matrone est couverte de la tête aux pieds d'une robe faite de feuilles noires... et de tresses de paille multicolore. Elle porte sur la tête un énorme masque rouge, avec des fentes pour les yeux et la bouche...

« Pour se rendre dans le bois bundu, les jeunes élues sont juchées sur les épaules de leurs frères ou de leurs futurs époux. La procession est précédée par une danseuse Bundu incarnant l'esprit du mal..., et portant un masque noir... entourée de quatre assistantes...

« Le bois bundu est une zone d'un demi-hectare environ, protégée par une haute clôture. L'endroit comprend deux bâtiments allongés, aux toits de chaume : l'un est réservé à la matrone et à sa suite, l'autre aux jeunes filles...

« A une certaine distance de l'entrée du bois bundu, les jeunes gens posent les jeunes filles à terre. Elles feront seules le reste du chemin. Elles sont accueillies par la maîtresse Bundu... et déshabillées par ses assistantes qui enduisent leurs corps de chaux... La maîtresse donne ensuite à chaque jeune fille un nouveau nom et une nouvelle jupe.

« On leur explique les buts de la société : assurer en premier lieu leur fécondité... et leur enseigner tous leurs devoirs conjugaux...

« Toutes les jeunes filles savent qu'elles doivent passer avec succès l'épreuve d'initiation si elles veulent se marier. Et en Afrique, une femme qui n'arrive pas à se marier cesse pratiquement d'exister. Un lieu spécial est réservé à l'initiation, sous un grand arbre, où sont construits des bancs en brique...

« A sa grande surprise, le Dr Ruth vit venir vers elle un jeune homme entouré de quatre assistantes... Elles portaient au cou des colliers d'amulettes, et tenaient à la main de petits bâtons... pour chasser les mauvais esprits.

« Le jeune homme était pratiquement aveugle... Il s'est étendu sur un des bancs de brique, le visage tourné vers le ciel... Il avait des gestes de femme, mais un corps d'homme.

« Le Dr Ruth découvrit par la suite que cet homme était un hermaphrodite et qu'il était considéré comme une femme. Au son d'un tam-tam, la matrone Bundu, la danseuse-démon et quatre assistantes se dirigèrent vers la case des jeunes filles... et revinrent avec l'une d'entre elles... Avec l'aide de deux assistantes, la jeune fille s'étendit sur le dos, par-dessus le corps de l'hermaphrodite... sans quitter du regard le masque noir de la danseuse-démon...

« La matrone Bundu s'approcha. Elle portait des gants noirs et son visage était recouvert d'une poudre jaune... Le corps de l'hermaphrodite servait de table d'opération. Il enroula ses bras autour des bras de la jeune fille, puis deux assistantes ouvrirent les jambes de la jeune fille et les entrelacèrent avec celles de l'hermaphrodite. La jeune fille était ainsi immobilisée. La maîtresse Bundu s'avança vers elle... Les assistantes cessèrent de battre sur leurs petits tambours et entonnèrent une mélopée. Au bout d'un moment, le corps de la jeune fille se détendit. Elle avait toujours les yeux ouverts. La danseuse-démon s'écarta, mais les yeux de la jeune fille ne la suivaient plus. Le roulement du tam-tam, et le chant, se firent plus forts. La maîtresse Bundu s'agenouilla devant la jeune fille... tenant à la main un petit couteau à lame d'acier, de fabrication indigène... Le couteau avait un grand manche, mais la lame recourbée était petite comme un ongle d'homme. Avec beaucoup de ménagements, la maîtresse Bundu coupa les petites lèvres et la peau protégeant le clitoris. Une des assistantes épancha le sang avec une sorte de chiffon brun. La jeune fille semblait insensible à la douleur...

« Puis les assistantes ramenèrent les jambes de la jeune fille sur son ventre et la maîtresse excisa son clitoris et les parties tendres du vagin...

« Le chiffon brun, imbibé d'huile et saupoudré de sel fut placé sur la blessure en guise de tampon. Ce chiffon était fait d'écorces d'arbres et de rameaux.

« La maîtresse Bundu se releva. " La table d'opération " relâcha la jeune fille, et les assistantes l'aidèrent à s'asseoir. Elle avait été hypnotisée pendant toute l'opération. La danseuse-démon revint, et agita des chiffons noirs devant les yeux de la jeune fille, qui reprit conscience et se mit à hurler de douleur.

« On l'emmena dans la hutte de la maîtresse Bundu, où on lui lia fermement les jambes... Puis, on la fit s'étendre pendant que la cérémonie se poursuivait avec une autre patiente...

« Puis, toutes les initiés se reposent pendant vingt-quatre heures, le temps qu'elles cessent de saigner. Mais elles gardent leur tampon vingt-quatre heures de plus... Ensuite, deux fois par jour, on frotte la zone de l'excision avec de l'huile pour empêcher les bords de la blessure d'adhérer. On place un coton imbibé d'huile dans l'incision inférieure du vagin, pour obtenir un élargissement du vagin, une fois la blessure guérie : on croit ainsi faciliter l'accouchement. Cette incision, dont la cicatrisation prive l'entrée du vagin de son élasticité, provoque des désastres à l'accouchement.

« Dès que les jeunes filles sont rétablies, on leur enseigne leurs devoirs d'épouses et de mères... Pendant les cours, on les encourage à chanter sans relâche... La plupart des chants évoquent des questions sexuelles... Les villageois peuvent les entendre et savent ainsi que les jeunes filles sont heureuses.

« Si une jeune fille meurt des suites de l'opération, alors qu'elle se trouve encore dans le bois bundu, elle est enterrée par la maîtresse Bundu et ses assistantes. Les parents sont parfois informés, mais la coutume veut que la famille ne montre pas son chagrin...

« Un jour avant la fin de la retraite des jeunes filles, la maîtresse envoie un message au chef du village... Le lendemain, elle ramène les initiées au village ; elles portent leurs nouvelles jupes de paille séchée, leur visage et leur corps sont couverts de craie blanche... Elles forment un cercle autour de la maison du chef, qui les accueille... La maîtresse Bundu reçoit alors des dons et de l'argent des familles et des fiancés des jeunes filles...

« Les assistantes lavent les jeunes filles et les rendent à leurs familles... qui leur donnent alors leur trousseau : un jeu complet de vêtements neufs, et des nattes pour dormir.

« Les matrones Bundu perpétuent ces rituels dont elles tirent leur statut et leur pouvoir. Elles ne voient pas pourquoi les jeunes auraient droit à des plaisirs dont elles furent elles-mêmes privées... »

Dans sa thèse sur l'influence de l'éducation occidentale chez les Temnés et les Mende, A.M. Kamara, une étudiante de Fowah Bay College, écrit : « Avant de faire mes études, j'étais une grande admiratrice de la société Bundu. Je ne me rendais pas du tout compte que l'excision du clitoris, pratiquée sans précautions chirurgicales, pouvait être dangereuse pour la santé. Quand je me suis retrouvée à l'université, j'ai assisté à un débat sur les relations hommes/femmes, organisé par le mouvement des étudiants chrétiens. Ce débat m'a montré les conséquences néfastes de l'opération, tant sur la vie sexuelle de la femme, que sur l'accouchement. Lors de mon initiation, une des filles est morte d'une hémorragie.

« Je ne vois pas pourquoi les femmes devraient faire partie de cette Société. Un jour j'ai eu le courage de dire à ma mère que si elle m'avait laissée faire mes études secondaires avant mon initiation, je ne serais jamais devenue une femme Bundu. J'ai juré qu'aucune de mes filles n'endurerait ce que moi-même j'ai enduré, à cause de l'ignorance de mes parents.

« Grâce aux progrès de l'éducation occidentale, on voit de moins en moins de cas d'initiation forcée, dont les femmes créoles étaient les principales victimes. Les femmes Bundu provoquaient délibérément celles qui s'opposaient à leurs pratiques néfastes. Parfois, elles n'hésitaient pas à les entraîner dans la brousse bundu, pour les initier de force.

« Les autorités ont longtemps fermé les yeux. Mais en 1953, les parents d'une femme créole, victime d'une initiation forcée, portèrent plainte. Des femmes Bundu furent condamnées à des peines de prison. Le *Daily Mail,* un journal local, révéla les secrets des rites d'initiation, et surtout de l'opération, brisant ainsi le tabou...

« Certaines personnes peuvent trouver regrettable que l'éducation occidentale fasse disparaître la seule Société qui rassemble les femmes des provinces et qui donne une formation aux jeunes femmes. Mais les Mende et les Temnés qui ont fait des études sont convaincus que ces pratiques doivent disparaître, et qu'elles disparaîtront grâce aux progrès de l'éducation. »

Je crois malheureusement que cette étudiante pèche par excès d'optimisme. Dans la Sierra Leone, les partisans des mutilations ont de puissants mobiles tant politiques qu'économiques. Le prix moyen d'une opération est de 40 leones (environ 40 dollars U.S.). C'est une somme considérable, surtout si on la multiplie par le nombre de jeunes filles opérées simultanément.

Le Dr Olayinka Koso-Thomas, médecin à Freetown, qui a fait ses études en Angleterre et aux Etats-Unis est l'auteur d'une *Proposition pour la suppression de la circoncision féminine dans la Sierra Leone*. Ce programme de 52 pages est le premier à proposer l'abolition des opérations dans l'ensemble d'un pays. Le rapport présente un budget détaillé et fixe les étapes d'une action s'étendant sur une période de vingt ans, au terme de laquelle les opérations seraient abandonnées par la presque totalité de la population. La mise en place de ce programme reviendrait à 0,776 leone par an et par habitant. C'est très peu, comparé à ce que les opérations coûtent aujourd'hui à la collectivité. Le programme repose sur la participation de tous les secteurs de la société, sous la direction des responsables de la Santé. Voici ce que dit le Dr Koso-Thomas, dans son résumé : « Nous nous proposons d'intervenir sur deux terrains : *l'éducation sanitaire*, pour faire connaître les dangers de la circoncision et corriger les croyances erronées ; *l'Assistance sanitaire*, pour diagnostiquer, traiter, et guérir les victimes de la circoncision... Notre but est la disparition totale de la circoncision féminine... et la guérison des séquelles guérissables chez les femmes qui ont survécu à l'opération. »

Une étude, réalisée dans une clinique des environs de la capitale Freetown, permet au Dr Koso-Thomas de montrer les dangers de l'opération : « Ce rapport montre que 83 pour cent des jeunes excisées ont besoin de soins médicaux... »

Mais les séquelles de l'opération ne disparaissent pas avec la guérison des blessures corporelles : « Quand les jeunes filles grandissent, on peut constater la récurrence de certaines complications : la plus fréquente est la dyspareunie (rapports sexuels douloureux pour la femme) qui engendre la frigidité et de graves perturbations psychologiques. »

« Les femmes qui attendent un premier enfant, font partie d'un groupe à haut risque : chez elles, l'accouchement peut provoquer des fistules du vagin, car les chairs cicatrisées de la vulve rétrécissent l'ouverture du vagin et entravent le travail. Quand une femme souffre d'une fistule, sa vie devient désolante. Elle traîne derrière elle une odeur d'urine, et devient une paria, même pour les traditionalistes qui défendent le système responsable de ses maux. Certaines de ces femmes n'accouchent que d'enfants mort-nés, d'autres font de fréquentes fausses couches, provoquées par les infections que l'urine propage dans l'utérus. Certaines sont à ce point désespérées par leur condition, qu'elles se suicident.

« Nous n'avons pas de statistiques pour l'ensemble du pays, mais les informations recueillies à la clinique du planning familial de Freetown montrent que 25 à 30 pour cent de femmes souffrent de fistules. Par ailleurs, dans les régions où la circoncision est la plus répandue on constate un nombre élevé de complications à l'accouchement. »

En effet dans la province nord de la Sierra Leone, où les mutilations sont très répandues, 95 pour cent des femmes examinées souffrent d'obstructions pendant la seconde phase du travail. Dans des conditions normales, cette complication ne survient que dans 5 pour cent des cas. Une population comportant une proportion aussi importante de femmes malades ne pourra jamais accomplir les progrès nécessaires au développement social et économique du pays...

« 87 pour cent des enfants circoncises ont besoin d'un traitement médical. Mais on sait que seulement 40 à 45 pour cent de la population se fait soigner dans les centres médicaux, que ce soit à ses frais ou aux frais du gouvernement... L'économie nationale doit donc supporter le coût des soins de 37 pour cent des enfants circoncises... ce qui représente une part importante du budget de la Santé. Les traitements des femmes âgées reviennent encore plus cher. A cela doit s'ajouter la perte de productivité de nombreuses femmes circoncises. Les répercussions économiques de la circoncision sont donc évidentes... »

La Sierra Leone connaît une situation unique. La pratique séculaire des mutilations génitales y est consolidée par de nombreux facteurs économiques et sociaux. Les tabous qui entourent les rituels des sociétés secrètes montrent, une fois encore, à quel point il est important d'aborder les faits franchement, de les exposer au grand jour. Les mystères qui entourent ces pratiques leur confèrent un pouvoir spécial, et dissimulent non seulement leurs dangers mais aussi leur véritable finalité : priver la femme de sa sexualité et la garder asservie sous la domination masculine.

LA SIERRA LEONE : données économiques et statistiques

Nom officiel : République de la Sierra Leone.
Climat : Tropical : mangroves, collines boisées, haut plateau.
Capitale : Freetown (500 000 habitants, 1980).
Population : 3,5 millions (1980), taux de croissance : 2,6 % (1978).
Espérance de vie : quarante-six ans.
Gouvernement : République, indépendance : 1961, Constitution : 1978.
Ethnies : Temnés : 30 %, Mende : 30 %, créoles : 2 %.
Langues : anglais (officielle), krio, mende, temné.
Religions : animiste traditionnelle : 70 %, musulmane : 25 %, chrétienne : 5 %.
Alphabétisation : 10 % (moins pour les femmes).
Revenu par habitant : 176 dollars U.S. Taux de croissance : 1,9 %.
Economie : agriculture : café, cacao, gingembre, riz, etc.
Industrie : diamants, bauxite. Taux d'inflation : 22 %. Balance commerciale déficitaire.

Le monde occidental

L'idée que la sexualité féminine est dangereuse est très répandue dans toutes les sociétés patriarcales, c'est-à-dire dans le monde entier. Cette peur est à la base de toutes les pratiques de mutilations sexuelles de même qu'elle est à la base de la ségrégation et de la réclusion des femmes, surtout dans le monde islamique. Partout on prétend que les femmes étant incapables de maîtriser leur sexualité, c'est la société qui doit s'en charger.

La réalité est exactement inverse : c'est la sexualité masculine qui s'est toujours révélée agressive et dangereuse avec son cortège de menaces et de violences. Le viol est le crime international par excellence dans toutes les sociétés et à toutes les époques, comme l'ont montré, par exemple, les livres de Susan Brownmiller et de Florence Rush. Comment expliquer que, nulle part dans le monde, il n'existe d'associations d'hommes contre le viol, comme il en existe contre l'alcoolisme, contre la toxicomanie, etc. ? Partout, les leaders de ces associations sont des hommes : ils veulent montrer que certains comportements et certaines attitudes sont néfastes et inacceptables. Et nulle part les hommes n'ont eu le courage de reconnaître que les violences sexuelles étaient des comportements inacceptables qui les avilissaient et devaient être combattus.

Alors que la sexualité féminine, elle, n'est jamais agressive, le consensus est général dans les sociétés patriarcales pour que les hommes s'arrogent le droit de la contrôler et de la régenter. Les méthodes de ce contrôle ne sont pas les mêmes en Europe ou dans les pays occidentaux d'une part, en Afrique ou dans les pays orientaux d'autre part, mais les motivations sont toujours les mêmes.

Il s'agit de cette même peur de la sexualité féminine, de la même haine et jalousie à l'égard du plaisir sexuel des femmes, de la même volonté de dominer leur corps et leur fécondité.

Quels que soient la race, la couleur, la nationalité, le niveau social, l'âge, nous retrouvons la même motivation. Elle est partagée par les législateurs masculins au Congrès des Etats-Unis et par les parlementaires européens qui légifèrent contre l'avortement ou s'opposent à la contraception ; elle est partagée par les autorités religieuses, celles de l'Eglise catholique surtout.

La fécondité féminine est certainement le bien le plus précieux au monde, et les hommes ne possèdent rien qui la vaille. C'est parce qu'ils sont hantés par le sentiment de leur propre infériorité dans ce domaine, qu'ils cherchent à exorciser leur peur par la violence. Poussés par ce complexe, ils ne reculent devant rien pour assurer leur domination sur le corps, la fécondité et la sexualité des femmes.

Nulle part en Occident, les hommes ne se sont organisés pour lutter contre les mutilations sexuelles féminines — bien qu'il soit désormais clair que ces pratiques n'existent que parce que les hommes les exigent. Si les hommes occidentaux manifestaient leur réprobation et leur mépris pour ces mutilations les choses changeraient. Si au lieu d'exiger une fiancée mutilée, les hommes d'Afrique déclaraient qu'ils ne veulent épouser qu'une femme intacte, les mutilations cesseraient sur-le-champ. Ces opérations se perpétuent avec le consentement tacite des dirigeants de toutes les sociétés occidentales et avec celui de l'establishment médical, dominé par les hommes, qui non seulement se taisent alors qu'ils connaissent les faits, mais cherchent à en tirer profit en modernisant les opérations.

Les hommes occidentaux ont donc les mêmes objectifs inavoués, mais ils emploient des méthodes différentes pour y parvenir. Pas toujours. La clitoridectomie, l'infibulation et la circoncision furent également pratiquées dans le monde occidental : par les seigneurs féodaux d'Europe, par des maris d'une jalousie maladive, par des médecins cupides aux Etats-Unis et en Grande-Bretagne notamment. Cependant ce n'est qu'en Afrique et au Moyen-Orient que ces mutilations furent systématiquement imposées à toute la population féminine d'une ethnie, d'une tribu ou d'une société.

La méthode d'infibulation occidentale ne repose pas sur la scarification, comme c'est le cas en Afrique et au Moyen-

Orient, mais sur des moyens mécaniques. Une de ces méthodes consiste à faire passer des anneaux dans les lèvres de la vulve et à les fermer par du fil de fer ou par un cadenas.

On dit que l'idée de la ceinture de chasteté a été rapportée en Europe par les croisés revenant de Terre sainte et du Proche-Orient il y a plus de mille ans. Les ceintures, fabriquées par d'habiles artisans, coûtaient cher : seuls quelques nobles, seigneurs et chevaliers pouvaient s'offrir le luxe d'en faire porter à leurs femmes.

Voici la description qu'Elisabeth Gould Davis donne de ces objets : « L'appareil consiste en un corset de fer ou d'argent et d'une barre de métal recourbée, passant entre les jambes. Cette barre, étroitement ajustée, est perforée d'un petit orifice entouré de pointes. La femme était enfermée dans cet instrument de torture, dont seul le mari portait la clef. Le port de la ceinture était une chose très pénible, même quand le mari était à la maison pour ouvrir de temps en temps le cadenas et permettre à sa femme de se soulager et de faire sa toilette. Mais quand le seigneur et maître partait à la guerre, sans revenir pendant des mois et même des années, on a peine à imaginer la saleté accumulée... »

E. Gould Davis décrit d'autres modèles, dont celui inventé par le prévôt de Padoue « qui enchâssait tout le bas du corps de sa femme »... Selon E.J. Dingwall, les ceintures de chasteté ont été importées du Proche-Orient au XIIe siècle. Venant d'Italie, ces ceintures se répandirent en France, où on les appelait « ceintures à la bergamasque ». « Il boucle sa femme à la bergamasque », peut-on lire dans le *Pantagruel* de Rabelais. Dingwall raconte également « qu'un homme essaya de vendre des ceintures de sa propre fabrication sur le marché de Saint-Germain, et qu'il fut chassé par deux courtisans ».

La coutume du *ius prima noctis* ou « droit de cuissage », pratiquée en Europe médiévale, met en lumière les relations entre la notion de virginité et la notion de propriété. Le seigneur avait droit aux premières relations sexuelles de la femme d'un de ses serfs. Le mari ne venait qu'en second. Quelques siècles plus tard, aux Etats-Unis, les esclavagistes s'arrogeaient le même droit. Ils ne se contentaient pas de réclamer la première nuit, mais aussi toutes les nuits suivantes. Le maître contrôlait donc la reproduction et la sexualité de ces femmes qu'il possédait dans tous les sens du terme. Bien entendu, il avait les mêmes droits à l'égard de son épouse.

D'autres descriptions très détaillées, figurant dans l'ouvrage de Gould Davis, montrent que ces appareils n'étaient pas tellement rares. Voici un modèle proposé par un ferblantier ingénieux : « Une ceinture et une pièce pour le dessous, si adroitement verrouillée qu'une fois la femme harnachée, il n'est plus question pour elle de s'adonner aux doux plaisirs, car elle ne dispose que de quelques petits trous pour pisser à travers. »

Ces pratiques n'ont pas disparu avec le Moyen Age. Dans un ouvrage en latin, datant de 1722, Widstrand a trouvé une déclaration de Franck de Franckenau pour qui « les femmes étaient castrées au moyen de l'infibulation... qui rend impossible la copulation. Pour cela, on passe des anneaux de métal dans les lèvres de la vulve, tout comme on le fait avec des juments que l'on veut empêcher de procréer ».

Widstrand cite également une histoire publiée en 1737 en Angleterre, par le *Gentlemen's Magazine and Historical Chronicle.* Un certain George Baggerly a écopé de deux ans de prison pour avoir « cruellement, de manière barbare et inhumaine, introduit par la force du fil et une aiguille dans les parties intimes de Dorothy Baggerly... qu'il avait cousues, au grand dommage de ladite Dorothy, et en infraction à la Paix de notre Seigneur le Roi, de sa Couronne et de sa Dignité ».

M. Baggerly, qui travaillait à cinq lieues de sa maison, « avait peur de laisser sa femme suivre ses penchants ». Mais sa femme se plaignit aussitôt à sa mère et à ses voisines. M. Baggerly plaida coupable : « Alors qu'il se rendait au tribunal, il fut attaqué par des femmes qui le griffèrent sauvagement. »

Selon Gould Davis, une maison de commerce française distribuait en 1880 un prospectus vantant une « camisole de force » d'un genre particulier : « Ses avantages sont multiples. Notre camisole préserve non seulement la pureté des vierges, mais aussi la fidélité des femmes mariées. Le mari peut laisser son épouse seule, sans craindre de voir son honneur bafoué, ses affections aliénées. Les pères seront certains de leur paternité, et n'auront plus ce doute terrible, que leurs enfants pourraient être les rejetons d'un autre. Ils pourront garder sous clef un bien plus précieux que l'or. »

Widstrand cite d'autres cas, tirés de dossiers médicaux :

surtout des cas d'infibulation à l'aide d'anneaux et de cadenas, constatés en Italie, en Allemagne, en France, en Tchécoslovaquie et en Inde. Un certain Dr Legros raconte qu'en 1825 il a eu pour patiente à l'Hôtel-Dieu de Paris, une femme qui avait un trou dans chaque lèvre de sa vulve. En 1807, un médecin russe, le Dr Soloviev, fut consulté par une femme qui se plaignait de violentes douleurs et ne pouvait plus marcher. Il découvrit trois anneaux passant par les grandes lèvres de sa vulve, fermés par un cadenas de cuivre. Le tout était rongé par la corrosion. Son fiancé l'avait battue jusqu'à ce qu'elle s'évanouisse, puis il avait profité de son inconscience, pour mettre en place les anneaux et le cadenas. Widstrand cite un cas analogue en Inde, où une femme terriblement battue fut emmenée à l'hôpital par la police. L'examen révéla des ligatures de soie, passant par les lèvres de la vulve. Son mari, qui l'enchaînait chaque fois qu'il devait s'absenter, avait l'intention de passer des fils de fer dans les festons de soie, puis d'attacher le tout avec un cadenas.

Gould Davis cite deux cas d'infibulation signalés par le Service d'immigration des Etats-Unis, l'un en 1894, concernant des immigrants allemands, l'autre en 1906, sur une femme venant d'Europe de l'Est. A l'époque, tous les immigrants arrivant aux Etats-Unis subissaient un examen médical. C'est ainsi que l'on découvrit ces cas d'infibulation pratiquée au moyen d'anneaux et de cadenas.

Le culte de la virginité est une des raisons de ces pratiques d'infibulation, l'autre étant le culte de la paternité. Gould Davis explique qu'il y a peu de temps encore on exigeait, dans certaines régions d'Europe, une preuve tangible de la virginité : un drap taché de sang, exhibé au lendemain de la nuit de noces, par exemple. Cette coutume persiste aujourd'hui encore au Moyen-Orient et dans l'Afrique musulmane.

En Europe et aux Etats-Unis les médecins hommes occupèrent le terrain de la sexualité au XIXe siècle : ils donnaient aux maris et aux fiancés des conseils en matière de virginité, et leur expliquaient comment détecter « une femme perdue ».

L'essor de la gynécologie et de l'obstétrique, spécialités lucratives et accaparées par les médecins hommes, ouvrit une nouvelle étape de la domination masculine sur le corps féminin. Il ne s'agissait plus de prouver la paternité, de satisfaire certaines passions sexuelles, mais d'utiliser les femmes notamment pour l'expérimentation de nouvelles techniques chirurgicales, servant les ambitions effrénées des médecins.

Barker-Benfield a analysé la façon dont furent inventées nombre de nouvelles opérations, allant de la castration (ablation des ovaires) et de l'hystérectomie, à l'excision de tous les organes sexuels. En 1897, le Dr E.W. Cushing, un chirurgien réputé de Boston, déclarait que « la sexualité de la femme ne réside pas dans ses organes sexuels, contrairement à celle de l'homme ». Il était convaincu que « l'orgasme est une maladie, et sa guérison passe par la destruction de l'organe ».

Les organes génitaux féminins devinrent ainsi une véritable mine d'or, pour les gynécologues, le corps de la femme offrant des possibilités infinies d'opérations aussi lucratives qu'inutiles.

Au XIXe siècle, certains médecins européens firent des essais d'infibulation médicale, destinés à prévenir des descentes d'organes et à réparer des fistules vésico-vaginales (hernies vaginales). Après de nombreux échecs, cette opération fut jugée dangereuse et abandonnée. Personne ne dit ce que devinrent les malheureuses patientes, mutilées pour le prestige professionnel et financier du chirurgien.

En dépit de leurs efforts, les médecins ne réussirent pas à « vendre » l'infibulation à leurs clientes. Mais il leur restait la clitoridectomie et l'hystérectomie, riches elles aussi en possibilités lucratives. Cette recherche du profit est toujours d'actualité : le *New York Times* signale que l'hystérectomie est aujourd'hui encore l'opération la plus répandue aux Etats-Unis, où elle fait chaque année des centaines de victimes.

Les premières clitoridectomies furent pratiquées en Angleterre puis aux Etats-Unis, sans aucun lien avec les pratiques africaines, ignorées des chirurgiens qui se vantaient d'avoir « inventé » cette nouvelle méthode. Il s'agissait de remédier à la masturbation et de juguler la sexualité féminine. Il fallait aussi réprimer le plaisir sexuel des femmes, le tabou suprême de la bonne société de l'époque victorienne. Dans cette société, une femme était pratiquement tenue de nier jusqu'à l'existence de ses fonctions les plus naturelles.

L'opération était pratiquée en toute discrétion, ce qui explique qu'on n'en trouve guère de traces dans les dossiers médicaux. Des hommes de condition aisée faisaient exciser leurs femmes parce que les médecins les avaient convaincus que la clitoridectomie était le remède à un grand nombre de vagues troubles féminins, regroupés sous le nom d'« hystérie ».

Ashley Montagu écrit : « Pendant deux mille ans, l'hystérie fut considérée comme une maladie exclusivement féminine... Cette maladie fournit aux médecins du XIXe siècle, le prétexte pour enlever les ovaires des femmes, ou d'exciser leur clitoris, au bistouri ou par cautérisation. Malgré toutes les explications, toutes les justifications, on a peine à croire que des opérations aussi graves étaient motivées par le seul désir d'aider la malade... Puisque l'aspect sexuel de l'intervention ne pouvait échapper à un médecin avisé, il n'est pas difficile de deviner les raisons réelles de cette atteinte aux organes sexuels féminins — les dames du XIXe siècle n'étaient pas censées avoir de sexualité : par ces opérations les hommes se vengeaient des femmes. »

Et Montagu ajoute que les hommes sont tout aussi sujets à l'hystérie que les femmes, sinon davantage. Le terme d'hystérie remonte à la Grèce antique : *hustera* est le mot grec pour utérus, d'où hystérectomie. Dans la seconde moitié du XIXe siècle, on diagnostiquait l'hystérie toutes les fois qu'une femme des classes moyennes ou aisées refusait de se soumettre aux normes patriarcales, et se révoltait contre l'oppression, contre les servitudes du mariage, contre les grossesses à répétition.

L'hystérie féminine était une maladie fourre-tout et la clitoridectomie connut une grande vogue. Outre l'hystérie, on citait, pour justifier cette opération, toutes sortes de troubles, en particulier la masturbation. Celle-ci, d'après un médecin américain, provoque la démence, et « les effets les plus graves sur la constitution ». Il la qualifiait de « lèpre morale » et estimait ainsi que la pratique de la masturbation « est très nuisible à la santé des hommes comme des femmes. Elle pouvait aussi être l'une des principales causes de nombreuses maladies, telles que les hémorragies utérines, la descente de l'utérus, le cancer, les troubles fonctionnels du cœur, l'irritation de la colonne vertébrale, les palpitations, l'hystérie, les convulsions, les traits tirés — la maigreur, la débilité, la manie —, toutes sortes de symptômes dits nerveux... ».

Les médecins américains eurent connaissance de la clitoridectomie grâce à l'Europe où un certain Isaac Baker-Brown (1812-1873), célèbre chirurgien, avait publié sa cure de « L'épilepsie, l'hystérie et certaines formes de démence ». Cette cure n'était autre que la clitoridectomie. En 1866, l'année où il fut élu président de la Société médicale de Londres, Baker-Brown publiait un petit livre sur la « possibilité de guérir certaines formes de défence, d'épilepsie, de catalepsie et d'hystérie de sujets féminins ». D'après lui, ces maladies étaient dues « à l'excitation périphérique du nerf pubique ». L'histoire de l'ascension et de la chute de Baker-Brown est intéressante. D'abord très estimé par ses pairs, il fut ensuite pris à partie pour les méthodes qu'il employait pour assurer sa publicité personnelle.

Il avait en effet créé sa propre clinique chirurgicale à Londres pour y opérer des « femmes à l'esprit dérangé ». Ces pratiques donnèrent lieu à une controverse qui s'étala sur les pages du *London Times,* du *Lancet* et du *British Medical Journal.* Cela dura des mois pendant lesquels le Dr Baker continuait à opérer des sujets « féminins lunatiques » dans sa clinique. Enfin, il y eut une réunion extraordinaire de la Société d'obstétrique et il fut expulsé. Plus tard, Baker-Brown démissionna également de la Medical Society. Mais sa clinique continua à prospérer pendant bon nombre d'années. Quelles étaient les véritables raisons de l'expulsion du Dr Baker-Brown ? Sans doute d'avoir osé parler de la masturbation féminine, question « indécente », tabou même parmi les médecins. Les statistiques qui furent publiées à la suite de cette controverse sont terrifiantes. La mortalité, due à ces diverses opérations, était très élevée. Mais personne, y compris les médecins hostiles à Baker-Brown, ne s'en souciait. Et de nos jours encore, nombre de gynécologues affichent cette même indifférence aux souffrances qu'ils infligent aux femmes.

Bien que la clinique chirurgicale du Dr Baker-Brown finît par fermer ses portes, ses « idées sur les effets de la masturbation sur le système nerveux » eurent cours pendant de longues années en Angleterre et ailleurs comme l'affirme le *World Medecine.* Pendant des années, sans la moindre preuve concrète, les médecins continuèrent leurs mises en garde contre les terribles effets « des plaisirs solitaires » sur les enfants des deux sexes.

Les manuels de puériculture traduisent ces inquiétudes face à la masturbation, considérée comme source de démence, inquiétudes qui avaient fait leur chemin dans les classes aisées d'Europe et des Etats-Unis. Karen Ericksen Paige signale que la peur de la masturbation, considérée comme un péché depuis les temps bibliques, était largement partagée. « Les parents, dit-elle, cherchèrent des réponses auprès des médecins qui réagirent avec empressement. Les traitements prescrits comportaient des régimes, des exhortations morales, l'hydrothérapie, le mariage, ainsi que des mesures radicales telles que la chirurgie et des contraintes physiques. On recommandait également la circoncision. »

Dans leur rapport de recherche, *Human Sexual Response*, Masters et Johnson ont également étudié en détail la masturbation. Ils déclarent : « La superstition qui veut que la masturbation excessive entraîne la détérioration physique ou mentale est profondément enracinée dans notre culture... » Un échantillon important de personnes interrogées par ces chercheurs, non seulement pratiquaient elles-mêmes la masturbation, mais considéraient comme excessif tout ce qui dépassait la fréquence de masturbation avouée.

Ajoutons que le préjugé culturel masculin contre les pratiques sexuelles des femmes dépasse peut-être encore leur profonde ignorance en la matière. Ainsi, tout ce que les hommes écrivent sur la sexualité féminine et particulièrement sur les mutilations génitales, est déformé par leurs préjugés. Nulle part ce préjugé n'est aussi manifeste qu'en matière de masturbation ; préjugés culturels et ignorance se renforcent mutuellement.

La clitoridectomie fut introduite aux Etats-Unis comme remède contre la masturbation après que ces opérations eurent cessé en Angleterre. On la recommandait pour traiter de nombreuses maladies, inventées par les médecins, appâtés par le gain. Dans *A Historical Perspective on Women's Health Care-Female Circumcision,* G.J. Barker-Benfield évoque la création et l'histoire de la *Orificial Surgery Society.* La gynécologie américaine sous sa forme actuelle date de la fin du XIXe siècle avec l'invention de toute une série d'opérations notamment les ovariotomies et les castrations. « Une troisième opération fut inventée pour soigner les troubles féminins », à savoir la circoncision.

Des médecins américains ont pratiqué la circoncision à partir de 1890 jusque vers la fin des années 30. La *Orificial Surgery Society* avait été constituée dans les années 1890 et publiait une revue qui prônait la chirurgie pour toute déviation du clitoris normal. Barker-Benfield nous explique que les orificialistes américains jugeaient que le Dr Baker-Brown était allé trop loin et qu'il fallait remplacer la clitoridectomie par la circoncision. Selon eux, on pouvait obtenir les mêmes résultats dans le traitement de la masturbation et d'autres névroses, « en s'occupant comme il faut du clitoris ». Cependant, certains des adeptes continuèrent à pratiquer des clitoridectomies. La chirurgie des orifices était recommandée pour tout, de la rougeole à la mélancolie, y compris la kleptomanie. La revue de la société décrit des quantités d'opérations qui auraient guéri les maladies les plus diverses y compris le hoquet.

En 1898, le Dr Pratt, membre de la *Orificial Society,* écrivait : « S'il fallait choisir le point le plus important pour l'ensemble du système féminin, ce serait le clitoris et le prépuce. Lorsqu'on se rend compte que le clitoris et son prépuce constituent un bouton électrique très sensible sur lequel on peut appuyer pour exciter une activité accrue dans l'ensemble du système nerveux sympathique, on comprend plus à fond l'importance d'un traitement approprié pour cet élément anatomique délicat et influent... »

On découvrit alors une série de nouveaux symptômes qu'on affubla de nouveaux noms et qui exigeaient des opérations. Voici, selon Barker-Benfield, le raisonnement que les médecins tenaient aux maris : « L'opération du clitoris met les hommes à l'abri des difficultés du contrôle et des exigences d'une sexualité féminine explosive. » En somme, on leur vendait l'opération comme un moyen de s'assurer la subordination de leurs femmes. La masturbation, enfin, constituait l'autre cible des chirurgiens.

Les orificialistes essayèrent de persuader les mères qu'il était normal de faire circoncire les petites filles, tout comme la profession médicale avait réussi à faire adopter au public américain la circoncision des garçons pour des raisons pseudo-médicales. Notons que de nos jours, la circoncision des garçons aux Etats-Unis est l'opération la plus fréquente et qu'elle rapporte des millions et des millions de dollars par an. On la pratique dans toutes les maternités quelques jours après la naissance. Récemment encore, les médecins américains étaient en grande majorité favorables à la circoncision des garçons.

Il était bien sûr tentant pour les médecins et surtout pour les obstétriciens, de doubler leurs revenus grâce à la circoncision des petites filles. Les orificialistes soutenaient que la circoncision féminine allait dans le sens de l'égalité entre les sexes et libérerait la femme.

Les orificialistes ont continué à prôner la circoncision systématique de toutes les petites filles jusqu'en 1937. Les femmes étaient heureusement sur leurs gardes. Toutefois la campagne du Dr Pratt, l'un des principaux orificialistes, eut un certain écho dans les milieux médicaux et dans les revues professionnelles.

C'est à la fin des années 30 seulement, que les obstétriciens cessèrent de recommander les opérations clitoridiennes. La peur de la masturbation, entretenue par les médecins, disparut peu à peu, et avec elle les traitements draconiens recommandés par les manuels médicaux.

La peur inspirée par la masturbation féminine a rejoint le dépotoir des autres mythes qui ont servi à torturer les femmes, pour juguler leur sexualité. Mais les mythes ont la vie dure. Pour l'Eglise catholique, la masturbation demeure un péché mortel et le pape lui-même contribue à la survie de cette opinion.

Cette histoire racontée à Jacques Lantier par un respectable guérisseur d'Afrique occidentale illustre les liens de parenté qui existent entre mythes et idées sur la sexualité féminine dans le monde entier : « Dieu a créé la femme de telle sorte que lui seul peut donner la vie en elle au moment de la conception. Dieu (ou l'Esprit) ne fait jamais rien sans de bonnes raisons. Une femme possède deux zones différentes et séparées où elle ressent le désir et l'excitation : le clitoris et le vagin. Le vagin est fermé et ne peut être ouvert que lorsque le mari, choisi par les ancêtres, brise cette fermeture, fraie un passage à l'esprit, pénètre et perpétue la famille. Dieu (l'Esprit) décrète que cette partie de son corps ne doit pas être souillée et lui seul veut donner à la femme le plus de plaisir possible. Dieu a donné à la femme un clitoris pour qu'elle puisse en jouir avant le mariage tout en restant pure. Le plaisir qu'elle connaît lui fera désirer le mariage. On ne coupe pas le clitoris des petites filles parce qu'elles l'utilisent pour se masturber. On ne le retire que lorsqu'elles sont prêtes à procréer — et lorsqu'on le leur prend elles se sentent privées. Alors, leur désir se focalise en un seul endroit et elles se marient très vite. Le couple connaît un très grand bonheur. C'est ainsi que le décrète l'Esprit du Créateur. »

On retrouve différentes versions de cette plaisante légende un peu partout en Afrique. Ce qui est surprenant, c'est qu'elle véhicule des mythes identiques à ceux qui étaient toujours monnaie courante chez les médecins occidentaux et particulièrement chez Freud. Les théories de Freud étaient acceptées comme une vérité d'évidence dans le monde occidental cultivé bâti sur le modèle patriarcal, exactement comme les mythes du guérisseur dans les tribus africaines. Dans les deux cas, les femmes en ont payé le prix. N'oublions pas que certains des mythes masculins — comme « l'envie du pénis » — inventés par Freud continuent d'avoir cours, notamment chez les psychanalystes et permettent en fait d'exploiter les femmes sur les plans sexuel et social, allant parfois jusqu'à la mutilation de leur corps.

L'échec des orificialistes dans les années 30 n'a pas empêché quelques médecins de continuer à pratiquer les opérations génitales. C'est ainsi que récemment, des opérations génitales ont été recommandées pour guérir de la frigidité...

Le *Boston Women's Health Book Collective* signale, dans une lettre adressée en 1978 au *Medical World News*, les activités d'un certain Dr James C. Burt, gynécologue de Dayton, Ohio. Le Dr Burt pratique des opérations de « restructuration du vagin » qui, prétend-il, « rendent le clitoris plus accessible à la stimulation directe par le pénis et permettent à la femme d'avoir des orgasmes plus fréquents et intenses au cours des rapports ». Il dit avoir « perfectionné » cette technique et a ouvert un cabinet de relations publiques à New York pour la faire connaître... Il participe avec sa femme à de nombreux débats télévisés.

Une lettre émanant d'un groupe féministe de Boston décrit cette opération : « Le Dr James Burt soutient avoir trouvé la manière d'améliorer l'anatomie féminine. Pendant des années, il a eu recours à la chirurgie pour resserrer l'orifice vaginal de ses clientes (sans qu'elles le sachent) afin de rapprocher le clitoris et le vagin. Il a maintenant mis au point, moyennant 1 500 dollars, une " restructuration " de la femme qui modifie l'angle d'accès au vagin pour que, pendant les rapports sexuels, le pénis stimule le clitoris. La " restructuration " de Burt consiste à mutiler le muscle principal (le pubococcygeus), entre les parois du vagin et du rectum, à réduire le capuchon du clitoris et resserrer l'orifice vaginal... Mais lorsque l'on coupe le pubococcygeus, les risques d'affaissement du rectum et de l'utérus sont augmentés. Des infections et des difficultés de miction sont inévitables, puisque l'urètre est amené dans le vagin. L'accouchement naturel devient pratiquement impossible parce que le trajet normal de la tête du bébé est changé. Cette " restructuration " exige également que la femme soit allongée sous l'homme pendant les rapports. Toutes ces modifications réalisées dans le corps de la femme sous prétexte de lui apporter le « vrai » plaisir sexuel qui entraînent tant de souffrances et d'aberrations physiologiques, relèvent en fait du désir masculin de modeler la femme et son anatomie pour son plaisir et sa sécurité à lui.

N'hésitant pas à utiliser sa propre femme comme publicité, le Dr Burt constitue un exemple significatif de l'attitude de trop de gynécologues américains qui sévissent encore aujourd'hui. Beaucoup de lecteurs seront stupéfaits d'apprendre que de grands journaux américains se prêtent parfois à une véritable publicité en faveur de la clitoridectomie. Dans un supplément illustré diffusé gratuitement et financé par des marques de whisky, de cigarettes, et de voitures le *New National Black Monitor,* publié par un consortium de douze éditeurs de journaux noirs (tous des hommes) et dirigé par un certain Calvin W. Rolark a traité de ce problème en octobre 1980, dans son seul éditorial... On y déclare que « dans l'Afrique tribale, la circoncision féminine a pratiquement éliminé les relations sexuelles entre adolescents alors qu'en Amérique le nombre d'adolescents qui ont des enfants atteint les proportions d'une épidémie... Pourquoi les Etats-Unis et l'Europe n'étudieraient-ils pas des moyens hygiéniques de circoncision féminine, comme mesure de protection sociale ?... ». Les éditeurs de ce journal laissent entendre que trop d'adolescentes ne peuvent poursuivre leurs études et développer leurs possibilités, parce qu'elles se retrouvent enceintes. L'excision et l'infibulation y mettraient bon ordre...

L'objet de cette information obscène et fausse est, semble-t-il, d'encourager les pères, surtout dans les communautés noires, à faire mutiler leurs filles à l'instar de leurs frères africains. L'étude de la situation actuelle dans les pays occidentaux montre que les immigrants d'Afrique et du Moyen-Orient n'abandonnent pas la coutume des mutilations génitales et les imposent à leurs enfants, même si ceux-ci ne sont pas destinés à retourner dans leur pays d'origine. On a pu repérer de nombreux cas de petites filles opérées dans bon nombre de pays européens, y compris la France, la Suède, l'Italie, l'Allemagne et l'Australie. Il s'agit bien de petites filles castrées selon la coutume du pays d'origine, même lorsque les parents ont déclaré leur intention de se faire naturaliser et donc de respecter les lois de leur pays d'adoption. D'ailleurs, même les résidents temporaires, tels les travailleurs immigrés d'Afrique occidentale, qui vivent en France sont tenus de respecter la législation sanitaire française. Inacceptables du point de vue de la santé, les mutilations génitales sur le plan juridique international sont considérées comme des crimes contre les enfants dans tous les pays occidentaux.

Selon le droit international, si la petite fille meurt des suites de l'opération, ses parents et surtout son père, responsable en tant que chef de famille et commanditaire de l'opération, devraient être jugés pour meurtre. Dans un monde qui chaque jour devient de plus en plus petit, et où les gens se déplacent davantage, peut-on tolérer, au nom de la « tradition », des pratiques, qui, selon toute définition légale ou humaine, ne sont rien d'autre que des crimes ?

Quand un gouvernement emprisonne et torture ses propres citoyens, nous le tenons pour responsable de ces actes. Il est grand temps de dire que les gouvernements sont responsables des tortures, des mutilations, de l'emprisonnement et de la ségrégation d'êtres innocents dont le seul crime est d'être des femmes. En automne 1979, l'excision fit l'objet en Suède d'une campagne de presse condamnant cette pratique. Tous les grands journaux, le *Aftonbladet*, le *Dagens Nyheter*, et le *Sveruska Dagbladet*, prirent nettement position. Les organisations féminines, telles l'Union des femmes immigrées et la Maison des femmes de Stockholm ont pris part à cette campagne.

On avait appris en effet que des enfants et des femmes de nouveaux immigrés d'Afrique et du Moyen-Orient avaient subi des opérations génitales, pratiquées d'après l'un de ces journaux par un chirurgien et professeur de gynécologie suédois. Il affirmait que les femmes s'étaient adressées à lui pour des raisons religieuses et familiales. Selon le journal du Mouvement de coopératives suédoises, le médecin soutenait que ces différentes opérations n'étaient pas foncièrement différentes d'autres pratiques de chirurgie esthétique. On imagine le tollé en Suède : l'affaire fut soumise au directeur des services de santé, au ministre de la Santé ; elle fut même débattue au Parlement.

La législation suédoise interdit toutes les formes de châtiment corporel pour les enfants — ce qui englobe bien entendu les mutilations sexuelles. Cependant, tous les partis ont réclamé des interdictions précises pour de telles pratiques. Toutes les opérations en Suède sont prises en charge par la Sécurité sociale, ce sont donc les contribuables suédois qui paient.

Riffi, l'Association internationale des femmes immigrées

en Suède, soutenue par une soixantaine d'autres groupements, s'est adressée au gouvernement dans les termes suivants : « Grâce à une loi adoptée ici contre la circoncision féminine, la société suédoise peut soutenir les femmes immigrées dans leur lutte pour la libération. Cette loi serait un acte de solidarité avec les immigrants — femmes et hommes. »

La résolution de la Maison de toutes les femmes, *Alla Kvinnershus,* souligne : « La Maison des femmes à Stockholm considère que la mutilation sexuelle des femmes, la prétendue circoncision, fait partie des méthodes traditionnelles d'oppression des femmes. Les hommes et les femmes devraient être égaux sur tous les plans, y compris celui de la sexualité. La mutilation génitale féminine doit être abolie, la conséquence de ces opérations étant de " réduire " la sexualité féminine, d'altérer la personnalité et de contrarier le développement normal de la femme. Une opération semblable faite sur un enfant mâle serait catégoriquement condamnée par tout le monde. Les mêmes normes doivent s'appliquer aux femmes... » La résolution dit aussi qu'il est inacceptable de transférer ces opérations dans les hôpitaux sous prétexte de sauver des vies.

A la réunion plénière de la Conférence des femmes des Nations unies, la Suède a été le seul pays à proposer son aide à tous les pays souhaitant mettre fin à la pratique des mutilations. En février 1981, Elisabeth Holm, ministre de la Santé de Suède, a proposé une loi contre les mutilations sexuelles ; elle déclarait : « En adoptant cette loi nouvelle, nous affirmerions notre solidarité avec les femmes et notamment les femmes immigrées qui font partie des cultures où ces mutilations sont pratiquées. »

L'Agence norvégienne de développement international, *Norad,* a répondu ce qui suit à une demande d'information : « La direction de la Santé norvégienne a envoyé à tous les hôpitaux publics une circulaire interdisant la mutilation sexuelle féminine... »

En France, *F Magazine* signala l'excision de petites filles d'immigrants en provenance d'Afrique occidentale. Dans un article daté de mars 1979 sur les mutilations sexuelles, Benoîte Groult a précisé que des immigrants africains, vivant à Paris et bien que très pauvres, payent des exciseuses venues spécialement d'Afrique pour pratiquer les opérations. Les femmes, en général analphabètes, acceptent la mutilation de leur enfant comme une pratique normale. Ce sont bien sûr leurs maris qui prennent toutes les dispositions et financent le voyage de l'exciseuse.

Emue par l'histoire d'une petite Malienne de quatre ans excisée en France, Renée Saurel a enquêté sur cette affaire qu'elle décrit dans *La Petite Omou.* C'était là le premier d'une série d'articles publiés dans *Les Temps modernes* et repris dans un livre intitulé *L'Enterrée vive.* Saurel a étudié les aspects historiques islamiques, philosophiques et anthropologiques des mutilations. C'est une analyse brillante, la plus approfondie, publiée à ce jour.

Comme tous les écoliers de France subissent des visites médicales, les enseignants et les médecins savent parfaitement bien ce qui se passe. Mais les responsables restent muets, sous prétexte de non-ingérence dans les traditions des familles africaines. La pédiatre Marie-Hélène Franjou, d'un Centre de protection maternelle et infantile de la banlieue parisienne a publié à ce sujet un article dans le *Quotidien du médecin,* en mars 1981. Elle a recueilli un certain nombre d'études de cas grâce à un fichier répertoriant tous les enfants africains qui viennent au Centre. La majorité des petites filles africaines dont les mères étaient originaires du Sénégal, du Mali et de la Mauritanie, avait été mutilée par excision du clitoris et des petites lèvres. Les mères disaient que la tradition le voulait ainsi.

Le Dr Franjou soulignait qu'outre les problèmes physiques, il pouvait exister des problèmes psychologiques graves du fait que ces petites Africaines vont en classe avec des petites filles blanches qui n'ont pas subi cette torture. Les mères doivent être informées des effets physiques et psychologiques de ces opérations.

Le Dr Franjou, qui mène une action courageuse, prône l'éducation sanitaire comme le meilleur moyen de mettre fin à ces pratiques et souhaite que toutes les familles d'immigrés bénéficient d'une éducation dans le domaine de la santé et de la reproduction.

Dans son numéro de septembre 1981, *Choisir* a publié également un article du Dr Franjou demandant que les mutilations sexuelles soient traitées comme un problème de santé publique. Le Dr Franjou a également rédigé une pétition signée par soixante-dix médecins et adressée aux ministères de la Santé, de la Solidarité, des Droits de la femme, de la Justice et des Affaires étrangères ainsi qu'à l'O.M.S. et à l'UNICEF. Les féministes françaises soutiennent cette action.

Après avoir résumé les faits, la pétition affirme que le

problème des mutilations sexuelles concerne tous les médecins français. « Nous faisons appel aux responsables de notre pays et ceux faisant partie de l'O.M.S. et de l'UNICEF et nous leur demandons d'entreprendre des programmes coordonnés d'éducation sanitaire sur cette question ; de soutenir la recherche scientifique, s'attachant particulièrement à l'abolition des mutilations sexuelles ; de condamner toutes ces pratiques injustifiées mutilant des enfants sans défense. »

Au moment où nous rédigeons ces lignes, la question n'est toujours pas résolue. On espère que les services français de santé publique qui ont gardé le silence, en dépit de tout ce que l'on sait désormais sur les mutilations qui ont lieu en France même, finiront par intervenir.

Dans d'autres pays européens, partout où s'installent des immigrés d'Afrique et du Moyen-Orient, les pratiques les suivent... C'est le cas en Italie où beaucoup de Somaliens viennent travailler et faire des études puisque la Somalie est une ancienne colonie italienne et que l'enseignement à l'université de Mogadishu continue à être dispensé en italien. On sait bien que de nombreuses familles somaliennes installées en Italie pratiquent les opérations. Mais le sort des enfants somaliens vivant en Italie n'intéresse personne : seules quelques féministes italiennes ont dénoncé ce scandale lors de la Conférence de Copenhague.

Ces dernières années, les rapports en provenance d'Australie signalant des excisions infligées à de petites filles se sont multipliés. L'Australie a récemment accueilli des immigrés du Moyen-Orient et d'Afrique ainsi que des Asiatiques de Malaisie. La *Humanist Society of New South Wales*, dirigée par Marjorie Saul, a enquêté sur la situation.

Dans une lettre adressée à la *Humanist Society*, l'Association des pédiatres australiens condamne toute opération de mutilation faite sans motif médical. La Humanist Society a demandé à tout médecin australien ayant eu connaissance de ces pratiques, de l'avertir confidentiellement. Le *Ethnic Affairs Council*, qui est responsable du sort des différentes communautés d'émigrés, n'a rien fait en ce domaine. Dans un article du *Sidney Morning Herald*, intitulé « Réciprocité » et consacré aux mutilations sexuelles, on peut lire ce qui suit : « Le pays hôte et les immigrants doivent faire preuve d'une tolérance mutuelle ; s'ils veulent s'établir chez nous, les immigrants doivent être prêts à renoncer à certaines de leurs coutumes. »

Outre la négligence ou l'indifférence, la peur de passer pour raciste freine les initiatives dans ce domaine. Mais les vrais racistes, ne sont-ils pas ceux qui prétendent qu'une petite fille, parce qu'elle est noire ou café au lait, parce qu'elle appartient à une autre ethnie, à une autre culture, ne ressent pas la douleur et doit subir une mutilation que nous refuserions catégoriquement d'infliger à nos propres enfants.

En guise de conclusion, je voudrais citer la lettre que m'a adressée récemment une Soudanaise qui vit en Allemagne :

Chère Fran Hosken,

C'est une amie qui m'a parlé de votre organisation Win. Je suis soudanaise et j'ai été diplômée en pédagogie à Munich. Je ne pense pas que vous puissiez m'aider, mais peut-être pourrez-vous aider d'autres Soudanaises qui, comme moi, ont connu l'enfer de la circoncision pharaonique (infibulation). Le but de l'opération est de rendre les rapports sexuels douloureux pour la femme : de ce fait, la femme ne prend jamais l'initiative des rapports sexuels, et l'homme reste le seul maître du jeu.

J'ai été coupée puis fermée à l'âge de dix ans. Ma mère, qui était égyptienne, n'avait pas été cousue, mais uniquement coupée. Elle ne voulait pas qu'on m'infibule, mais elle est partie un jour rendre visite à sa famille en Egypte, et le lendemain de son départ, on m'a opérée. La daya qui m'a infibulée était une vieille femme : elle m'a fermée autant qu'elle a pu. Toutes les femmes disent : mieux la fiancée est fermée, mieux son mari l'aimera. Quand on est fermée de la sorte, c'est comme si on était en prison à l'intérieur de son propre corps. On m'a envoyée à l'étranger et les filles allemandes m'ont parlé des plaisirs de l'amour. Moi, je ne pourrais même pas me toucher. Il ne me reste aucune sensation, la porte est close. C'est ainsi que l'on s'assure que la jeune fille restera vierge jusqu'au mariage.

Je suis mariée depuis trois ans et j'ai une petite fille. Mes tantes veulent la faire couper et fermer. Elles-mêmes ont été excisées et infibulées. Mon mari me dit, qu'ici, en Allemagne, les médecins turcs pratiquent l'opération sans douleur et sans complications. Cela coûte 1 000 D.M.*, et l'on dit que si l'enfant est opérée avant d'avoir deux ans, elle ne se souviendra de rien plus tard. Mon mari veut qu'on l'opère maintenant : plus tard ce sera plus douloureux. Il dit que si on ne l'opère pas, elle ne trouvera jamais de mari.*

Pourquoi interdit-on aux femmes de garder le corps avec lequel elles sont nées ? Dans quelques semaines ma petite fille ira chez un docteur, pour être coupée et fermée. Au moins, elle n'endurera pas ce que j'ai enduré. Il nous serait impossible de vivre à Darfour si l'enfant n'était pas opérée.

Je vous en supplie : parlez aux autres femmes de notre souffrance car c'est aussi la vôtre. Vous, vous avez du plaisir quand vous faites l'amour avec votre mari. Nous, nous n'avons rien, nous ne ressentons plus rien. Le scalpel ne nous a rien laissé.

Je ne peux pas vous donner mon nom, vous ne pouvez pas m'aider. Ce qui a été coupé ne repoussera pas. Mon mari ne serait pas content de ce que j'ai écrit. Il est fier de m'avoir épousée si bien fermée, et de m'avoir ouverte sans l'aide d'aucun instrument.

Que le Dieu miséricordieux soit avec vous et qu'il vous guide...

Le 1er juin 1980.

TROISIÈME PARTIE

La politique des mutilations sexuelles : une conspiration du silence

En excluant les femmes des processus de décision, en les empêchant de se faire entendre, les gouvernements du monde entier ne font que reproduire à grande échelle l'organisation hiérarchique de la famille patriarcale. De la cellule familiale de base, jusqu'aux plus hautes sphères de la politique internationale, c'est une véritable conspiration du silence qui s'organise contre les droits, les contributions et les besoins des femmes.

Dans ce chapitre, nous allons traiter de cette conspiration du silence au niveau de la politique internationale. Cette conspiration a permis l'extension des mutilations sexuelles dans l'ensemble de l'Afrique et du Moyen-Orient. Les mutilations des petites filles ont reçu droit de cité dans le système sanitaire moderne, et elles se propagent aujourd'hui dans le monde entier. Mais l'establishment patriarcal continue à se taire.

Les paramètres

Le séminaire de l'O.M.S. de Khartoum (février 1979) a changé les données du problème politique des mutilations sexuelles. L'application des Recommandations du séminaire est désormais notre objectif politique prioritaire. L'existence même de ces recommandations doit nous permettre d'obtenir une coopération internationale pour leur application, à l'exemple de ce qui a été fait pour d'autres problèmes sanitaires majeurs comme la variole. Le rapport publié par le séminaire a permis d'internationaliser le problème. Cette internationalisation reçut une confirmation publique dans la déclaration de l'UNICEF diffusée lors de la Conférence des Nations unies à Copenhague en juillet 1980 (voir plus loin). Lors de cette Conférence, la délégation suédoise a offert l'assistance de la Suède à tout pays souhaitant mettre un terme aux opérations.

Les Recommandations du séminaire de Khartoum nous servent de ligne directrice pour agir en Afrique et au Moyen-Orient. Notre premier objectif est de les faire connaître, sur le continent africain et dans le monde entier, pour briser la conspiration du silence.

Une forte pression internationale en même temps qu'une assistance internationale financière et technique peuvent pousser les pays africains à agir. Le planning familial doit nous servir de modèle ; l'insistance de la Communauté internationale a convaincu de nombreux gouvernements de sa nécessité.

La plupart des pays africains sont aux mains de dictateurs ou de militaires. Le changement n'y est possible que s'il sert les intérêts des hommes au pouvoir.

Le séminaire de Khartoum aurait pu recommander la création de commissions régionales qui auraient bénéficié de l'assistance internationale. Mais le séminaire a préféré laisser chaque pays libre de ses initiatives sans tenir compte du fait que les mutilations sexuelles existaient en Afrique bien avant que ne soient tracées les frontières actuelles. Or, les actions préventives ne peuvent être efficaces que si elles ne s'arrêtent pas aux frontières nationales, si elles sont coordonnées au niveau régional et international.

L'inaction des organismes internationaux, ceux des Nations unies surtout, est de nature politique. L'UNICEF, qui est censée aider les enfants et les mères, ne fait presque rien dans le cadre de ses programmes pour appliquer les Recommandations, une seule exception : l'Ethiopie. Cette passivité est une véritable insulte aux droits de l'homme, et à la Charte des Nations unies.

Outre les organismes des Nations unies, il y a de nombreuses organisations d'assistance, tant gouvernementales que privées, allant de l'Agence américaine pour le développement international (U.S./A.I.D.) ou de la Coopération française aux missions et aux groupes religieux. Toutes ces organisations ignorent ou tolèrent les mutilations sexuelles. Les missionnaires chrétiens et les Eglises d'Afrique ne s'opposent pas à ce que leurs fidèles mutilent leurs petites filles — tant qu'ils continuent à venir à l'église.

Nous ne pouvons donner ici que quelques exemples de la politique suivie par les organisations internationales. Une liste des principales organisations internationales s'occupant du développement figure dans le *Guide d'action* publié par *Win News* qui indique également quelles actions entreprendre, sur le plan politique et sur celui de l'information.

La politique des mutilations sexuelles en Afrique et au Moyen-Orient

La politique sexuelle des mutilations génitales est tout à fait explicite. La castration sexuelle asservit les femmes aux hommes. Le martyre de l'opération brise leur résistance psychologique et les prive de leur sexualité, la principale source de leur vitalité.

Ce qui légitime l'existence de la femme aux yeux de l'homme africain, c'est qu'elle le serve et lui donne des enfants. Mais les mutilations infligées aux femmes font de l'accouchement un horrible cauchemar où elles perdent souvent la vie. Les hommes font mutiler les femmes pour prouver leur supériorité sexuelle, mais cela, apparemment, ne leur suffit pas. Les traditions africaines et du Moyen-Orient leur donnent le droit de recourir à la violence physique pour imposer leur volonté. Et le divorce leur permet de mettre tout simplement leur femme à la porte, sans aucune ressource, tout en gardant ses enfants.

Les hommes divorcent très souvent, surtout en Afrique musulmane : cela leur permet de se débarrasser des épouses devenues vieilles et de les remplacer par des femmes jeunes et fécondes, dont le travail et les enfants accroissent leur propre prospérité.

Cette politique de la sexualité est étroitement liée au rôle économique des mutilations génitales. Dans de nombreuses sociétés le père ne peut vendre sa fille en mariage que si elle est excisée. Dans le cas des ethnies converties à l'islam, l'infibulation peut aussi être exigée : c'est elle qui garantit que la mariée est bien vierge. Aucun père ne prendrait le risque de perdre la dot — une somme considérable en espèces ou en nature. Il faut donc que l'enfant soit mutilée. Et il vaut mieux s'y prendre le plus tôt possible : plus la petite fille grandit, plus elle risque de se révolter. Si l'enfant opérée est très jeune, sa mort éventuelle ne représente pas une grande perte. Le père peut facilement en faire d'autres : après tout, il a plusieurs femmes.

D'autre part, le père du marié n'acceptera de belle-fille qu'excisée. C'est souvent lui qui paye la dot, qui achète des épouses pour ses fils. Et il n'achètera pas une femme qui n'est pas mutilée. C'est ainsi que les hommes fixent les règles de ce qu'ils appellent pourtant « une affaire de femmes ». C'est un fait : en général, les opération sont pratiquées par les femmes mais elles n'ont pas le choix.

De nombreux Africains ainsi que des anthropologues occidentaux prétendent que ce sont les femmes qui perpétuent les opérations. Dans le contexte de ces sociétés où les femmes ne décident jamais de rien, cette affirmation est ridicule. Les mutilations relèvent à l'évidence de la politique sexuelle des hommes. Si les hommes cessaient d'exiger et de financer les opérations, elles disparaîtraient aussitôt.

Qu'ils soient illettrés ou intellectuels, les Africains savent très bien que leur pouvoir d'hommes repose sur la mutilation de la sexualité féminine. Ce qui est en jeu, c'est le contrôle politique. La peur de la sexualité féminine est d'ailleurs la chose la mieux partagée par les hommes du monde entier, comme nous l'avons vu au chapitre précédent.

Sur tout le continent africain les femmes ont pris une part active à la lutte pour l'indépendance. Mais une fois l'indépendance acquise, aucun des nouveaux dirigeants africains n'a jamais dit un mot en faveur des droits des femmes. L'excision et l'infibulation ont continué à être pratiquées comme par le passé.

Les dirigeants africains souhaitent voir leurs pays se moderniser : ils raffolent des technologies importées d'Occident, et ils accumulent toutes sortes de gadgets. Mais cela ne les empêche pas de faire exciser leurs filles. L'opération se passera éventuellement dans un hôpital moderne, subventionné par un bienfaiteur occidental.

L'Afrique a de nombreux intellectuels et écrivains de réputation internationale. On admire leurs œuvres et leur lutte courageuse en faveur des droits de l'homme. Aucun d'eux n'a toutefois écrit un mot pour s'élever contre les mutilations sexuelles, dont sont probablement victimes les femmes de leurs propres familles.

Quand on essaye d'interroger les représentants africains aux Nations unies et les diplomates africains, ils prétendent ne rien savoir de cette « affaire exclusivement féminine ». Mensonge absurde, car non seulement ils ont des rapports sexuels avec des femmes excisées mais en plus ils font exciser leurs filles.

La politique sexuelle mâle pratiquée en Afrique et au Moyen-Orient est la même que celle des hommes dans le reste du monde, et elle poursuit les mêmes objectifs : l'asservissement de la femme par tous les moyens et à tout prix. La première étape, c'est le contrôle économique. Pour cela on refuse aux femmes l'accès à l'éducation et à la technologie moderne. La deuxième étape, c'est la ségrégation. On exclut les femmes de la vie publique et des processus de décision. La troisième étape, c'est le contrôle physique : la violence, le viol, l'excision et l'infibulation. Ces « mesures », ou du moins une partie d'entre elles, sont communes à toutes les sociétés patriarcales.

L'Organisation mondiale de la santé (O.M.S.)

L'O.M.S. est le plus important et le plus indépendant des organismes des Nations unies. Pendant de nombreuses années, l'O.M.S. a refusé de reconnaître les dangers que représentaient les mutilations génitales pour la santé des femmes. Comment en est-on arrivé à l'organisation du séminaire de Khartoum ? En quoi l'attitude de l'O.M.S. a-t-elle changé ? Et a-t-elle réellement changé ?

Lors du séminaire des Nations unies « Sur la participation des femmes à la vie publique » (Addis-Abeba, 1960), les délégations africaines ont demandé à l'O.M.S. d'entreprendre une étude sur les aspects médicaux des « Opérations fondées sur les coutumes », (c'est ainsi qu'on appelle les mutilations sexuelles dans le jargon de l'ONU).

Voici comment était formulée cette demande :

§ 60. « De nombreux participants ont exprimé leurs préoccupations devant la persistance, dans certaines régions d'Afrique, de ces coutumes et pratiques qui entraînent la mutilation ou la scarification de la personne physique, et surtout la pratique de la circoncision féminine, opération rituelle subie par les jeunes filles. Deux participants — un médecin et une sage-femme — ont décrit en détail la nature de ces opérations et leurs conséquences physiques. »

§ 61. « Pendant le débat nous avons discuté des raisons de la persistance de cette coutume. Nous estimons que les femmes africaines ont le devoir de veiller au développement de la culture africaine, en défendant les valeurs africaines dans leur richesse et leur diversité, car ces valeurs font partie du patrimoine de l'humanité tout entière. Mais les femmes africaines doivent rejeter les coutumes qui nuisent à leur santé et qui représentent pour elles un réel danger. Car ces coutumes sont rétrogrades et incompatibles avec le progrès. »

§ 62. « Nous avons débattu des moyens pour combattre cette pratique. L'une des participantes a souhaité, pour reprendre ses propres termes, " que l'O.M.S. montre que cette mutilation n'a pas de justification médicale, qu'elle est même dangereuse pour la santé, et qu'elle devrait être abolie à jamais ". Outre l'action au niveau international, des législations nationales sont nécessaires : c'est le moyen le plus efficace pour se débarrasser de cette coutume et d'autres coutumes nuisibles. »

Après le séminaire, le Conseil économique et social des Nations unies attira l'attention de l'O.M.S. sur ce rapport et lui demanda d'y donner suite. Mais l'O.M.S. n'en fit rien. Déjà en 1958, la Commission pour le statut des femmes et le Conseil économique et social avaient invité l'O.M.S. à entreprendre une étude sur « la persistance des coutumes imposant aux jeunes filles des opérations rituelles, et sur les mesures adoptées ou projetées pour mettre fin à ces pratiques ».

L'O.M.S. s'est déclarée incompétente : pour elle, les opérations en question relevaient du « domaine social et culturel », mais l'organisation est prête à fournir les informations médicales dans le cadre d'une étude socio-économique d'ensemble, étude qui ne fut jamais réalisée.

Il suffit pourtant d'examiner les publications de l'O.M.S. pour constater que l'organisation entreprend toutes sortes de recherches qui ont d'importantes implications socio-culturelles (dans le domaine de la nutrition par exemple). Ces mêmes documents montrent que les responsables de l'O.M.S. n'ignorent rien des terribles conséquences des opérations sur le plan de la santé, ainsi qu'on peut le vérifier dans un rapport de l'O.M.S., daté de 1975, sur l'épidémiologie de la stérilité qui est tout à fait explicite à ce sujet. Mais l'O.M.S. a toujours traité avec la plus grande discrétion ses informations sur les mutilations sexuelles. Quand j'ai pris contact avec les départements de la Santé familiale et de l'Information de l'O.M.S., les responsables ont prétendu n'avoir aucun renseignement sur ces mutilations.

En février 1977, j'ai rencontré des représentants de la division de la Santé et de la Famille, au siège de l'O.M.S. à Genève. Je leur ai demandé pourquoi l'O.M.S. n'avait pas réagi aux demandes officielles d'enquête sur les conséquences sanitaires des mutilations sexuelles. Les fonctionnaires de l'O.M.S. m'ont répondu que l'O.M.S. ne pouvait donner suite qu'aux demandes émanant des ministères de la Santé des pays concernés. Seul, le gouvernement soudanais avait fait une telle demande.

Lors de cette rencontre, le Dr R.H. Strudwick, m'a dit qu'il fallait d'abord procéder à des enquêtes locales pour établir les faits, région par région. Puis il m'a confié qu'il avait longtemps exercé en Afrique et que « ces pratiques étaient en voie d'extinction ». « Vous ne devriez pas vous en faire, m'a-t-il dit, tout cela sera fini dans quelques années. » C'était la tirade habituelle des médecins qui prétendent connaître la situation, mais qui ne donnent pas la moindre preuve de ce qu'ils avancent. Et malheureusement, ce qu'ils racontent est totalement faux.

L'O.M.S., donc, prétend ne rien pouvoir faire sans une demande spécifique des gouvernements concernés. Mais l'exemple d'autres campagnes préventives montre que les gouvernements se rangent à l'avis de l'O.M.S. pour prendre toutes sortes de mesures sanitaires, même préventives. Des unités mobiles furent envoyées dans les régions les plus reculées d'Afrique, par exemple en Afrique occidentale lors des campagnes de lutte contre la variole. Mais dès qu'il s'agit des mutilations sexuelles l'O.M.S. se réfugie dans la passivité.

L'O.M.S. jouit d'un grand prestige dans tous les pays en voie de développement et tout particulièrement en Afrique. En gardant le silence sur les mutilations sexuelles, l'O.M.S. est directement responsable de leur continuation. Les Africains, qu'ils soient femmes ou hommes, aiment leurs enfants par-dessus tout. Une campagne de l'O.M.S. montrant à quel point ces opérations sont dangereuses pour la santé et la vie des enfants persuaderait beaucoup de gens que ces coutumes sont incompatibles avec les objectifs du développement et qu'elles doivent être abandonnées.

Les informations que je rassemble, que je publie, que je diffuse dans le monde entier depuis 1975 ont fini par avoir un certain impact. *Win News* a distribué des dizaines de milliers de documents, de cartes, de coupures de presse. *Win News* a également recueilli des milliers de signatures pour exiger des Nations unies le respect du droit à la santé. Du monde entier les gens ont écrit à l'O.M.S. Mes articles ont eu une audience internationale. Cette campagne a fini par porter ses fruits : l'O.M.S., pour se défendre, a publié un communiqué de presse...

D'autres organisations ont protesté contre l'inaction de l'O.M.S. C'est le cas notamment de Terre des hommes, fondée par Edmond Kaiser. Cette organisation d'aide à l'enfance a tenu une conférence de presse à Genève lors de l'assemblée de l'O.M.S. en 1977, pour dénoncer l'inaction de l'Organisation mondiale de la santé. Cette action a eu un grand retentissement dans la presse internationale.

En juillet 1978, deux mois après la parution de mon article sur « l'Epidémiologie des mutilations sexuelles féminines », dans *Tropical Doctor,* j'ai reçu une lettre du Bureau régional de l'O.M.S. pour la Méditerranée orientale m'informant du projet du séminaire de Khartoum et m'invitant à y participer en tant que conseiller à titre temporaire de l'O.M.S.

Je ne reviendrai pas sur l'importance du séminaire et de ses Recommandations. Le rapport du séminaire s'est vendu à plus d'exemplaires qu'aucune autre publication de l'O.M.S. Mais, trois années plus tard, les programmes d'éducation et de formation dont le séminaire recommandait la création n'ont pas encore vu le jour. De nombreux articles ont été publiés sur les mutilations sexuelles tant en Europe qu'en Afrique ; pourtant aucune action préventive n'a été entreprise. Il serait difficile de prouver aujourd'hui que l'O.M.S. a réussi à soustraire aux mutilations ne serait-ce qu'*une* enfant. Et, en dernier ressort, c'est la seule chose qui compte.

Le cas de l'UNICEF

L'UNICEF — le Fonds international pour l'enfance — est connu dans le monde entier pour son action bienfaisante. L'UNICEF collecte de l'argent pour venir en aide aux enfants et aux mères des pays en voie de développement. L'UNICEF, qui a des représentants dans tous les pays d'Afrique et du

Moyen-Orient, devrait être la meilleure source d'information sur les mutilations sexuelles.

Quand j'ai pris contact avec des responsables de l'UNICEF au siège de l'Organisation à New York, je m'attendais à obtenir des réponses et de la coopération. Mais je me suis heurtée à un manque d'intérêt total. On m'a envoyée de bureau en bureau et pour finir, le directeur de l'information m'a donné la réponse rituelle : « Nous n'avons aucune information sur la circoncision féminine. » Mais l'UNICEF a des représentants dans le monde entier, ne savent-ils donc pas ce qu'on fait aux enfants ? « Non, nous ne savons rien à ce sujet. Nous avons d'autres priorités. »

L'UNICEF s'est longtemps cantonné dans cette attitude, faite d'ignorance et d'inaction. Sa position n'a changé qu'un an après le séminaire de Khartoum. Détail intéressant : le directeur de l'information de l'UNICEF, M. Alistair Matherson, qui prétendait en 1974 ne rien savoir des mutilations sexuelles, a subitement recouvré la mémoire, le jour où il a pris sa retraite. En septembre 1979, il a publié un article sur les mutilations génitales dans le *London Observer*. Dans cet article, il fait l'éloge de la politique d'inaction de l'UNICEF — une politique justifiée par le respect des traditions culturelles. L'article se terminait par une violente attaque contre « les féministes occidentales », s'en prenant nommément à mon action et à celle de *Win News*.

Pour cet article, où il nous clouait au pilori, Matherson avait été payé par l'UNICEF, organisme pour lequel il écrit souvent afin d'arrondir sa confortable retraite. Mais les lecteurs qui lisent ses éloges de l'action de l'UNICEF en faveur de l'enfance, ignorent qu'il s'agit « d'articles maison ».

Plusieurs femmes avec lesquelles j'ai pris contact m'ont conseillé elles aussi de me tourner vers l'UNICEF : « Ils prennent bien soin des enfants et ils savent ce qu'il faut faire. » C'est en entretenant cette illusion que l'UNICEF parvient à collecter de l'argent aux Etats-Unis et en Europe. Mais qui sait comment ces sommes sont dépensées ?

Dans un premier temps, je n'arrivais pas à croire que cette Organisation, censée se consacrer au bien-être des enfants des pays en voie de développement, puisse tout simplement se désintéresser du problème. J'ai tout fait pour essayer de trouver quelqu'un de concerné au sein de cette énorme machine bureaucratique. Aujourd'hui, en juin 1982, plus de trois ans après le séminaire de Khartoum, il n'y a pas un seul programme pour la prévention des mutilations, qui bénéficie de l'assistance de l'UNICEF. Et pourtant, l'UNICEF prétend avoir changé de politique. L'histoire de ce prétendu changement est tout à fait exemplaire du comportement des organismes internationaux. En tant que rédactrice en chef de *Win News*, j'ai écrit à plusieurs reprises à H. Henry Labouisse, le directeur exécutif, pour savoir quelles mesures l'UNICEF comptait prendre. Toutes les réponses que j'ai reçues, signées de différents fonctionnaires de l'Organisation, disaient à peu près la même chose : nous avons de nombreux problèmes plus urgents. De plus, il nous est très difficile d'entrer en contact avec les populations de ces régions reculées. Comme si les habitants des villes ne pratiquaient pas eux aussi les mutilations !

Win News a poursuivi cette campagne de harcèlement épistolaire dans l'espoir qu'un bureaucrate de l'UNICEF finirait par s'émouvoir. Mais les rares réponses que nous avons reçues, émanant du siège new-yorkais ou de fonctionnaires en poste en Afrique, se contentaient de dire : « Ces opérations ne sont plus pratiquées », ou : « Nous ne pouvons pas nous ingérer dans le domaine des traditions culturelles. »

Après le séminaire de Khartoum, je me suis rendue en Somalie à l'invitation de l'Organisation démocratique des femmes de Somalie. J'ai tenu à rencontrer le représentant local de l'UNICEF, M. Kennedy.

D'origine néo-zélandaise, M. Kennedy a passé deux ans en Somalie. Mais ce n'est qu'au bout d'un an et demi qu'il a découvert, par hasard, l'existence des infibulations. L'UNICEF distribuait aux sages-femmes des trousses de secours, contenant des instruments et des médicaments, dont des antibiotiques. M. Kennedy a constaté que la demande d'antibiotiques était anormalement élevée. Les sages-femmes ne cessaient pas d'en redemander. Or, on n'a pas besoin d'antibiotiques pour un accouchement normal. Kennedy a fait son enquête et a fini par découvrir que tous les accouchements nécessitaient une épisiotomie, puisque les femmes étaient infibulées. Voilà comment un représentant de l'UNICEF a découvert l'existence des infibulations ! Une seule visite dans une maternité lui en aurait appris tout autant.

Il semble que l'UNICEF envoie ses fonctionnaires en mission dans les pays en voie de développement sans leur donner la moindre information sur les données sanitaires fondamentales liées aux pratiques traditionnelles locales. Il est étrange, en outre, que cette mission d'assistance aux femmes et aux enfants soit assignée à un homme : la Somalie est un pays musulman et les femmes musulmanes n'ont en général pas le droit de parler à des hommes qui n'appartiennent pas à leur famille.

Le gouvernement somalien venait de créer une commission pour l'abolition de l'infibulation. J'ai demandé à Kennedy ce que l'UNICEF comptait faire pour assister cette commission. Dans le domaine de l'éducation sanitaire notamment, l'expérience et les moyens de l'UNICEF pouvaient se révéler très utiles. Kennedy m'a répondu que l'UNICEF ne ferait rien sans une requête spécifique du gouvernement somalien, requête qu'il n'avait pas reçue.

Les fonctionnaires des Nations unies ont perpétuellement recours à ce genre d'arguments, totalement contraires à la Charte des Nations unies. Voici ce que dit l'article 100 de la Charte : « Dans l'exercice de ses fonctions le personnel des Nations unies ne demandera ni ne recevra d'instructions provenant d'un gouvernement ou de toute autre autorité extérieure à l'Organisation. Le personnel s'abstiendra de toute action pouvant compromettre sa position de fonctionnaire international responsable devant la seule Organisation... » Le même article demande aux pays membres des Nations unies ... de « respecter le caractère international et la responsabilité des fonctionnaires (des Nations unies) et de ne pas chercher à les influencer dans l'exercice de leurs responsabilités ».

Mais malgré cette affirmation claire et nette de l'indépendance des Nations unies, les fonctionnaires internationaux continuent à prétendre qu'ils ne peuvent rien faire sans les instructions de tel ou tel gouvernement.

Dans le monde entier, mais surtout dans les pays qui assurent l'essentiel du budget des Nations unies, les femmes doivent exiger que l'Organisation respecte sa propre Charte. La politique sexiste et égoïste des hommes qui dirigent ces organisations internationales n'est pas seulement irresponsable : elle est criminelle. Ces hommes sont responsables des mutilations et des morts atroces de milliers d'enfants et de femmes. C'est à cause de leur passivité que ces pratiques se perpétuent dans le monde entier. Le séminaire de Khartoum a prouvé de façon irréfutable que les responsables de la santé des pays concernés voulaient abolir les mutilations. Qu'attendent les organisations internationales pour les y aider ?

En 1980, l'UNICEF s'est doté d'un nouveau directeur, M. James Grant, de nationalité américaine. Pourquoi placer un homme à la tête d'une Organisation qui s'occupe de l'enfance ? Un homme qui en ce domaine n'a aucune expérience professionnelle, ni aucune qualification ?

Il y a dans le monde des centaines de femmes plus que qualifiées qui pourraient ramener l'UNICEF à sa véritable vocation humanitaire et le rendre indépendant des pressions politiques. Les bureaucrates surpayés et surpuissants de l'UNICEF sillonnent le monde entier, dépensant des fortunes dans les palaces, acquiesçant aux diktats de l'establishment politique mâle, tandis que les femmes et les enfants qu'ils sont censés servir, meurent dans l'indifférence générale.

Il est temps que les femmes ne se contentent plus de participer aux collectes de l'UNICEF, qu'elles exigent d'être associées aux processus de décision, au niveau le plus élevé. « La discrimination sexuelle fait des ravages aux Nations unies », pouvait-on lire récemment en première page du *New York Times.* L'article montrait comment les Nations unies qui œuvrent prétendument pour l'égalité entre les nations, pratiquent les pires formes de discrimination contre les femmes, tant au plan du recrutement qu'à celui de l'avancement. Cette discrimination a des effets désastreux sur les activités et les politiques de ces organisations. Et c'est à l'UNICEF que ces effets se font le plus sentir.

L'Année internationale de l'enfance, organisée par l'UNICEF en 1979, a, comme d'habitude, passé sous silence les mutilations dont sont victimes des milliers de petites filles. L'UNICEF prétend également avoir participé à l'organisation du séminaire de Khartoum, mais son représentant au Soudan n'a assisté à aucune réunion du séminaire. Ensuite, pendant plus de six mois, malgré les enseignements et les Recommandations du séminaire, l'UNICEF s'en est tenu à son ancienne politique : les opérations sont des pratiques isolées et nous n'avons pas à nous mêler de « problèmes culturels ». Mais après plusieurs articles parus aussi bien aux Etats-Unis qu'en France dont ceux de Benoîte Groult dans *F Magazine,* des centaines de femmes ont écrit à l'UNICEF, l'amenant à changer ostensiblement de politique.

En octobre 1979, je fus invitée à donner une conférence devant le personnel new-yorkais de l'UNICEF. Puis l'UNICEF a envoyé une déclaration à *Win News,* pour faire connaître sa position officielle : « L'UNICEF est gravement préoccupé par les dommages sanitaires et psychologiques, immédiats et à long terme, provoqués par la circoncision féminine sous toutes ses formes... »

La déclaration de l'UNICEF reprend ensuite les Recommandations du séminaire de Khartoum et propose quatre actions consistant toutes en réunions et en travaux de recherche en Egypte. Toujours selon cette déclaration, « les bureaux locaux de l'UNICEF ont été informés des Recommandations du séminaire, et doivent faire savoir aux gouvernements concernés que le Fonds est prêt à coopérer de toutes les manières possibles ».

Une déclaration semblable a été diffusée lors de la Conférence de Copenhague de juillet 1980. Le communiqué de presse était rédigé de telle façon qu'on aurait pu croire que l'UNICEF avait enfin mobilisé son énorme organisation pour la lutte contre les mutilations sexuelles. L'UNICEF s'était fait représenter à Copenhague par une importante délégation.

Toutes les femmes présentes à Copenhague ont cru à la sincérité de l'UNICEF. C'est pourquoi j'ai été scandalisée par ce que j'ai appris dans les bureaux de l'UNICEF au Caire, en octobre 1980. Je discutais avec le directeur du bureau, M. Ulf H. Kreuger, de l'application des Recommandations du séminaire de Khartoum. J'ai demandé à M. Kreuger s'il avait des programmes en projet ou en cours. Il m'a répondu qu'il avait reçu une proposition de l'Eglise copte d'Egypte pour l'abolition de la circoncision féminine, mais qu'il l'avait refusée. Pourquoi ? « La question est trop controversée », m'a-t-il répondu.

Cette proposition, élaborée par le département de l'Education de l'Eglise copte, représentait un effort concerté pour supprimer les mutilations en l'espace de quelques années. Le programme s'adressait à l'ensemble de la communauté copte, 15 pour cent de la population égyptienne, soit plus de 7 millions de personnes. Le programme était bien conçu et pouvait devenir un précédent et un modèle pour toutes les communautés d'Afrique et du Moyen-Orient. Si l'UNICEF l'avait subventionné, cela aurait représenté une importante contribution à la lutte contre les mutilations.

C'est par le plus grand des hasards que j'ai découvert ce projet dans les dossiers de l'UNICEF. A combien de projets semblables l'UNICEF a-t-il refusé son assistance ? De toute évidence, l'UNICEF est incapable d'appliquer sa propre politique et les hommes qui représentent le Fonds dans le monde entier ne tiennent aucun compte de ses instructions.

Les promesses que l'UNICEF a faites à Copenhague n'étaient qu'une manœuvre politique, destinée à faire taire les femmes du monde entier qui avaient écrit à l'UNICEF pour exiger qu'il remplît sa mission.

L'UNICEF collecte des fonds dans tous les pays occidentaux. Ses cartes de vœux, vendues surtout au moment de Noël, lui rapportent des millions de dollars. Outre ses collectes, l'UNICEF reçoit des contributions annuelles de tous les pays membres des Nations unies. Dans le monde entier, on demande aux femmes de contribuer au « Fonds pour l'enfance » et de participer, comme volontaires, aux campagnes de collecte. L'UNICEF doit désormais savoir que nous exigeons qu'il respect la Charte de l'ONU, c'est-à-dire qu'il aide les femmes et les enfants en fonction de leurs besoins et non en fonction des pressions politiques de tel ou tel gouvernement. Les femmes doivent faire savoir à l'UNICEF qu'elles ne contribueront plus à ses collectes et qu'elles dénonceront son hypocrisie dans le monde entier. Elles doivent écrire aux Comités nationaux, au siège de l'UNICEF à New York, mais aussi aux grands journaux de leurs pays, car l'UNICEF est très sensible à son image de marque. Elles doivent également envoyer des lettres à leurs élus, qui fixent le montant de la contribution de chaque pays au budget de l'UNICEF. C'est un moyen de pression efficace, surtout si l'on envoie le double des lettres au siège du Fonds à New York.

Seule la protestation des femmes du monde entier peut obliger les Nations unies et l'UNICEF à adopter une autre politique face aux mutilations sexuelles.

La conspiration du silence : la discrimination dans le développement

Tout va bien tant qu'on peut étouffer le scandale et dissimuler la vérité. Les femmes africaines victimes des mutilations gardent le silence et même si elles parlaient, qui les écouterait ? Comme l'écrit Benoîte Groult : « On n'a rien tenté pour les femmes. Et elles n'ont pas su ou pas pu le tenter elles-mêmes, parce que chacune est isolée dans son foyer, isolée dans sa *cellule* familiale et dans l'amour de ses propres enfants. Le mot de cellule à lui seul est révélateur. Et toutes ces solitudes additionnées ne font pas un mouvement homogène, seule force capable d'obtenir justice. Si les femmes demeurent aujourd'hui la survivance la plus massive de l'asservissement humain, c'est qu'il reste facile, donc tentant, d'exploiter chacune d'elles séparément. » Cette description est valable pour toutes les sociétés, mais elle est encore plus juste là où la polygamie dresse les femmes les unes contre les autres.

Garder le silence, maintenir les femmes dans l'ignorance, telle a été la politique des organismes internationaux, des organisations charitables, des groupes religieux, sans parler des gouvernements patriarcaux africains. C'est en ne voyant rien, en n'entendant rien, en ne faisant rien, que le patriarcat garde son pouvoir. Tant que tout le monde continue à respecter cette règle, les bureaucrates internationaux peuvent dormir tranquilles. C'est pour cela que leur principale préoccupation est de décourager toute publication, toute enquête.

Les experts et conseillers en développement qui sillonnent la planète sont presque tous des hommes. On peut compter sur leur discrétion. Quant aux bureaucrates surpayés des organismes des Nations unies, ils ne vont pas se créer de problèmes inutiles. La diplomatie internationale est, elle aussi, aux mains des hommes. Et on peut compter sur les quelques femmes fantoches et alibis pour qu'elles aussi jouent le jeu des hommes — c'est le prix de leur survie.

Dans ces conditions, on peut continuer à garder le silence en toute impunité. Si quelqu'un s'avisait de dire la vérité — 80 millions au moins de femmes mutilées — personne ne le croirait. Dans certains pays, au Soudan et au Kenya par exemple, le souci de la santé des femmes et des enfants a débouché autrefois sur une action politique. Mais le silence est revenu avec l'indépendance. Au Kenya, il a fallu attendre la mort du président Kenyatta — grand défenseur des mutilations — pour que la presse reparle du problème.

Si au Soudan et au Kenya les mutilations sexuelles ont donné lieu à un débat public, cela n'a jamais été le cas en Afrique de l'Ouest francophone, où règne un silence absolu. Les riches touristes qui visitent Abidjan ou Dakar ne risquent pas de découvrir l'atroce vérité. Ils ne se douteraient jamais que les belles Africaines qui viennent danser pour eux dans les halls des palaces, ont été mutilées selon un rituel médiéval.

Ce qui est toutefois le plus surprenant c'est qu'aucune des organisations charitables ou des Eglises travaillant en Afrique dans le domaine sanitaire (elles ont souvent leurs propres hôpitaux) n'ait jamais publié la moindre information sur les ravages résultant des mutilations. Quand j'ai entrepris mon enquête, je n'ai rien trouvé de tel. Personne n'avait jamais essayé de rassembler les données, éparses il est vrai, afin d'avoir une vue d'ensemble de l'ampleur du problème. Les opérations pouvaient se poursuivre et s'étendre, à l'abri du silence.

Il en va des mutilations comme il en allait des mauvais traitements dont les femmes sont victimes : il a fallu que quelques femmes se décident à parler pour qu'on découvre que le problème concernait des milliers de foyers, dans tous les milieux sociaux. Quand on a rassemblé des statistiques, on a pu voir qu'un homme pouvait faire subir tout ce qu'il voulait à sa femme et à ses enfants, au vu et au su de l'establishment patriarcal, et avec sa complicité tacite. C'est cette même complicité qui protège les mutilations sexuelles.

Nous avons déjà examiné l'attitude de l'O.M.S. et de l'UNICEF. Qu'en est-il des autres organismes de l'ONU et surtout du Centre pour le développement social et les affaires humanitaires ? C'est le Centre qui organise toutes les actions des Nations unies en faveur des femmes, comme l'Année internationale des femmes et la Décennie pour la femme. Dès le début de ma campagne, j'ai pris contact avec Mme Helvi Sipila, directrice du Centre, et présidente de l'Année internationale des femmes. Une pétition, signée par des milliers de femmes et d'hommes, fut envoyée à Kurt Waldheim, secrétaire général de l'ONU, à Helvi Sipila, et à la division des droits de l'homme des Nations unies. Mais nous n'avons obtenu aucun résultat et la commission des Droits de l'homme ne s'intéresse pas à cette violation-là.

La mutilation sexuelle (ou la circoncision féminine pour employer le terme toujours en vigueur à l'O.N.U.) ne figurait pas à l'ordre du jour de la Conférence pour l'Année internationale de la femme à Mexico en 1975 ! A la demande des délégations africaines, elle ne figurait pas non plus à l'ordre du jour de la Conférence de Copenhague en 1980, malgré le projet de résolution soumis par la réunion préparatoire régionale africaine (Lusaka, Zambie, 1979). Une seule phrase, d'une remarquable discrétion, fait allusion aux mutilations sexuelles dans les actes officiels de la Conférence, sous la rubrique « Santé » : § 162. « Prévenir les mutilations nuisibles à la santé des femmes. »

Lors du forum, organisé parallèlement à la Conférence officielle, de nombreux débats ont été consacrés aux mutilations sexuelles. Le premier de ces débats fut animé par Renée Saurel qui venait de publier une série d'articles sur ce sujet. La salle était comble. La plupart des femmes qui étaient là n'avaient jamais entendu parler des mutilations sexuelles. Elles furent bouleversées en apprenant les faits. J'ai donné trois exposés sur la répartition et l'expansion des opérations, m'appuyant sur les informations fournies par l'O.M.S. et que j'avais publiées dans mon rapport.

Le forum organisa une table ronde, présidée par Eddah Gachukia, membre du Parlement kenyan, avec la participation d'Awafit Osman, du Soudan, d'Edna Adan Ismail, de Somalie, et de Mary B. Assaad, d'Egypte. Toutes ont décrit la situation dans leurs pays respectifs. Le dernier jour de la Conférence, la Sénégalaise Awa Thiam organisa une autre réunion, où elle annonça la fondation de la commission pour l'Abolition des mutilations sexuelles, qui regroupait des femmes d'Afrique, de France, d'Italie, des Etats-Unis et des îles Caraïbes, entre autres. La commission lutte pour l'abolition des mutilations sexuelles, de la polygamie, de la grossesse forcée, de la stérilisation forcée, etc. « Le problème des mutilations sexuelles n'est que l'aspect le plus visible de l'oppression des femmes — et aussi le plus douloureux », a déclaré Awa Thiam. Awa Thiam appelle toutes les femmes à unir leurs efforts, quels que soient leur milieu, leur nationalité ou leur race.

Malheureusement, toutes les femmes africaines ne partagent pas les idées d'Awa Thiam. Lors du forum, l'Association des femmes africaines pour la recherche et le développement, dirigée par Marie-Angélique Savane, a bruyamment protesté contre toute discussion du problème, allant même jusqu'à perturber les débats. Lors de sa propre réunion, l'Association a déclaré que dorénavant les femmes blanches ne pouvaient plus être membres de l'Association.

Par la suite, l'Association a diffusé à grande échelle une déclaration sur les mutilations sexuelles, attribuant ces pratiques au « sous-développement ». Mais, comme je l'ai maintes fois rapporté, les familles aisées d'Afrique et du Moyen-Orient mutilent elles aussi leurs enfants. Les prises de position de Savane et surtout ses attaques politiques contre les campagnes internationales (souhaitées par les gouvernements représentés à Khartoum) permettent à nombre d'organismes, officiels ou privés, de justifier leur inaction.

Nous avons envoyé des questionnaires aux nombreuses organisations charitables ou religieuses qui travaillent en Afrique : l'Oxfam, le Care, le Conseil mondial des Eglises, etc. Certains hôpitaux et certaines organisations locales ont répondu à notre questionnaire, mais les organisations internationales se sont retranchées dans un silence prudent. La lettre que m'a envoyée Mme Marit Kromberg, au nom de la commission médicale chrétienne du Conseil mondial des Eglises, illustre bien cette attitude. D'après Mme Kromberg la commission estimait qu'il n'était pas raisonnable d'entreprendre une étude sur les mutilations sexuelles. « Bénie soit l'ignorance ! » : La commission redécouvre les doctrines du christianisme médiéval, pour les appliquer à la situation des femmes africaines. La commission ne peut répondre qu'aux demandes émanant d'Eglises, elle n'est « qu'une structure de liaison... qui a développé un important réseau de contacts... et le problème de la circoncision féminine n'a jamais été abordé au cours de ses discussions... La commission participe étroitement au développement et à la promotion de la médecine en Afrique et dans de nombreux autres pays ».

Il est difficile de comprendre comment la commission peut participer étroitement au développement de la médecine en Afrique — la lettre parlait spécifiquement de la santé maternelle et infantile — sans s'inquiéter des mutilations sexuelles et de leurs conséquences. Lors de la Conférence de Copenhague, alors que la délégation suédoise offrait son assistance à tout gouvernement voulant abolir « la circoncision féminine », toutes les organisations privées — dont le Conseil mondial des Eglises — ont gardé le silence le plus total.

Pour les Eglises chrétiennes d'Afrique, les Recommandations du séminaire de Khartoum sont restées lettre morte. Au vu et au su des prêtres, des pasteurs et des missionnaires, les populations converties au christianisme continuent à mutiler leurs enfants, comme les adeptes de toutes les autres religions. En réponse à un questionnaire de *Win News,* un missionnaire chrétien du Kenya nous a répondu que toutes les petites filles de l'école de sa paroisse étaient excisées. Nous avons envoyé au directeur de cette école le *Livre d'images universel de la naissance.* Le directeur nous a répondu que le programme scolaire était déjà trop chargé pour qu'il puisse y inclure un cours d'éducation sexuelle, sans même parler d'une action préventive contre les mutilations génitales.

La plupart des réponses que j'ai reçues des organisations travaillant en Afrique me mettaient en garde contre toute tentative « d'ingérence », de remise en cause des traditions africaines. Benoîte Groult a parfaitement résumé cette situation : « On s'est beaucoup penché sur les âmes du Tiers monde... Des médecins ont lutté contre la mortalité infantile ou les maladies endémiques. Des industriels se sont occupés des matières premières de la manière que l'on sait et sans trop s'embarrasser de scrupules... C'est seulement quand il s'est agi de prendre position sur les mutilations sexuelles que ces scrupules ont surgi, au nom d'un soudain respect des traditions locales ! »

Dès le début de mon enquête sur les mutilations sexuelles j'ai pris contact avec l'Agence américaine pour le développement international (U.S./A.I.D.). L'A.I.D. finance de nombreux programmes en Afrique notamment dans le domaine de la santé. J'ai interrogé les responsables du département de la Santé de l'A.I.D. sur les programmes dans le domaine de la santé maternelle et infantile. Lors d'une réunion au siège de l'A.I.D. à Washington, en 1976, j'ai découvert qu'aucun des médecins présents n'était au courant — et pourtant certains d'entre eux avaient travaillé en Afrique. J'ai dû leur expliquer les données de base concernant les mutilations. Ils ne m'ont pas crue, et l'A.I.D. continua à ignorer le problème.

J'ai également pris contact avec les organismes équivalents en Grande-Bretagne, en Suède, en Allemagne, au Danemark, au Canada, en Autriche, en France, aux Pays-Bas, en Norvège et ailleurs. Partout, on m'a fait la même réponse : « Nous ne savons rien. C'est un problème culturel, cela ne nous regarde pas. » Une seule exception ; parallèlement à l'offre verbale faite par la Suède à la Conférence de Copenhague, le gouvernement des Pays-Bas a participé au financement d'une étude sur l'épidémiologie des mutilations au Soudan.

Comme me l'a expliqué l'administrateur des programmes pour le développement des femmes du gouvernement canadien : « Nous ne pouvons agir que si on nous le demande. Nous apportons aux gouvernements une aide technique et financière. Mais nous ne prenons pas d'initiatives. Nous ne pouvons rien faire contre les mutilations sexuelles, tant que notre assistance n'est pas sollicitée. » Toujours le même argument. Pourtant le planning familial qui s'est heurté dans un premier temps à une vive résistance de la part des pays en voie de développement, a réussi à s'imposer dans le monde entier en l'espace de quelques années, grâce à l'insistance des gouvernements occidentaux.

La C.E.E. finance de nombreux programmes en Afrique. Récemment la C.E.E. a négocié avec les pays d'Afrique et de l'archipel des Antilles, la seconde Convention de Lomé, un accord portant sur les échanges commerciaux et sur les programmes d'assistance. Sous la pression des pays africains, M. Cheysson, qui, au sein de la C.E.E. était responsable du développement et donc de ces négociations, a abandonné sa position initiale sur les droits de l'homme, domaine qui permettait d'aborder le problème des mutilations.

Win News a écrit au commissaire Cheysson pour réclamer que les faits concernant les mutilations soient rendus publics. Puis au printemps 1978 le rédacteur en chef du *Courier*, l'organe officiel de la C.E.E. m'a invitée à écrire un article sur la dimension médicale du problème. Toutefois, après une longue période de silence, le *Courier* refusa de publier l'article en question.

Nous avons demandé des explications à M. Cheysson. Celui-ci nous a répondu que tous les articles devaient être soumis à l'approbation de la commission et que les mutilations étaient un sujet trop controversé pour parvenir à un consensus. Sa lettre se poursuit par une leçon sur l'importance des rites d'initiation africains. Et pour finir, il nous déclare : « Je tiens à attirer très sérieusement votre attention sur le fait que des campagnes publiques risquent d'être mal comprises... Si tel était le cas, vous et moi serions privés pour longtemps de toute possibilité d'agir de façon efficace. » La lettre ne dit bien entendu rien sur la nature éventuelle de ces « actions efficaces ». Et comme, à ce jour, aucune action n'a été entreprise, nous ne voyons pas très bien de quoi nous risquons d'être privés.

Planning familial/Contrôle démographique

L'Afrique est le seul continent où les taux de croissance démographique ne cessent d'augmenter. La poussée démographique se poursuit même dans les pays les plus pauvres et dans ceux qui ont les taux de mortalité infantile les plus élevés. Cette poussée démographique est stimulée par les comportements natalistes et machistes des Africains qui compensent leur sentiment d'infériorité vis-à-vis des femmes en leur faisant des enfants à la chaîne. Les politiciens africains continuent à s'opposer à l'introduction du planning familial dans leurs pays et beaucoup d'hommes divorcent s'ils découvrent que leur femme utilise des produits contraceptifs. Certains leaders africains voient même dans le planning familial un complot impérialiste visant au génocide. Des parlementaires kenyans ont dénoncé les dangers de la pilule pour la santé des femmes, et demandé son interdiction. Mais le fait que des femmes meurent à force d'accoucher sans répit, n'a jamais troublé aucun homme africain !

Les organisations internationales de planning familial ne se sont jamais attaquées à ces comportements natalistes et machistes. Ces organisations sont dirigées par des hommes soucieux avant tout de contrôler la fécondité et les capacités reproductives de la femme, sans aucun égard pour sa santé et ses besoins. On est bien loin des intentions initiales du planning familial telles que les ont formulées Margaret Sanger ou Marie Stopes.

Les nombreux programmes du Fonds des Nations unies pour les activités en matière de population ne tiennent aucun compte de l'existence des mutilations sexuelles. Les cliniques du planning familial, tant en Afrique qu'au Moyen-Orient, connaissent pourtant parfaitement les ravages dont les mutilations sont responsables. Ces cliniques furent une de mes meilleures sources d'information. Mais les bailleurs de fonds et les conseillers internationaux prétendent « n'avoir aucune information sur ces opérations qui d'ailleurs n'existent plus »...

L'aide du Fonds pour les activités en matière de population pourrait être précieuse pour l'application des Recommandations du séminaire de Khartoum. Il suffirait que le Fonds prévoie des mesures d'éducation préventive dans les programmes qu'il finance déjà en Afrique et au Moyen-Orient. Interrogée par *Win News* Mme Nafis Sadik, responsable des programmes du Fonds, nous a répondu que « les programmes d'éducation, de communication et de formation (formation des sages-femmes notamment) contribueront à l'application des Recommandations ». Oui, mais comment puisqu'à peine formées, les sages-femmes s'empressent d'utiliser leur nouveau savoir pour exciser les petites filles ?

Ces sages-femmes s'enrichissent grâce aux opérations. Personne ne leur a expliqué en quoi elles sont néfastes, personne ne leur a proposé d'autres moyens de gagner leur vie. L'A.I.D. participe également au planning familial en Afrique en subventionnannt des organisations privées comme l'*International Planned Parenthood Federation,* le *Family Planning International Assistance* et le *Pathfinder Fund.*

Pendant les années 70, le budget du Bureau démographique de l'A.I.D. allait de 120 à 150 millions de dollars par an et il ne cesse d'augmenter (plus de 210 millions récemment). Je me suis adressée au directeur de ce Bureau, le Dr R.T. Ravenholt. Il me semblait que tout programme de planning familial devait se préoccuper du problème des mutilations : mais le Dr Ravenholt ne partageait pas cet avis.

Toutefois ce même Dr Ravenholt m'a redonné de ses nouvelles quelque temps plus tard, quand fut annoncée l'organisation du séminaire de Khartoum. Il voulait que je lui envoie toute ma documentation sur les mutilations sexuelles. La revue *Population Report,* dépendant du Bureau démographique de l'A.I.D., préparait un article sur les méthodes traditionnelles de contrôle des naissances. Et comme me l'a dit le Dr Ravenholt : « Après tout, l'excision et l'infibulation ne sont rien d'autres que des méthodes traditionnelles de contrôle des naissances ! » J'ai refusé de lui communiquer mes documents. Assimiler les mutilations à un moyen de contrôle des naissances, c'était implicitement les approuver. Cela pouvait devenir un argument en faveur de la modernisation des opérations dans l'ensemble de l'Afrique. Mais le Dr Ravenholt et l'A.I.D. se moquaient éperdument de cet aspect du problème, tant qu'ils pouvaient poursuivre leur objectif : réduire les naissances à tout prix.

Aussitôt après le séminaire de Khartoum, l'O.M.S. a largement diffusé ses quatre Recommandations. Mais curieusement *People,* la revue la plus importante de l'*International Planned Parenthood Federation,* s'est contenté de reproduire le projet de résolution que les délégations réunies à Khartoum avaient *rejeté.* Ce projet avait été refusé parce qu'il se prononçait en faveur d'une modernisation des mutilations génitales.

Les organisations de planning familial n'ont aucun respect pour la santé des femmes, comme l'a montré la communication égyptienne au séminaire de Khartoum. Une étude effectuée dans une clinique du planning familial au Caire a montré que presque toutes les femmes qui venaient en consultation, mais aussi presque toutes les femmes travaillant dans la clinique étaient excisées. De plus, la majorité des conseillères de la clinique avait fait exciser leurs petites filles, ou envisageaient de le faire. Alors, qu'on cesse de nous parler de la « formation » du personnel du planning familial. Et l'on imagine ce que veut l'éducation sanitaire dispensée par un personnel pareillement « formé ».

La modernisation des mutilations sexuelles et la politique internationale de la Santé.

Il y a deux façons d'introduire les mutilations sexuelles dans le secteur de la médecine moderne : on peut procéder par omission, ce qui est le cas de figure le plus fréquent aujourd'hui. Mais on peut aussi donner délibérément la formation et les instruments qui transformeront les mutilations en banales interventions chirurgicales.

La Somalie est le seul pays ou un rapport médical a été établi sur la manière dont des infirmiers spécialement formés pratiquent les opérations dans les grands hôpitaux urbains. Ailleurs, en Egypte, au Soudan, au Nigeria, les familles aisées font opérer leurs filles par des chirurgiens : cette intervention « moderne » est beaucoup plus rapide et efficace.

Comme nous l'avons vu dans les chapitres traitant des différents pays, il ne fait aucun doute qu'aujourd'hui un personnel médical qualifié pratique ces interventions, moyennant honoraires, dans tous les pays où la « tradition » existe. Et le pis c'est que ces médecins croient bien faire. Lors du séminaire de Khartoum, le Dr Bannerman, responsable de l'O.M.S. chargé des programmes de médecine traditionnelle, a déclaré qu'on ne pouvait pas priver les hommes africains de cette importante tradition et qu'il fallait par conséquent pratiquer les opérations dans les hôpitaux. Le Dr Bannerman est ghanéen mais de nombreux médecins occidentaux partagent son point de vue.

En septembre 1979, j'ai reçu une lettre du Dr David Stevenson, maître de conférences à l'Ecole de médecine tropicale de Liverpool. Celui-ci avait participé à un Congrès médical en Sierra Leone, en novembre 1978. Il y avait recueilli des informations sur les mutilations sexuelles et il avait préparé une proposition qu'il demandait à *Win News* de publier.

Dans sa proposition, le Dr Stevenson présentait les procédures médicales permettant de châtrer les petites filles africaines avec toutes les garanties qu'offrent les techniques chirurgicales et gynécologiques occidentales. Pour préserver les traditions « africaines » le Dr Stevenson suggère l'usage « de petits ciseaux de chirurgien » (pour couper le clitoris et les petites lèvres)... et « la pose éventuelle de points de suture pour enrayer le saignement... le tout en mettant l'accent sur l'hygiène... afin de réduire les complications et la mortalité... ». Stevenson envisage la possibilité de « réduire » l'opération à la seule ablation du clitoris : « Cela réduirait considérablement les saignements et les cicatrices, mais l'opération resterait cependant impressionnante puisque la jeune fille perdrait son " organe mâle ". »

Bien sûr, poursuit le bon docteur, il préférerait que les opérations disparaissent complètement. Mais il est convaincu que le meilleur moyen d'aboutir à cette fin, consiste à respecter les traditions culturelles. Le Dr Stevenson ignore apparemment que la méthode qu'il préconise ne fait que renforcer les mutilations. Si l'on introduit les opérations dans le secteur de la médecine moderne, on ne pourra plus jamais les en extirper — du moins tant que les médecins en tireront un profit financier.

Qu'enseigne le Dr Stevenson aux étudiants africains de l'Ecole de médecine tropicale de Liverpool ? Leur apprend-il à mieux mutiler les petites filles, en sauvegardant « l'aspect impressionnant » de la castration sexuelle, mais en diminuant les risques d'accident fatal ? Evidemment si la petite fille meurt, son père ne pourra jamais toucher la dot.

Il est étonnant que ce médecin ne perçoive pas la contradiction entre « la tradition africaine » et le recours aux moyens de la médecine moderne. Que fait-il de son serment, de son éthique de médecin ? N'a-t-il pas juré d'utiliser sa science pour guérir ? Comment peut-il utiliser son savoir pour mutiler, sous prétexte de culture, des petites filles sans défense, dont le seul crime est d'avoir la peau noire ou mate ?

Dans sa proposition, le Dr Stevenson ne dit pas un mot de l'éducation dans le domaine de la reproduction, de la biologie humaine, de la sexualité, qui permettrait de prévenir les mutilations. La notion de prévention lui est totalement étrangère.

On pourrait certainement donner d'autres exemples de ce genre d'attitudes militantes. Mais ceux qui pèchent par omission, sont de loin les plus nombreux, et leur action est bien plus insidieuse.

La conspiration du silence assure non seulement la persistance des opérations mais leur extension dans le secteur de la médecine moderne. Qui ne dit mot consent. En ne protestant pas contre les opérations, ceux qui ont la responsabilité de la formation du personnel sanitaire autorisent implicitement ce personnel à se servir de ses nouveaux talents, des nouvelles techniques et des nouveaux médicaments pour mieux mutiler les enfants. C'est exactement ce à quoi on assiste aujourd'hui en Afrique.

Au Soudan, par exemple, on apprend aux futures sages-femmes qu'elles ne doivent jamais pratiquer les opérations. Mais tout le monde sait que ce sont des sages-femmes qui infibulent et que c'est de là qu'elles tirent l'essentiel de leurs revenus. Tant qu'on ne proposera pas aux sages-femmes d'autres moyens de gagner leur vie (par exemple la distribution des produits contraceptifs et la diffusion de l'information du planning familial), elles continueront à pratiquer ces opérations qu'elles devraient être les premières à prévenir.

La prévention est totalement absente des programmes internationaux d'aide sanitaire en Afrique et au Moyen-Orient. L'A.I.D. par exemple est engagée dans quatre programmes sanitaires dans des régions d'Afrique affectées par les mutilations. Chacun de ces programmes coûte des millions de dollars. Au Soudan, un programme de soins médicaux primaires de 8 millions de dollars est en cours. En Somalie, un programme sanitaire d'accouchement en milieu rural est entré en application depuis 1980, avec un budget de 14 millions de dollars. Ces programmes s'attaquent à tout les problèmes sanitaires imaginables mais passent sous silence les mutilations sexuelles.

Depuis 1976, j'ai essayé, sans grand succès, d'attirer l'attention de l'A.I.D. sur le problème des mutilations. J'ai réussi finalement à faire un exposé sur le séminaire de Khartoum devant le personnel de l'A.I.D. Cet exposé avait été organisé par le bureau africain de l'A.I.D. Il y avait une grande assistance, mais la directrice du bureau, Mme Goler Butcher, qui détermine la politique du bureau, n'a pas estimé utile de se déplacer.

Malgré mon exposé et malgré le fait que l'A.I.D. avait été informée du contenu des Recommandations du séminaire par voie officielle rien n'a été fait pour inclure ces Recommandations dans les énormes programmes sanitaires en cours tant en Somalie qu'au Soudan (tous deux présents à Khartoum). De plus les programmes de l'A.I.D. refusent de considérer l'accouchement comme un problème sanitaire — alors que les statistiques de l'O.M.S. montrent qu'en Afrique l'accouchement fait plus de victimes que toute autre maladie, et que la mortalité infantile — périnatale notamment — y est effarante.

En 1980, pour la Conférence de Copenhague, *Win News* a mis au point la maquette du *Livre d'images universel de la naissance* avec un addenda sur l'excision et l'infibulation. Cette brochure est fondée sur une approche positive du problème et l'utilisation d'éléments graphiques. Les sections consacrées à l'excision et à l'infibulation montrent les conséquences néfastes des opérations sur l'accouchement.

Nous avons présenté cette maquette à l'A.I.D. en juin 1980. Nous voulions que l'A.I.D. la fasse figurer dans ses programmes sanitaires car nous avions constaté qu'ils ne comprenaient aucune mesure d'éducation ou d'information sur l'accouchement, ni aucune mesure préventive contre les mutilations sexuelles.

Six mois plus tard, l'A.I.D. nous renvoya notre maquette sans aucun commentaire montrant par là qu'elle continuait à ignorer le problème de l'éducation préventive. Nous avons fini par comprendre que l'A.I.D. ne ferait jamais rien pour l'application des Recommandations du séminaire de Khartoum. Nous nous sommes alors adressées aux commissions compétentes du Congrès des Etats-Unis, surtout à celles qui contrôlent les budgets de l'A.I.D. et les contributions des Etats-Unis au budget de l'ONU, de l'UNICEF et de l'O.M.S.

Au printemps 1980, j'ai témoigné en tant que rédactrice en chef de *Win News*, devant le sous-comité des Opérations à l'étranger, du comité de l'affectation de fonds, présidé par le sénateur Daniel Inouye. Voici la conclusion de mon témoignage : « Mon enquête montre qu'en Afrique les mutilations sexuelles sont de plus en plus souvent pratiquées dans le secteur de la médecine moderne, y compris dans les hôpitaux. Ces opérations pratiquées souvent sur des nouveau-nés ne sont plus que de simples castrations sexuelles, dépouillées de tout rituel traditionnel. C'est un abus flagrant de la médecine moderne, et le comité doit savoir que l'assistance dont bénéficient ces pays, tant sur le plan technique que sur le plan de la formation, sert en fin de compte à mutiler des petites filles. Au nom des femmes américaines et de tous les contribuables, je proteste vigoureusement contre ce détournement de l'assistance et des fonds américains dont on se sert au Moyen-Orient et en Afrique pour exciser et infibuler des enfants non consentantes. »

Le sénateur Inouye fut visiblement bouleversé par ses

révélations. En réponse à ses questions, je lui ai précisé que l'A.I.D. ne participait pas directement à la « modernisation » des mutilations, mais qu'en ne prenant aucune mesure préventive, elle s'en faisait complice. Le sénateur a demandé à l'A.I.D. un rapport sur la situation, ajoutant que, directe ou indirecte, la responsabilité de l'A.I.D. était pleinement engagée. Dans sa réponse, l'A.I.D. a tenté de se disculper sans toutefois répondre aux questions soulevées par mon témoignage.

En automne 1981, *Win News* a commencé à diffuser un communiqué de presse sur « l'Introduction des mutilations sexuelles féminines dans les pratiques et les institutions médicales ». Ce communiqué fut envoyé au siège de l'O.M.S. en Suisse, et aux deux bureaux régionaux des régions concernées : « Des professionnels de la santé (médecins, chirurgiens, sages-femmes, infirmiers, personnel sanitaire) pratiquent des opérations génitales sur des petites filles non consentantes. Ils utilisent pour ce faire les équipements, les instruments, les médicaments fournis par les programmes d'assistance internationale. Les opérations ont lieu dans des hôpitaux, des cliniques et des centres de soins d'Afrique, du Moyen-Orient et de certaines régions d'Asie. Les immigrants africains ou moyen-orientaux installés en France, en Allemagne, en Italie, en Suède, en Australie et ailleurs, font également opérer leurs enfants. »

Ce communiqué de presse avait pour but de recueillir des signatures pour la pétition suivante : « Les sous-signés exigent que l'O.M.S. prenne publiquement position en déclarant à tous les professionnels de la santé que toute forme d'opération sexuelle féminine est inacceptable tant d'un point de vue éthique que d'un point de vue médical, et qu'elle doit être condamnée. »

Une lettre ouverte adressée à l'O.M.S., publiée dans le numéro du printemps 1982 de *Win News*, donne des précisions supplémentaires. La Suède et la Norvège ont déjà pris des mesures interdisant spécifiquement les opérations.

Dans la mesure où les opérations se répandent dans le monde entier, une prise de position de l'O.M.S. est aujourd'hui indispensable, pour que les professionnels de la santé assument leurs responsabilités.

La politique sanitaire internationale est une politique sexiste. L'introduction de la médecine occidentale dans les pays en voie de développement a instauré un système sanitaire dominé par les hommes, indifférent aux besoins des femmes. Les responsables de la politique sanitaire internationale ont totalement négligé le problème des mutilations sexuelles. Il a fallu que ce soit moi, une journaliste, qui fasse les recherches fondamentales sur l'épidémiologie des mutilations sexuelles féminines, parce qu'il ne se trouvait personne de mieux qualifié que moi pour le faire. Les professionnels de la santé devraient avoir honte de leur démission.

Les médecins, surtout dans le domaine de la médecine tropicale, ne s'intéressent qu'aux maladies. L'accouchement reste complètement ignoré par les hommes qui ne s'intéressent pas à la médecine préventive, mais seulement à la médecine curative. Pour les médecins travaillant dans les hôpitaux africains, la santé maternelle et infantile n'est pas un problème prioritaire et pourtant l'avenir de chaque nation dépend de la santé des enfants, et donc des mères. Les femmes sont victimes de cette confusion des valeurs, de cette erreur sur les objectifs. Pour se faire entendre, les femmes doivent s'unir, par-delà les cultures, les sociétés, les frontières politiques. Le problème de la santé est un problème capital pour les femmes parce que ce sont elles qui donnent la vie.

Les droits de l'homme : le droit à la santé

« La mutilation des organes génitaux de la femme quelle qu'en soit la raison, est une atteinte fondamentale aux droits de toutes les femmes et plus particulièrement aux droits des femmes et des petites filles mutilées. Le droit à la santé est un droit humain fondamental et ne peut souffrir aucune restriction. » Des milliers d'hommes et de femmes ont signé cette pétition diffusée par *Win News* depuis 1976. Les signatures furent envoyées à Kurt Waldheim, secrétaire général de l'ONU, à Helvi Sipila, secrétaire adjointe, et à la division des droits de l'homme, avec l'espoir que le problème serait évoqué lors de la réunion annuelle de la commission des droits de l'homme qui se tient de février à mars, à Genève.

Tandis que j'écris ces lignes, en juin 1982, le problème n'a toujours pas été évoqué à l'ONU, bien que nous n'ayons pas cessé d'exiger qu'il soit mis à l'ordre du jour de la commission. En été 1978, Mme Leonor Sampaio Hooley nous a écrit au nom de la division des droits de l'homme :

« Je suis responsable des problèmes des femmes au sein de la division des droits de l'homme. Mais dans la mesure où la commission n'a pas autorisé la division à préparer des études ou des documents spécifiquement consacrés aux problèmes des femmes, je n'ai qu'un rôle d'observatrice. C'est le Centre pour le développement social et les affaires humanitaires, présidé par Mme Sipila qui est responsable au sein du secrétariat des droits des femmes. »

Mais Mme Sipila nous avait déjà informées qu'elle ne pouvait rien faire sans les instructions de la commission des femmes. Cette commission reçoit ses propres instructions des délégations de chaque pays ou de l'Assemblée générale des Nations unies. Comme on le voit, les femmes n'ont aucun moyen pour se faire entendre à l'ONU — leurs problèmes ne peuvent être évoqués que si un pays membre en prend l'initiative, et tous les pays membres sont gouvernés par les hommes.

Les débats internationaux sur les droits de l'homme sont exclusivement consacrés aux droits politiques et civils. Aucune organisation internationale des droits de l'homme ne s'intéresse au sort des femmes, bien que dans de nombreux pays celles-ci soient exclues de la vie publique ou politique et séquestrées au foyer de leur père ou de leur mari.

Amnesty International refuse de s'occuper du problème de la santé des femmes et des mutilations sexuelles sous prétexte que ses principes lui interdisent de s'écarter du domaine des droits civils et politiques. Amnesty International peut toutefois nous servir de modèle sur le plan organisationnel, car il est clair que les femmes doivent prendre elles-mêmes en main la défense de leurs droits.

La Déclaration universelle des droits de l'homme, proclamée par les Nations unies en 1948, reste dans le monde entier la principale référence en ce domaine. Deux articles de la déclaration concernent plus particulièrement les femmes :

Article 15 : « Les hommes et les femmes... ont droit au mariage. Dans le cadre du mariage et au moment de sa dissolution, ils jouissent de droits égaux... Le mariage ne peut être contracté qu'avec le plein et libre consentement des futurs époux. »

Cet article est violé dans toute l'Afrique et le Moyen-Orient : des millions de femmes y sont vendues en mariage sans leur consentement. De plus le mariage y est obligatoire. Les mutilations génitales permettent aux hommes de briser la volonté des femmes et de les asservir à leurs besoins sexuels.

Article 25 : « Toute personne a droit à des conditions de vie adéquates du point de vue de la santé et du bien-être... La maternité et l'enfance doivent être tout particulièrement aidées et protégées... »

La Convention pour l'élimination de toute forme de discrimination contre les femmes est le plus important document international concernant les droits des femmes. Préparée depuis 1974 par la commission sur le Statut de la femme, la Convention fut finalement adoptée par l'Assemblée générale des Nations unies en décembre 1979.

La Convention entra en application, après avoir été ratifiée par plus de vingt pays, en été 1981. La Convention prévoit la création d'un comité qui doit se réunir régulièrement pour constater les progrès accomplis et soumettre des rapports au secrétaire général des Nations unies. Plusieurs articles de la Convention nous intéressent tout spécialement :

Article 10 § h : « Accès à l'information éducative permettant d'assurer la santé et le bien-être des familles, y compris les informations et les conseils sur le planning familial... »

Article 12 § 1 : « Les Etats signataires prendront toutes les mesures appropriées pour éliminer la discrimination contre les femmes dans le domaine de la santé, et pour s'assurer de ce que les hommes et les femmes jouissent d'un droit égal d'accès aux services sanitaires, y compris ceux qui sont liés au planning familial. »

Article 12 § 2 : « Outre les stipulations de l'article 12/1 les Etats signataires assureront aux femmes les services appropriés dans le domaine de la grossesse, de l'accouchement et des soins postnataux, assurant au besoin la gratuité de ces services ainsi qu'une nutrition adéquate pendant la grossesse et l'allaitement. »

Article 14 § b : « (Les femmes) auront accès aux équipements de soins adéquats y compris l'information, les conseils et les services dans le domaine du planning familial. »

Article 16 § c : « (Elles disposeront) de droits égaux pour décider en toute liberté et en toute responsabilité du nombre et de l'espacement de leurs enfants et pour accéder à toute information, éducation ou moyen leur permettant d'exercer ces droits... »

Mieux que tout autre document, cette Convention définit le droit à la santé. Mais les droits de l'homme et le droit à la santé resteront des mots vides de sens tant que l'on continuera à ignorer les mutilations dont des milliers de femmes sont victimes chaque année. Ceux qui prétendent qu'on peut mutiler une enfant en toute impunité parce qu'elle a la peau noire ou mate et parce que sa « culture » l'exige, ont une position raciste et sexiste. Quels que soient les cultures ou les mythes, mutiler une enfant reste un crime et une atteinte à ses droits humains.

Chaque fois que l'on mutile une petite fille quelque part dans le monde, ce sont nos droits à toutes et à tous qui sont bafoués. Les femmes du monde entier doivent se donner la main et réclamer le droit de disposer de leur propre corps, de leur fécondité et de leur sexualité, ainsi que le droit le plus fondamental de tous : le droit à la santé.

Perspectives : les femmes et la santé

Toutes les observations faites sur le terrain ainsi que les Recommandations du séminaire de l'O.M.S. de Khartoum indiquent clairement que toute action positive en vue de l'abolition des mutilations sexuelles féminines doit, en premier lieu, se préoccuper de la santé. L'organisation d'une prévention réelle doit d'abord s'occuper des dommages que ces opérations infligent à la santé des femmes, tant sur le plan physique que sur le plan psychologique.

Pendant des siècles le silence a protégé ces pratiques. Personne en Afrique n'avait conscience de la véritable dimension du problème. Aujourd'hui encore, les dirigeants africains refusent souvent de reconnaître que le problème existe. Mais face aux données médicales, plus personnes ne peut nier que les mutilations sexuelles féminines représentent un problème sanitaire majeur et doivent être traitées en conséquence, sur le plan local, régional et international.

La solution la plus simple consistait à ne rien faire : après tout, les peuples d'Afrique et du Moyen-Orient n'avaient qu'à régler leurs propres problèmes. Tout à fait juste. Mais dans ce cas, pourquoi s'occuper des autres problèmes sanitaires que connaît l'Afrique ? Pourquoi organiser des campagnes contre la variole ou la malaria ? Pourquoi propager en Afrique les techniques et les conceptions de la médecine occidentale, les notions occidentales sur la science et la nutrition ? Après tout, les diverses populations du continent africain ne nous ont rien demandé : dans leur majorité, elles ignorent l'existence de traitements tels que la vaccination.

Il s'agit en fait d'un faux débat. La vraie question doit être posée en ces termes : *pourquoi abordons-nous les problèmes sanitaires de façon sélective ?* Comment pouvons-nous lutter pour la prévention de la rougeole, de la diphtérie et d'autres maladies infantiles, et nous désintéresser en même temps des mutilations sexuelles qui sont infligées à tant de petites filles ? Pourquoi traitons-nous la malaria, tout en ignorant les problèmes de l'accouchement, alors que l'accouchement blesse et tue bien plus que la malaria ?

Une jeune fille qu'on mutile pour satisfaire aux exigences de son futur mari souffre-t-elle moins du fait de cette mutilation que si elle avait été renversée par un camion ? Pourquoi la médecine s'occuperait-elle du second problème et pas du premier ? Pourquoi essayons-nous d'empêcher les accidents de la route, pourquoi punissons-nous ceux qui en sont responsables, tout en permettant à d'autres de mutiler leurs petites filles en toute impunité ? Voilà les questions qui doivent être posées.

Certes, c'est aux populations concernées de régler leurs propres problèmes : mais elles ne pourront le faire que si elles disposent des informations qui leur permettent de choisir ce qui est le mieux pour leurs enfants et pour leur société. Or, cette information leur est refusée. De plus, les enfants qui sont les victimes directes des mutilations sont incapables de parler en leur propre nom. Excuser sa passivité en prétendant que « les personnes concernées devraient régler elles-mêmes leurs propres problèmes », n'est qu'une façon particulièrement cynique de fuir ses responsabilités. Les victimes des mutilations sont tellement jeunes qu'elles ne se rendent pas compte de ce qu'on leur fait subir : et pourtant leur vie entière sera marquée par l'opération et ses séquelles. Ce qui est tragique, c'est que la plupart du temps les parents ne se rendent pas compte non plus de ce qu'ils font à leurs enfants.

L'éducation et l'information sanitaires sont les préalables nécessaires à tout choix. Les familles doivent d'abord apprendre les données biologiques de base concernant la reproduction, avant de pouvoir décider, en connaissance de cause, si elles souhaitent réellement faire opérer leurs enfants. Tous les intervenants du séminaire de Khartoum ont insisté sur ce besoin d'information et d'éducation sanitaire, s'adressant à toute la population et non seulement aux travailleurs du secteur médical.

Toutes les recherches pratiquées en Afrique et au Moyen-Orient montrent que les gens qui se livrent à ces pratiques ignorent tout de leur propre corps et de ses fonctions biologiques. Pendant des années, on a investi des millions de dollars dans le « développement » des pays africains, mais les habitants de ces pays ignorent toujours les concepts sanitaires les plus fondamentaux, car on n'a rien fait pour les leur apprendre : on n'a jamais mobilisé les moyens de communication de masse pour assurer de façon systématique l'éducation sanitaire de ces populations.

Contrairement à ce que l'on pourrait croire, les gens ne font que rarement le lien entre les mutilations et les problèmes médicaux dont elles sont la cause. On ne rend jamais les mutilations responsables des accidents mortels et des séquelles médicales qu'elles provoquent. On préfère les attribuer à toutes sortes de démons, prétendre que le rituel n'a pas été scrupuleusement observé, ou que quelqu'un a jeté un mauvais sort à la victime. On ne fait jamais la relation de cause à effet.

En l'absence de toute éducation sexuelle, les peuples d'Afrique et du Moyen-Orient continuent à vivre leurs « mythes » comme des réalités. Dans l'environnement traditionnel, les gens demeurent convaincus de la nécessité des opérations.

L'explication scientifique d'un processus comme celui de la reproduction peut paraître totalement mystérieuse et étrange aux yeux de celui qui n'a aucune notion de science ou de biologie. Comment prouver qu'une cellule se divise, à moins de pouvoir montrer cette cellule au microscope ? Comment expliquer que ce sont les bactéries qui sont responsables des infections, et non pas le mauvais sort que vous a jeté un voisin, ou encore un démon qu'il faut apaiser ? « Cette femme a certainement commis une très mauvaise action, dont elle est punie par cet accouchement pénible. » « Pourquoi devrait-on faire confiance à ces médecins étrangers, alors que tant de gens meurent dans leurs hôpitaux ? » « Pourquoi aller voir à l'hôpital l'homme qui ne nous donne que quelques pilules, alors que la potion de notre guérisseur a sauvé notre ami ? » « Pourquoi utiliser de nouveaux remèdes, au lieu de suivre les préceptes de nos grand-mères ? » « On a toujours fait comme ça, par respect pour nos ancêtres. Et nos ancêtres étaient infaillibles. »

Il ne faut jamais perdre de vue que les mythes tiennent lieu de réalité pour ces populations qui n'ont pas accès à un savoir scientifique. Comment une personne élevée dans ce contexte de mythes et de tabous, pourrait-elle apprendre la vérité sur la reproduction et la sexualité ? Dès son plus jeune âge, une fille se voit inculquer la croyance dans les traditions. Même si elle a la chance d'aller à l'école, personne ne lui enseignera les données fondamentales concernant la reproduction, la biologie humaine et la sexualité. L'éducation sexuelle est évidemment un sujet totalement absent des écoles africaines.

Aujourd'hui, la radio permet d'atteindre la plupart des villages. Les magnétophones à cassettes permettent de propager l'information même là où il n'y a pas d'électricité. Radio et magnétophones permettent de s'adresser aux populations illettrées. Ces techniques de communication ne demandent pas de grands investissements, et ne connaissent pas de limites géographiques. Les cassettes peuvent aller jusque dans les villages les plus reculés comme le prouve la notoriété universelle de la musique rock et de ses stars. Les mêmes techniques peuvent servir à l'éducation sanitaire — la prévention coûte beaucoup moins cher que la construction des hôpitaux.

Cette éducation devrait être prise en charge par les départements de la santé. Mais ces départements sont imprégnés des conceptions de la médecine occidentale : ils s'intéressent avant tout aux maladies et à la médecine curative. En Afrique et au Moyen-Orient, l'éducation sanitaire se résume en fait à la formation du personnel médical. Cette éducation ne s'adresse jamais à l'ensemble de la population qui en aurait pourtant le plus grand besoin.

L'O.M.S. estime que 10 pour cent seulement des Africains ont recours aux services de la médecine moderne à un moment donné de leur vie. D'où l'extrême importance d'une éducation sanitaire audio-visuelle. Cette éducation coûte beaucoup moins cher et permet de toucher beaucoup plus de gens que la médecine curative. Mais les professionnels de la santé ne s'y intéressent pas car ils la trouvent indigne de leurs compétences.

Dans beaucoup de pays africains, de jeunes parents, travaillant dans le secteur de la santé, refusent désormais de faire opérer leurs petites filles, et se regroupent avec d'autres opposants à ces coutumes. Ces groupes ont besoin d'aide — une aide semblable à celle dont bénéficient d'autres initiatives allant dans le sens du développement. Mais, pour l'instant cette aide leur est refusée, tant au niveau local qu'au niveau international.

Seule une action communautaire bénéficiant d'un soutien massif d'information peut faire évoluer les mentalités. L'action isolée de quelques familles qui se regroupent pour soustraire leurs enfants aux opérations reste sans effet, si elle n'est pas relayée par une campagne organisée. Car toute tentative de changement suscite d'emblée des réactions négatives. Un exemple : au Soudan, les familles de médecins ne font pas infibuler leurs filles, mais elles ne veulent pas que cela se sache. Elles vont jusqu'à organiser la cérémonie qui accompagne normalement l'infibulation et payent la circonciseuse pour qu'elle fasse semblant d'opérer et pour qu'elle garde le secret. Cette façon de procéder leur permet certainement d'épargner leurs propres filles, mais ne contribue en rien à faire évoluer la situation.

Il est clair que ces familles qui refusent de faire mutiler leurs enfants ont besoin d'aide. Cette aide pourrait prendre la forme de programmes sanitaires organisés au niveau de la communauté avec l'assistance des organisations internationales. Mais le silence et la passivité de ces organisations découragent toute action, toute communication, toute discussion. L'attitude des organisations internationales pousse en fait les partisans du changement à recourir à des solutions qui n'en sont pas : par exemple à faire opérer leurs petites filles dans les hôpitaux.

C'est pour apporter un soutien international à ces initiatives locales et pour permettre aux informations de circuler, que *Win News* a créé le *Réseau d'action sur les droits humains et la santé*. Le Réseau a pour objectif d'organiser la collaboration et l'entraide internationale des femmes en lutte pour « le contrôle de leur propre corps, de leur fécondité, de leur sexualité et de leur vie ». Notre tâche prioritiare est le combat pour l'abolition des pratiques néfastes pour la santé des femmes, et tout particulièrement des mutilations génitales et sexuelles. L'éducation sanitaire, l'information, la communication, la publicité et l'action politique sont pour nous les moyens d'atteindre nos objectifs.

Le problème des mutilations sexuelles reste encore largement méconnu : tous ceux qui en Afrique, au niveau communautaire, ont besoin de notre assistance, ne pourront être entendus que lorsque les organismes internationaux se décideront à agir. L'action politique peut les y contraindre. Le Réseau d'action de *Win News* a pour objectif de pousser ces organisations internationales à fournir une assistance aux groupes et aux individus africains qui luttent pour la prévention des mutilations et pour l'amélioration des conditions de santé des femmes et des enfants. Il faut systématiquement prendre contact avec les nombreuses organisations concernées par l'action sanitaire en Afrique, et il faut les « persuader » d'agir : c'est le rôle de l'action au niveau des media.

Dans le chapitre sur « La politique des mutilations », nous avons décrit l'action de *Win News* face à l'Agence américaine pour le développement international (U.S./A.I.D.). Presque tous les pays européens financent de nombreux programmes d'assistance aux pays africains. Les femmes ont donc leur mot à dire sur la façon dont l'argent de leurs impôts est dépensé.

Il faut interpeller toutes les organisations qui subventionnent des programmes sanitaires en Afrique ou au Moyen-Orient. Il faut leur demander quelles sont les mesures prises en faveur de la santé des femmes et des enfants, et surtout pour la prévention des mutilations sexuelles dans les régions où ces opérations sont coutumières.

Il faut prendre directement contact avec les responsables de ces organisations, et obtenir leur « participation » à l'application des Recommandations de l'O.M.S. au séminaire de Khartoum. Une action simultanée au niveau de la presse peut se révéler très convaincante : on fait comprendre aux organisations récalcitrantes qu'on les dénoncera dans la presse pour « non-assistance aux enfants africains en danger ». Cette méthode est particulièrement efficace avec les organisations qui sont financées par des collectes, et qui doivent donc soigner leur image de marque. C'est le cas de l'UNICEF. Toute organisation, qu'elle soit gouvernementale ou non, est sensible aux stratégies politiques et aux actions dans les media.

En dernier ressort, ces organisations n'agissent que contraintes et forcées. Les femmes de tous les pays sont confrontées aux mêmes problèmes concernant leurs capacités reproductives et leur santé : c'est une question politique qui se pose à l'échelle mondiale. Que signifie le fait d'être une femme ? Ce livre le montre : être une femme, cela signifie souvent voir son corps exploité et mutilé, sa sexualité détruite, sa santé annihilée. Etre une femme, c'est vivre dans la terreur des hommes. Comment les hommes peuvent-ils excuser de telles pratiques ? Comment peuvent-ils regarder leurs mères, leurs femmes, leurs filles, sans avoir honte de ce qu'ils leur font subir ?

Malgré le séminaire de Khartoum, qui a montré la dimension internationale du problème des mutilations sexuelles, les responsables des ministères de la Santé et les politiciens continuent à garder le silence. Aucun homme occidental n'a mis en demeure ses frères d'Afrique et du Moyen-Orient de mettre un terme aux mutilations. Même les professionnels de la santé sont restés inactifs.

Les femmes ne peuvent, par conséquent, compter que sur elles-mêmes : l'information, et l'éducation sanitaire des femmes par des femmes, doit être la première grande étape. Un ouvrage important, écrit par des femmes, pour des femmes analyse parfaitement ce problème. Il s'agit de *Our bodies, ourselves* (Notre corps, nous-mêmes), qui constitue la pierre de touche des mouvements de lutte pour la santé des femmes. Voici ce qu'on peut lire dans l'introduction : « Notre corps est la base physique à partir de laquelle nous existons dans le monde. L'ignorance, le doute, la honte de notre corps nous aliènent à nous-mêmes, nous empêchent de réaliser notre potentiel humain. ... Pour nous libérer, pour libérer toutes nos énergies inexploitées nous devons d'abord apprendre à comprendre, à accepter et à assumer notre corps. »

Ce livre a acquis une importance fondamentale pour toutes les femmes en lutte pour le droit à la santé. Les problèmes de santé sont communs à toutes les femmes, quelle que soit leur culture. Le fait d'en parler avec d'autres femmes leur permet de sortir de leur isolement, de prendre conscience de leur situation. Pour les femmes, le problème de la santé est un problème politique, car les hommes se sont toujours servi de la santé pour mieux contrôler les femmes.

Les mouvements féministes aux Etats-Unis, en Europe, au Canada, en Australie et en Amérique latine ont permis aux femmes de prendre conscience de cette situation et d'échanger leurs expériences. Désormais, ces femmes prennent en main la responsabilité de leur propre santé et commencent à s'affranchir du contrôle masculin et patriarcal.

Dans son ouvrage *The hidden malpractice* (*La négligence cachée*), Gena Corea analyse la situation des femmes face au pouvoir mâle dans le secteur de la santé : face aux hommes médecins, face aux hôpitaux organisés par et pour les hommes, face aux dirigeants des industries pharmaceutiques, pour lesquelles les femmes ne sont qu'une énorme source de profits.

Bien que l'O.M.S. ait admis que la médecine curative occidentale ne touche que 10 pour cent des populations des pays en voie de développement, c'est ce modèle de médecine curative, fondée sur des technologies de pointe, qui continue à être proposé à ces pays. Or, il est totalement inadapté à leurs problèmes. Seule l'élite économique et politique peut en profiter.

Voici comment Gena Corea décrit ce système et les progrès accomplis par le mouvement pour la santé des femmes : « Les médecins utilisent les corps des femmes pour tester des produits contraceptifs ; ils refusent aux femmes le droit d'avorter ; ils leur imposent la stérilisation ; ils les privent de l'expérience même de l'enfantement ; ils leur font subir des interventions chirurgicales inutiles. Mais les femmes refusent désormais de rester passives et soumises. Depuis 1969, on a pu assister à la création d'un millier d'organisations de femmes concernées par leur santé, et de nombreuses cliniques alternatives féminines. C'est l'ensemble de ces initiatives qui compose le mouvement pour la santé des femmes.

« Ces organisations apprennent aux femmes à connaître leur propre corps... Elles organisent des cours qui expliquent aux femmes l'anatomie et la physiologie féminines dans des termes compréhensibles par toutes. Certains groupes publient des bulletins et des brochures, organisent des conférences, des prises de parole, des manifestations. D'autres groupes mènent une action politique pour changer le système médical, pour donner la priorité à la prévention, éliminer la notion de profit, et obliger les professionnels de la santé à associer les patients aux processus de décision. »

Gena Corea décrit la situation aux Etats-Unis, mais on assiste à des mouvements similaires en Europe et dans d'autres régions du monde. Le mouvement pour la santé des femmes est aujourd'hui en pleine expansion.

L'introduction de la médecine occidentale dans les pays en voie de développement s'accompagne d'un contrôle croissant des hommes sur le secteur de la santé, en gynécologie notamment. En Europe et aux Etats-Unis, c'est au début du siècle que les médecins ont pris la place des sages-femmes. Dans les pays en voie de développement les sages-femmes traditionnelles continuent à s'occuper des accouchements, mais on refuse de leur donner une formation adéquate.

En Afrique et dans le Tiers monde en général, l'accouchement reste une affaire exclusivement féminine. Il est essentiel que les sages-femmes traditionnelles puissent bénéficier d'une éducation et d'une formation sanitaires modernes : on doit leur enseigner les procédures antiseptiques, on doit leur apprendre à utiliser les médicaments et les instruments de la médecine moderne, tout en leur permettant de garder la confiance de leur communauté. C'est cela qui devrait constituer l'objectif prioritaire de toute action en faveur de la santé des femmes dans les pays en voie de développement. Or, la formation des sages-femmes traditionnelles est toujours considérée comme la chose la moins urgente. Ces sages-femmes se voient reprocher leurs pratiques néfastes — mais ces pratiques se perpétuent parce que ces femmes n'ont pas accès à une formation médicale moderne.

L'introduction de la médecine moderne dans ces pays devrait être axée sur la prévention, au contraire de la médecine occidentale, essentiellement curative, fondée sur l'hospitalisation et l'utilisation d'une technologie sophistiquée. Cette approche devrait privilégier la prévention des pratiques néfastes, des grossesses non désirées, et des maladies. Grâce à la collaboration des sages-femmes traditionnelles, un système sanitaire associant la prévention à l'éducation, pourrait toucher la grande majorité des femmes. Si l'on parle de développement, alors il faut donner la priorité au développement des êtres humains, au développement des jeunes générations, qui auront à assumer les énormes responsabilités d'un avenir incertain. Il faut avant tout les aider à devenir des individus sains et forts, capables de se prendre eux-mêmes en charge et de contribuer au mieux-être de toute leur communauté. Les mutilations sexuelles féminines, qu'elles soient pratiquées dans la brousse africaine ou dans un hôpital moderne, sont totalement incompatibles avec ces objectifs.

Dans le chapitre consacré aux « Données médicales », j'ai montré ce que coûtent ces opérations aux gouvernements concernés. Mais ces chiffres ne sont rien, comparés à la perte en potentiel humain, à la destruction de la personnalité humaine par le traumatisme et la violence de cet atroce martyre. On ne pourra jamais chiffrer les coûts de cette perte-là. Mais vous, lecteurs de ce livre, vous devez faire face à cette perte irréparable, qui nous met tous en cause.

Post-scriptum 1983

En février et en mars 1983, j'ai effectué un nouveau voyage d'études dans la plupart des pays africains dont il est question dans ce livre.

*Malgré les Recommandations de l'*O.M.S. *à Khartoum en 1979, malgré de multiples déclarations de principe, malgré même un certain nombre de mesures théoriquement prises, malgré le fait que le* Livre d'images universel de la naissance *ait été partout bien accueilli (mais très peu utilisé encore), il faut reprendre la litanie désespérante des phrases jalonnant les pages qui précèdent. Les Recommandations du séminaire de Khartoum sont restées lettre morte... Aucune action concrète n'a vraiment été entreprise. Presque partout on déclare que l'on a d'autres priorités plus urgentes. Au mieux, on a nommé des commissions et l'on a décidé des enquêtes, ces enquêtes qui servent si souvent à justifier la passivité. Et l'excision continue à être pratiquée sur les petites filles, de plus en plus souvent dans les hôpitaux, avec l'aide de la médecine moderne.*

Un certain nombre de changements autorisent néanmoins un optimisme très mesuré. Alors qu'on a si longtemps ignoré ou même nié l'existence du problème, au moins parle-t-on aujourd'hui des mutilations sexuelles féminines, allant même jusqu'à reconnaître (parfois officiellement) leurs conséquences néfastes pour la santé des mères et des enfants.

Parler du problème est à peu près tout ce qu'on a fait jusqu'à maintenant : en Egypte où, sur l'initiative du planning familial du Caire (privé), une « coordinatrice pour les problèmes de la circoncision féminine » essaie de sensibiliser les professionnels de la santé aux conséquences désastreuses des opérations ; au Soudan, sous l'impulsion du Dr Asma el Dareer, après la publication de son excellent livre sur les mutilations sexuelles féminines ; en Somalie, mais uniquement dans la capitale ; au Sénégal où le Congrès international réuni à Dakar en décembre 1982 à l'initiative d'Awa Thiam a publiquement discuté le problème des mutilations ; en Haute-Volta (fort peu) et au Nigeria où l'on a cependant décidé une enquête.

Au Mali, l'Union nationale des femmes du Mali a lancé une enquête, mais elle semble décidée à agir, notamment avec le Livre d'images universel de la naissance *que le ministère de la Santé a, lui aussi, réclamé.*

L'Ethiopie est le seul pays *où la protection maternelle et infantile est considérée comme une priorité au ministère de la Santé qui a lancé une enquête officielle. La directrice de la protection maternelle et infantile, le Dr Tewabeeh Bishaw m'a déclaré « qu'on n'attendrait pas les résultats définitifs de l'enquête pour mettre en place des programmes d'éducation préventive ».*

En outre, cinq mille exemplaires du Livre d'images universel de la naissance *doivent être utilisés dans tout le pays.*

Au Kenya, l'interdiction des mutilations sexuelles féminines, édictée par le président Arap Moi, a eu un énorme impact (elle est d'ailleurs citée dans toute l'Afrique). Elle a été notifiée à tous les hôpitaux. Mais pour l'heure, aucune éducation préventive, aucune action pour mettre fin aux opérations n'a encore pris place. En revanche, le Livre d'images universel de la naissance *devrait être bientôt largement diffusé.*

Répétons-le : tant que des actions ne seront entreprises que sur initiative privée, tant qu'elles ne seront pas soutenues officiellement par les ministères de la Santé (seule exception, l'Ethiopie), on ne pourra obtenir aucun changement notable.

En France, Yvette Roudy a ouvert le dossier des mutilations sexuelles féminines sur le territoire français. Elle a mis sur pied un groupe de travail (principalement constitué de femmes africaines) qui prépare un rapport abordant les aspects juridiques, ethnologiques et médicaux de la question. L'objectif est double : d'une part, faire connaître aux populations migrantes l'interdiction juridique qui existe en France contre toutes les mutilations (on envisage de préciser l'article 312 en y ajoutant expressément la mention de l'excision et de l'infibulation) ; d'autre part, et parallèlement, mettre en place un plan d'action éducative sur les risques médicaux et psychologiques entraînés par les opérations.

BIBLIOGRAPHIE

ACCAD Evelyne, « The role of women in contemporary faction of North Africa ans the Arab world », in *Veil of Shame*, Ed. Naaman, Québec, 1978.

ASSAD Mary B., « Female circumcision », in *World Health*, mai 1979 (magazine officiel de l'O.M.S., publié à Genève). *Traditional practices affecting the health of woman and children*, Contribution au séminaire de Khartoum, février 1979.

BAASHER T.A., *Psychological aspects of female circumcision* (publications de l'O.M.S., Alexandrie, Egypte).

BALAMOAN G. Ayoub, *Migration policies in the Anglo-Egyptian Sudan, 1184-1956*, Harvard University, Cambridge, U.S.A.

BARKER-BENFIELD C.J., *The horrors of the half known life : Male attitudes toward women and sexuality in the 19th century America*, Harper Colophon Books, 1977. *A Historical perspective on Women's health care-Female circumcision. Women and health : Issues on Women's health care*, janvier/février 1976, n° 1.

BARRY Kathleen, *Female sexual slavery*, Prentice Hall Inc., 1979, U.S.A.

BAYOUMI Ahmed, « The Training and Activity of village Midwives in the Sudan », in *Tropical Doctor*, vol. 6, n° 3, juillet 1976.

BAZIN-TARDIEU Danielle, *Femmes du Mali*, Ed. Lemeac, inc., Ottawa, Canada.

BEASLEY Ina M., « Female circumcision », in *Women speaking*, juillet-septembre 1976.

BECK Ann, *A history of the British medical administration of East Africa, 1900-1950*, Harvard University Press, Cambridge, U.S.A.

BOSERUP Ester, *Woman's role in economic development*, St. Martin Press, New York, et G. Allen and Unwin, 1970.

BOWESMAN Charles, *Ritual circumcision of females. Surgery and Clinical pathology in the Tropics*, Livingstone Ltd, Edimbourg et Londres, 1960.

BRAUN Armelle, « A new role for women in Senegal », in *F.A.O. Review on Agriculture and Development*, juillet-août 1978.

BRAUN I., LEVIN T., SCHWARZBAUER A., « Materialen zur Unterstutzung vön Aktiongruppen Gegen Klitorisheschneidung », in *C. Verlag Frauen offensive.*

BROWNMILLER Susan, *Against our Will : Men, Women and Rape,* Simon and Schuster, New York, 1975 ; éd. franç. : *Le Viol,* Ed. Stock, 1976.

BRUCE-CHWATT Leonard, Dr, « Female Circumcision and politics », in *World Medicine,* vol. II, n° 7, 1976.

BURTON Richard Francis, *Personal narrative of a pilgrimage to al Medinah and Meccah,* George Bell and sons, Londres, 1898. *First footsteps in East Africa, or an Exploration of Harar,* Tylston and Edwards, Londres, 1894.

CHELL Angela, *Nomadic sexual practices : Case study : Sudan,* ACORD/CUSO Office, Nairobi, Kenya.

CLARK, ISOBEL et DIAZ, « A slow change in attitudes », in *Sudanow,* Khartoum, mars 1977.

CLOUDSLEY Anne, *Women of Ondurman : Victims of Circumcision,* publié par l'auteur, à Londres, 1981.

COLLINS Joseph et LAPPE Frances Moore, *Food first : Beyond the myth or scarcity,* Houghton Mifflin and Co. Boston, 1977.

COOK Robert, « Damage to physical health from pharaonic circumcision (infibulation) of females », in *Review of the Medical Literature,* Alexandrie, Egypte, 1976.

DIALLO Assitan, *L'Excision en milieu bambara,* thèse, Ecole normale supérieure, Bamako, Mali.

DINGWALL Eric John, *The Girdle of Chastity,* Routledge, Londres, 1931.

DUALEH Raqiya Hazi, *Female Circumcision in Somalia.* Contribution à un Séminaire de l'O.M.S. sur les pratiques affectant la santé des femmes et des enfants. Est également l'auteur d'un rapport de l'Organisation démocratique des femmes de Somalie, lors du Séminaire de Khartoum, en février 1979.

DUDEN Barbara, SCHATTEN Isabelle, « Die Gebärmutter das Hungrige Tier », in *Courage,* 3/3/78.

DUFFY John, « Masturbation and Clitoridectomy : a 19th Century view », in *Journal of the American Medical Association,* vol. 186, 19/10/1963.

EISLER Riane, *The Blade and the Chalice,* Institute for Futures Forecasting, Carmel, California. Article dans *Win News,* été 1982.

EL DAREER Asma A.R. Dr, *An Epidemiological study of female circumcision in the Sudan,* thèse, université de Khartoum. Des extraits ont été publiés dans *Win News* au printemps 1981. *Woman, why do you weep ?* (Circumcision and its consequences) Zed Press, Londres, 1982.

EL JAMA'A Sharia, « A woman's place ? », in *Sudanom* (parution du ministère de la Culture et de l'Information), Khartoum, Soudan, n° 77.

EL SAADAWI Nawal, *The Hidden face of Eve : Women in the Arab world,* Zed Press, Londres, 1980.

EPELBOIN Sylvia et Alain, *L'Excision, tradition mutilante ou valeur culturelle ?* Enfants et jeunes au Sahel, IV, 1980.

ERICKSEN PAIGE Karen, « The Ritual of circumcision », in *Human Nature,* mai 1978.

FLEMING J.G., « Clitoridectomy : the desastrous downfall of Isaac Baker Brown F.R.C.S. (1867) », *Journal of Gynaecology of the British Empire,* vol. 67 (6), 1960.

FRANJOU Marie-Hélène Dr, article dans *Choisir,* sept./oct. 1981.

GACHUHI J. Mugo, *Kenyan youth : their sexual knowledge and Practices,* University of Nairobi, Kenya, déc. 1972.

GERVIS P., *C'est arrivé dans la Sierra Leone,* Albin Michel, Paris, 1957.

GHULAM Layla Jassim Dr, *Early Teenage Childbirth : consequences of this for mother and child,* Publications de l'O.M.S., WHO/EMRO, n° 2, février 1982.

GOREA Gena, *The Hidden malpractice : how american medicine treats women as patients and professionals,* William Morrow, New York, 1977.

GOULD-DEVIS Elizabeth, *The first Sex,* Penguin Books, 1972.

GROULT Benoîte, *Ainsi soit-elle,* Grasset, Paris, 1975. « Les mutilations sexuelles », in *F. Magazine,* mars 1979, « Mutilations sexuelles : les Africaines face à la mauvaise foi », in *F. Magazine,* mars 1980. « Mutilations sexuelles : le scandale continue », in *F. Magazine,* octobre 1980.

GUPTE Pranay, « Sudan is facing hard economic choices », in *New York Times,* 16/11/1981.

HALEY Alex, *Roots,* Doubleday, New York, 1976 ; tr. franç. *Racines,* Alta, Paris, 1977.

HANSEN H.H., « Clitoridectomy : Female Circumcision in Egypt », in *Folk,* vol. 14/15, 1972-73.

HILLS-YOUNG E., « Female Circumcision in the Sudan », in *Nursing Mirror,* 12/3/1949. *The Training of Midwives in the Sudan,* London University.

HATHOUT, « Some aspects of female circumcision : with a case report of a rare complication », in *Journal of Obstetric and Gynaecology,* vol. 79, 1963.

HITE Shere, *The Hite Report on female sexuality,* Dell Publishing Co. Inc. New York, 1976. *The Hite Report on male sexuality,* Alfred A. Knopf, New York, 1981.

HOFFER Carol P., « Mende and Sherbro, Women in high office », *Canadian Journal of African Studies,* 1972.

HOSKEN Fran (voir liste « du même auteur »).

HUBER Alfons, Weibliche Zirkumzision und Infibulation in Athiopien », in *Acta Tropica,* Bâle, 1966. « Die Weibliche Beschneidung », in *Journal der Tropenmedizin und Parasitologie,* Stuttgart, vol. 20, n° 1, mars 1969. *Genitalverletzungen Afrikanischer Mädchen durch Rituell Eingriffe,* Kommission Helmut Bake verlag, Hambourg, 1971. « Die rituelle Beschneidung der Frau — Sinn und Verbreitung », in *Mitteilungen Anthropologische Gesellschaft,* Vienne, 1972.

HUSTON Perdita, *Message from the village,* The Epoch B. Foundation, New York, 1978.

IMPERATO James Dr, *Traditional surgery : circumcision and excision. African folk medicine : practices and beliefs of the Bambara and other peoples,* York Press, Baltimore, 1977.

JOHNSON Bertha, Dr, *Traditional practices affecting the health of Women.* Contribution pour le Séminaire sur la Santé mondiale, Khartoum, février 1979.

KAMARA A. MA., *Traditions and Superstitions among the Themnes and Mendes and the effect of Western type of education upon them,* Freetown, Fourah Bay College, 1964.

KARIM Mahmoud Dr et AMMAR Roshdi, Dr, *Female circumcision and sexual desire,* Ain Shams University, faculté de médecine du Caire, 1965.

KENNEDY John G., « Circumcision and Excision in Egyptian Nubia », in *Man,* Journal of Royal Anthrop, vol. n° 5 (2), Londres, 1970.

KENYATTA Jomo, *Facing Mount Kenya,* Vintage Books/Ramdom House, New York, 1930 ; éd. franç., *Au pied du mont Kenya,* Maspero, Paris, 1960.

KING Major J.S., « On the practice of female circumcision and infibulation among the Somal and others nations of North East Africa », *Anthropological Society of Bombay*, 1890.

KINSEY Alfred et col., *Sexual Behavior in the human male*, 1948, *Sexual Behavior in the human female*, W.B. Saunders Co., Philadelphie, 1953.

KOSO-THOMAS Olayinka, *Proposal for the cradication of the practice of female circumcision in Sierra Leone*, 1981, Librairie de l'Ecole de santé de Berkeley, Californie.

LANTIER Jacques, *La Cité magique et Magie en Afrique noire*, Fayard, Paris, 1972.

LENZI Eugenio, « Damage caused by infibulation and infertility », in *Acta Europa Fertilitatis*, 2-47, 1970.

LITTLE Kenneth, *African Women in towns : an aspect of Africa's social revolution*, Cambridge University Press, 1973.

LONGO Lawrence D., « Sociocultural Practices relating to Obstetrics and Gynecology », in *American Journal of Obst. and Gynec.*, 89 (4), 1964. « Obstetrics and Gynecology in a West Africa community », in *Medical Arts and Sciences*, vol. XVIII., 1964, Loma/Linda University. « Post-Obstetric genito-urinary tract fistula », in *Obstetrics and Gynecology*, 23 (5), 1964.

LOWENSTEIN F., *Attitudes and attitude differences to female genital mutilation in the Sudan : Is the a change on the horizon ?*, Social Science and Medicine, 12/5A, 1978.

LOUFFI Martha F., « A new international order begins at home : rural women unequal partners in development », Publication du BIT, Genève, 1980.

MCBRIDE Steward Dill, « Senegal : a day in an african village », in *Christian Science Monitor*, 11/7/1977.

MASTERS & JOHNSON, *Human sexual Response*, Little Brown Co., Boston, 1966.

MATHERSON Alistair, « Unkindest Cut of all », *The Observer*, Londres, 19/9/1979.

MINCES Juliette, *La Femme dans le monde arabe*, Ed. Mazarine, Paris, 1980.

MODAWI Suliman, Dr, *The Impact of social and economic changes in female circumcision*, Sudan Medical Ass., Khartoum University Press, 1974.

MONTAGU Ashley, « Infibulation and Defibulation in the old and new worlds », in *The American Anthropologist*, Brief Communications, Ns. 47., 1945. *The Natural superiority of women*, Collier Books, McMillan publ. Co., New York, 1952.

MURRAY Jocelyn Margaret, *The Kikuyu female Circumcision controversy*, with special reference to the Church Missionary Society's « Sphere of Influence ». University of California, Los Angeles, 1974.

MUSTAFA Asim Zaki, « Female Circumcision and Infibulation », in *Journal of Obstetrics and Gynaecology*, British Commonwealth, avril 1966.

NICHOL Guy, « The Clitoris martyr », in *World Medicine* 4 (16), 1969.

NIEBUHR M., *Travels through Arabia*, vol. 11, Edimbourg, 1972.

OBBO Christine, « Marriage and the Family », in *African women : their struggle for economic independance*, Zed Press, Londres, 1980.

OGUNMODEDE Ester, « Circumcision : how much longer will we allow our girls to be brutalized in this barbaric way ? », *Drum*, nov. 1977.

OLDFIELD-HAYES Rose, « Female genital mutilation, Fertility control, Women's roles and the patrilineage in modern Sudan : a Fonctional analysis », in *American Ethnologist*, vol. 2, n° 4, nov. 1975.

PALA Achola, *A Preliminary study of the avenues for and contraints on women in the development process of Kenya.* Institute for development studies. University of Nairobi, juin 1975.

PASSMORE SANDERSON Lilian, *Against the mutilation of women : The struggle to end unnecessary suffering,* Ithaco Press, Londres, 1981.

PATEL Krishna Ahooja, « Another development for women », in *Pax et Libertas,* Genève, juillet/septembre 1977.

PENEY, « Etudes sur le Soudan », in *Bulletin de la Société de géographie,* 4e série, I. 17, Paris, 1959.

PIETERS Guy Dr, « Gynecologie au pays des femmes cousues », in *Acta Chirurgica Belgica,* n° 3, mai 1972.

PIETIERS G. et LOWENFELS Albert B., « Infibulation in the Horn of Africa », in *New York State Journ. of Medicine,* 1977.

PLOSS Heinrich et BARTELS M., *Das Weib in der Natur und Völkerkunde,* Leipzig, Th. Griebens verlag. Ed. de 1886 à 1908.

PRIDIE E.D., LORENZEN A.E., CRUICKSHANK A. Dr, HOVELL J.O., MACDONALD D.R., « Female circumcision in the Anglo-Egyptian Sudan », in *Sudan Medical Service,* Khartoum, 1945.

REMONDO P.C., *History of circumcision from the earliest time to the present,* F.A. Davis Co., Philadelphie, 1891.

ROGERS Barbara, *The Domestication of women : discrimination in developing societies,* Kogan Page Ltd., Londres, 1980. « African women in agriculture », in *Africa,* n° 78, fév. 1978.

RUSH Florence, *The best kept secret : sexual abuse of children,* Prentice Hall, Londres, 1980 ; éd. franç. *Le Secret le mieux gardé,* Ed. Denoël/Gonthier, Paris, 1983.

SAUREL Renée, « La petite Oumon », série d'articles in *Les Temps modernes,* 1979 et 1980. *L'Enterrée vive,* Ed. Slatkine, Paris, 1981.

SAVANE Marie-Angélique, « Matterns of concern : Genital mutilation », « Why we are against the Internation campaign ». Ces deux articles ont paru dans la *Revue internationale de Sauvegarde de l'enfance,* Genève.

SEQUEIRA J.H., Article dans *Lancet,* vol. 2, n° 5, Londres, 1931.

SHANDALL Admed Abu-El Futuh, « Circumcision and Infibulation of females », *Sudan Medican Journal,* vol. 5 n° 4, déc. 1967.

SILBERSTEIN A.J., « Circoncision féminine en Côte-d'Ivoire », in *Ann. Soc. belge Méd. trop.,* 1977, 57/3.

SIPILA Helvi, « Law and the Status of Women », in *Columbia Human Rights Law Review,* 1977, et *Win News,* hiver 1978.

SULLEROT Evelyne, *La Femme dans le monde moderne,* Hachette, Paris, 1970.

STEADY Filomena Dr, « Female Power in African Politics. The national Congress in Sierra Leone », in *Africana Library Notes,* n° 31/VI, 1975-76.

TABA A.H., « Female Circumcision », in *World Health,* O.M.S., Genève, mai 1979.

TAOKO Jean G., « L'Excision, base de la stabilité familiale ou rite cruel ? », in *Famille et Développement,* Dakar, Sénégal, printemps 1975.

TAYLOR Ellen, *Women paraprofessionals in Upper Volta's rural development,* Cornell University, New York, 1981.

THIAM Awa, *La Parole aux négresses,* Denoël-Gonthier, Paris, 1978.

VERZIN J.A., « Sequelae of Female Circumcision », in *Tropical Doctor,* oct. 1975.

VILLENEUVE Annie de, « Etude sur une coutume somalie : les femmes cousues », in *Journal de la Société des africanistes,* tome IV, Paris, 1937.

WIDSTRAND Carl Gösta, « Female Infibulation », in *Studia Ethnographica Upsaliensa,* vol. XX, Suède, 1964.

WILLIAMS, CICELY, OXON, « Maternal and child health services in developing countries », *The Lancet,* 15/2/1964.

YOUNG E. Hills, « Female Circumcision in the Sudan », in *Nursing Mirror,* mars 1949.

ZEIDENSTEIN George, « Population processes and improving the quality of human life », U.S. Congress, 20/4/78.

ZWANG Gérard. Article paru dans *Le Nouvel Observateur,* 14 novembre 1977.

Collectifs :

A new view of a woman's body, par la Fédération of Feminist women's health centers. Simon and Schuster, New York, 1981.

Our bodies, ourselves, Boston women's Health Book Collective, Simon and Schuster, 1976.

REVUES ET JOURNAUX

Daily Nation. 28/7/1982. « Female circumcision : Educate the ignorant ». 1er/9/1982. « Girl rites banned in hospitals ».

Famille et Développement. Dakar. Sénégal. Octobre 1975. Lettre d'un lecteur malien, directeur d'école en réponse à l'article de Jean Taoko. Janvier 1977. « La polygamie est-elle un mal nécessaire ? »

F. Magazine. Paris. Mars 1979 et octobre 1980 (voir Benoîte Groult).

Hospital Doctor. Angleterre. 8/7/1982. Vol. C. 2, n° 27. « Students taught mutilations » et « Outlaw these horror lessons ».

Isis. Carouge. Suisse. Eté 1978. « Femmes et santé ».

Journal du Médecin. Paris, 12/3/1981.

London Times. Angleterre. 24/7/1982.

Middle East Magazine. Mars 1978 : en particulier « Divorce in the Moslem World ».

Le Matin. Paris. 21/7/1982.

Le Monde. Paris. 22 et 23/7/1982. 7/10/1982.

Nairobi Times. Kenya. 27/7/1982. « Moi condemns girl's circumcision ».

Nation. Nairobi. Kenya. 1/1/78 : « Circumcision : It's time for the facts ». Mai 1978 : « Circumcision or mutilation » et « Kenya Diary ». 13/7/1979 : Article sur une nouvelle réglementation du mariage.

New National Black Monitor. Octobre 1980.

News Week. « A sexual rite on trial ». 1/11/1982.

New York Times. 26, 27, 28, 29/1/1976. 22/7/1979. 18/10/1981.

The Observer. 10/10/1982.

O.M.S. (Organisation mondiale de la Santé) parmi les nombreuses publications de cette organisation, à signaler particulièrement : 22/7/1946. Constitution of the *World Health organisation.* 1975 : n° 582, « Epidemiology of infertility ». 1979 : n° 2, « Traditional Practices affecting the health of women and children ».

Réveil de Djibouti. Avril/mai 1979. « Stop the sexual mutilation of women ».

Sudanow. Publication du ministère de la Culture et de l'Information. Khartoum. Soudan. Avril 1978 : « Too delicate to discuss ».

Sydney Morning Herald. Australie. 1980 : « A Two way street ».

Viva Magazine. Nairobi. Kenya. Mars 1978 : « How women fare in

Kenya. The rights of women ». Novembre 1978 : « Adolescent ignorance about sex ». Janvier 1979 : « Bride price ». Août et sept. 1981 : Articles sur la nouvelle législation du mariage.
Win News. Cf. liste « du même auteur ».

DE FRAN HOSKEN

Articles de recherche

« Genital Mutilation of Women in Africa », in *Munger Africana Library Notes,* California Institute of Technology, Pasadena, 1976.
« Female circumcision and fertility in Africa », in *Women and Health,* State University of New York, 1976 ; trad. franç. : « Les mutilations sexuelles en Afrique », in *Questions féministes,* Ed. Tierce, Paris, 1980.
The Epidemiology of female genital mutilations », in *Tropical Doctor,* n° 8, 1978.
« Genital mutilations of females in Africa. An urgent population policy issue », in *Population Food Fund,* 1978.
« Preventive care as a public health policy issue. A survey of Family planning and female circumcision in East and West Africa », in *Population Food Fund,* 1978.
« Women and health : genital and sexual mutilations of females », in *International Journal of Women's studies,* Montreal, 1980.
« Female circumcision in Africa », in *Victimology, an International Journal,* 11 (3/4) 1977-78. The american university, Washington.
« Female genital mutilation in the world to-day : a global review », in *Journal of Health serv.,* 11, Baywood publishing Co., Farmingdale, 1981.
« Female genital mutilations and human rights », in *Feminist Issues* 1 (3), 1981. (*Feminist Issues* est l'édition en langue anglaise de *Questions féministes.*)
« Female circumcision in the world to-day : a global review », in *WHO/EMRO* n° 2, vol. 2, 1982 (publication de l'O.M.S.).
Rapport sur le séminaire de Khartoum, Soudan, fév. 1979.

Articles généraux

« Women and health in Africa : genital mutilations », in *Women speaking,* 4/15, Londres, 1977.
« Female mutilations in Somalia tests " Human rights ", doctrine », in *Politics and other human interests,* New York, 1978.
« Female circumcision : dangerous rites », in *Sejourner,* vol. 4, Cambridge (Mass.), mars 1979.
« Genital mutilation : The Horror the U.S. ignores », in *WIN Magazine,* vol. 16, juillet 1980.
« The politics of Female genital mutilation », in *Science for the People,* vol. 12, Cambridge (Mass.), nov.-déc. 1980.

Livres

Outre le présent ouvrage dont nous traduisons la troisième édition, Fran Hosken a fait paraître en 1980 une version plus réduite du *Hosken Report,* sous le titre : *Female Sexual mutilations : The facts and proposals for action.* An action guide (édité par *Win News*).

Parmi ses autres publications, on peut noter : *The language of cities, The function of cities, The Kathmandu valley towns, The international directory of women's development organisations.*

Il faut enfin signaler que Fran Hosken est la rédactrice et l'éditeur de *Win News* (Women's International Network News), magazine qui paraît depuis dix ans, quatre fois par an. Il publie toutes les nouvelles concernant les femmes, dans le monde entier (plus de 120 pays). Y participent aussi bien des hommes que des femmes.

Table

COLLECTION FEMME

Marie Allauzen	*La paysanne française d'aujourd'hui*
(Anonyme)	*Lettres à Omphale*
Rolande Ballorain	*Le nouveau féminisme américain*
Verity Bargate	*Non, Maman, Non*
Colette Basile	*Enfin, c'est la vie !* *Ma vie comme je peux*
Meg Bogin	*Les femmes troubadours*
Marie-Jo Bonnet	*Un choix sans équivoque*
M. Boon-Peyla	*Le passage des Alpes*
Pascal Bouchard	*Romanciers à 13 ans*
Claudie Broyelle	*La moitié du ciel*
Claire Cayron	*Divorce en France*
Laure Charpentier	*Toute honte bue*
B. D. Colen	*Le droit à la mort*
Anne Cublier	*Indira Gandhi*
Jeanne Danos	*La poupée, mythe vivant*
Michèle Declerck et Jeanne Boudouard	*La nourriture-névrose*
Annie Decroux-Masson	*Papa lit, Maman coud*
Danielle Digne	*Rosa Bonheur ou l'insolence*
Elizabeth Dufourcq	*Les femmes japonaises*
Françoise d'Eaubonne	*Je ne suis pas née pour mourir*
M. Faugère et M. d'Argentré	*Histoire de deux mères*
Jeanne Faure-Cousin	*Une de Provence : Marie Mauron*
Marc Feigen Fasteau	*Le robot mâle*
Véra Figner	*Mémoires d'une révolutionnaire*
D. et E. Flamant-Paparatti	*Emmanuelle ou l'enfance au féminin*
D. ct L. Flamant-Paparatti	*Le journal de Lucas*
Gisèle Freund	*Le monde et ma caméra*
Betty Friedan	*La femme mystifiée*

Emmanuel Galactéros *Préparons-nous à te mettre au monde et à t'aimer*
Dagmar Galin *Ana et Blanca*
Attilio Gaudio et Renée Pelletier *Femmes d'Islam*
Annie Goldmann *Les filles de Mardochée*
Benoîte Groult *Le féminisme au masculin*
Alice Guy *Autobiographie d'une pionnière du cinéma*
Patrick Houque *Eve, Eros, Elohim*
Nancy Huston *Mosaïque de la pornographie*
Elizabeth Janeway *La place des femmes dans un monde d'hommes*
J. Kahn-Nathan et G. Tordjman *Le sexe en questions*
Suzy Krieger *Echec à l'angoisse*
Madeleine Laïk *Fille ou garçon*
Gerda Lerner *De l'esclavage à la ségrégation*
Birgitta Linner *Sexualité et vie sociale en Suède*
Rosa Luxemburg *Lettres à Léon Jogichès* (2 tomes)
Shirley MacLaine *De Hollywood à Pékin*
Tatiana Mamonova *Voix de femmes en Russie*
Margaret Mead *L'un et l'autre sexe*
Le fossé des générations
Ecrits sur le vif
Margaret Mead/Rhoda Metraux *Aspects du présent*
Michèle Méric *Le mariage névrotique*
Anka Muhlstein *La femme-soleil*
Katleen Newland *Femmes et société*
Elsa Oliva *La partisane Elsa*
Christiane Olivier *Les enfants de Jocaste*
Anne Ophir *Regards féminins*
R.C. Orem *Le manuel Montessori*
Gabriella Parca *Les Italiennes se confessent*
Tony Parker *Cinq femmes en prison*
Sylvia Plath *La cloche de détresse*
Rosemonde Pujol *Hôpital : j'accuse*
Evelyn Reed *Féminisme et anthropologie*
Adrienne Rich *Naître d'une femme*
Florence Rush *Le secret le mieux gardé*
Romola Sabourin *La retraite avenir*
G. de Sairigné *Les Françaises face au chômage*

Mary Savage	*Suicides*
Gitta Sereny	*Meurtrière à onze ans*
Judy Sullivan	*Maman n'habite plus ici*
Awa Thiam	*La parole aux Négresses*
Audrey C. Thomas	*Du sang*
Dea Trier Mörch	*Les enfants de l'hiver*
Anneliesse Ude-Pestel	*Betty, psychothérapie d'une petite fille*
Sula Wolff	*Enfants perturbés*
Virginia Woolf	*Une chambre à soi*
Jacques J. Zéphir	*Le néo-féminisme de Simone de Beauvoir*

Ce volume
a été achevé d'imprimer
le 12 octobre 1983
sur les presses de
l'Imprimerie Carlo Descamps
à Condé-sur-l'Escaut

D.L., octobre 1983.
Editeur, n° 1607.
Imprimeur, n° 3113
Imprimé en France.

1607